QUI A TUÉ NAPOLÉON?

BEN WEIDER et DAVID HAPGOOD

QUI A TUÉ NAPOLÉON ?

Traduit de l'américain par Bernard Ferry

Préface de Jean Boisson

ÉDITIONS ROBERT LAFFONT
PARIS

Titre original : THE MURDER OF NAPOLEON
© Ben Weider, David Hapgood, Sten Forshufvud et Mitchell Press Ltd, 1981
Traduction française : Éditions Robert Laffont, S.A., Paris, 1982

ISBN 2-221-00931-2
(édition originale :
ISBN 0-86553-035-1 Congdon & Lattès, New York)

FR. 7509

« Après ma mort, qui ne peut être éloignée, je veux que vous fassiez l'ouverture de mon cadavre (…) Je souhaite encore que vous preniez mon cœur, que vous le mettiez dans l'esprit-de-vin et que vous le portiez à Parme, à ma chère Marie-Louise (…) Je vous recommande surtout de bien examiner mon estomac, d'en faire un rapport précis, détaillé, que vous remettrez à mon fils (…) Je vous prie, je vous charge de ne rien négliger dans un tel examen (…) Je lègue à toutes les familles régnantes l'horreur et l'opprobre de mes derniers moments. »

Napoléon à son médecin,
Six jours avant sa mort.

NOTE DES AUTEURS

L'enquête menée par Sten Forshufvud est contée à partir des nombreux entretiens que nous avons eus avec lui pendant plusieurs années.

Notre récit de la vie et de la mort de Napoléon à Sainte-Hélène s'appuie sur une importante documentation d'époque, provenant à la fois de témoignages directs et de comptes rendus de seconde main. Les quatre officiers qui ont accompagné Napoléon en exil ont tous écrit leurs mémoires. Ce sont, par ordre chronologique de leurs dates de publication : Emmanuel de Las Cases, *Mémorial de Sainte-Hélène*, 1823 ; Charles-Tristan de Montholon, *Histoire de Sainte-Hélène*, 1846 ; Gaspard Gourgaud, *Journal de Sainte-Hélène*, 1899 et Henri-Gratien Bertrand, *Cahiers de Sainte-Hélène*, 1949-1959. Les deux médecins de Napoléon ont aussi écrit leurs mémoires : Barry O'Meara, *Napoleon in exile*, 1822 et Francesco Antommarchi, *Les Derniers Moments de Napoléon*, 1825. Les deux valets de Napoléon en ont fait autant : Louis-Etienne Saint-Denis (Ali), *Souvenirs du Mamelouk Ali sur l'empereur Napoléon*, 1922 et Louis Marchand, *Mémoires de Marchand*, tome II, 1955. Le séjour de Napoléon aux Briars est décrit par Betsy Balcombe sous forme de lettres à Mrs. Abell dans *Recollections of the emperor Napoleon*, 1844. Parmi les nombreux récits à la troisième personne évoquant ces années, les plus récents sont Octave Aubry, *Sainte-Hélène*, 1935 ; Paul Ganière, *Napoléon à Sainte-Hélène*, 1956 et Ralph Korngold, *The last years of Napoleon*, 1959. L'île elle-même est décrite par Gilbert Martineau, *La vie quotidienne à Sainte-Hélène au temps de Napoléon*, 1966. Enfin les événements survenus en France pendant l'exil de Napoléon sont racontés par Jean Lucas-Dubreton, *Le Culte de Napoléon*, 1960.

PRÉFACE

> « La première loi de l'Histoire est de ne pas oser mentir ; la seconde, de ne pas craindre d'exprimer toute la vérité. »
>
> Léon XIII

Samedi 5 mai 1821, à Sainte-Hélène...

Il est 5 h 49 de l'après-midi...

Alors que le soleil se glisse dans la mer, l'empereur Napoléon vient de rendre à Dieu « le plus puissant souffle de vie qui jamais anima l'argile humaine * ».

Il faudra deux mois pour que cette « nouvelle » parvînt en Europe et fût transmise à Paris, réjouissant les uns, soulageant les autres, consternant beaucoup.

La presse de Louis XVIII donnera évidemment peu d'importance à l'événement qu'elle dissimulera dans un simple entrefilet, *le Moniteur* du 7 juillet se contentant d'indiquer que « les journaux anglais annoncent la mort de Napoléon »...

Cette « information » sera sans doute reprise par la plupart

* François de Chateaubriand, *Les Mémoires d'Outre-Tombe*, Paris, édit. Flammarion, 1948.

des journaux qui l'assortiront de commentaires dans lesquels on retrouve l'hostilité ou l'admiration qu'avait déjà inspirée de son vivant Napoléon, certains qui ne lui avaient pas été alors très favorables ayant cependant l'élégance de rendre hommage à son génie.

Mais, dans l'immédiat, la presse ne s'étendra guère sur les « causes » qui avaient provoqué cette mort, étant évident que l'éloignement de l'île de Sainte-Hélène, perdue dans l'océan Atlantique, entre l'Afrique et l'Amérique, ne permettait guère d'en savoir un peu plus que les renseignements distillés au goutte à goutte par les chancelleries.

Et, revenus plus tard dans leurs pays respectifs, les « témoins » de l'événement seront, eux aussi, particulièrement avares de confidences, préférant que passe un peu le temps, avant que ne soient livrés au public leurs « Souvenirs », dont certains ne seront d'ailleurs publiés qu'après la mort de leurs auteurs, non sans être parfois quelque peu altérés.

Il conviendra également d'attendre que soient connus les rapports des autorités anglaises et des représentants des puissances alliées à Sainte-Hélène, durant la maladie et après la mort de Napoléon, les correspondances privées des médecins l'ayant soigné ou approché, les lettres personnelles de ses compagnons d'exil, les uns et les autres devant apporter d'indispensables précisions, puisque les procès-verbaux d'autopsie, qui avaient été publiés assez rapidement, ne permettaient guère d'approcher la nature du « mal » qui avait frappé l'Empereur, dans ses prémices comme dans ses manifestations.

Aussi faudra-t-il de longues années, avant que l'on ne possède un « dossier médical » assez consistant, et que les historiens puissent commencer à rechercher quelles avaient pu être les « causes » de la mort de Napoléon dont on a pu dire, avec raison, que « le cadavre » aura certainement été « le plus

disséqué de tous les temps * », mais dans des « examens »
effectués a posteriori, au travers des seuls documents, c'est-à-
dire précisément sans « le cadavre » lui-même, d'où les multiples diagnostics qui allaient être émis.

Ainsi fera-t-on mourir Napoléon d'une hépatite, d'un
abcès amibien du foie, d'une amibiase intestinale perforée, d'un
ulcère calleux, d'un ulcère perforé, d'une gastrite, de la fièvre
de Malte, d'une tuberculose pulmonaire, urinaire ou osseuse,
de crises d'épilepsie, d'une occlusion intestinale, d'une pleuré-
sie, d'une cholécystite calculeuse, d'hémorroïdes infectées, de
goutte, d'une tumeur de l'hypophyse, d'un cancer, d'une
syphilis gastrique, du paludisme et d'un certain nombre
d'autres maladies dont quelques-unes seraient dues à la dureté
du climat ou à la mauvaise qualité de l'eau de Sainte-Hélène.

Cette avalanche de « diagnostics » peut évidemment surprendre, puisque les documents que l'on possède paraissent
représenter une « manière exceptionnellement riche grâce à laquelle on devrait aisément parvenir à reconnaître la vérité ** ».

Mais, comme l'a fait remarquer, avec justesse, un historien
aussi éminent que le docteur Paul Ganière, « les textes auxquels
on se réfère n'ont pas toujours été écrits avec une rigueur
désirable, ensuite parce que les médecins, soit par incompé-
tence, soit par inconscience, soit par un désir de justification, se
sont trop souvent perdus dans des considérations sans intérêt,
volontairement imprécises, voire même contradictoires, enfin
parce qu'il est très délicat de vouloir transposer le passé dans le
présent en fonction des inévitables modifications survenues
dans le domaine de l'exégèse et de la pensée ** ».

Il en résulte donc qu' « avant de formuler un avis qui, en

---

* Docteur Paul Ganière, La maladie et la mort, dans *Sainte-Hélène,
terre d'exil*, Paris, édit. Hachette, 1971.
** Docteur Paul Ganière, La maladie et la mort, réf. déjà citée.

aucun cas, ne saurait être présenté comme une certitude, il importe de peser longuement le pour et le contre, et de jamais se départir d'une indispensable prudence * ».

Telle est bien effectivement la seule « vérité » qui s'impose à tout historien pour lequel l'hésitation n'est pas une faiblesse, mais simplement l'expression d'une certaine rigueur, puisqu'en fait « *la question reste posée* * ».

Il paraît donc quelque peu prétentieux de faire prévaloir comme une certitude la thèse du « *cancer* », ainsi que le font aujourd'hui certains historiens parmi les plus réputés, assurant donc à propos de la mort de Napoléon que « le cancer eut raison de lui ** ».

Le docteur Hillemand se fait, il est vrai, formel pour affirmer que « les autres différentes hypothèses pour expliquer la maladie et la mort de l'Empereur ne reposent sur aucune base sérieuse », car « elles ne cadrent pas avec l'histoire clinique, pas plus qu'avec les constatations anatomiques », et qu'ainsi « il nous est donc impossible en nous appuyant sur les faits de les accepter ».

Il s'en déduit donc, pour ce médecin tout au moins, qu' « aucun des arguments retenus contre le diagnostic du cancer n'a de valeur *** ».

Avec l'affirmation d'une telle certitude, le débat paraîtrait donc clos, balayant ainsi la « prudence » recommandée par d'autres qui avaient estimé que, si l'existence d'un « cancer secondairement développé sur un ulcère ancien » était « parfai-

* Docteur Paul Ganière, La maladie et la mort, réf. déjà citée.
** André Castelot, *Les grandes heures de Napoléon*, Paris, Librairie Académique Perrin, 1966.
*** Docteur Hillemand, *Pathologie de Napoléon*, Paris, édit. Palatine, 1970.

tement possible », il n'en demeure pas moins qu' « encore une fois, ce n'est là qu'une hypothèse* », rejetée d'ailleurs par certains**.

Ainsi n'y aurait-il là, finalement, qu'une simple « querelle de médecins » qui prêterait sans doute à sourire, si elle ne tournait pas maintenant autour d'un « mot » dont l'emploi semble facile et abusif, quand on ne peut déterminer avec exactitude la nature d'un « mal », et qu'il convient de dissimuler l'hésitation sous cette appellation de « cancer », dont on sait qu'elle impressionne et fait taire le « populaire », médusé par l'impitoyable fatalité que représente cette « douloureuse maladie », comme on la qualifie dans les notices nécrologiques.

Il est donc vraiment trop commode d'user du « cancer » pour donner à la mort de Napoléon ce caractère émotionnel qui semble mettre fin à toute discussion, parce que plane autour de lui la frayeur de l'impuissance.

Mais y aurait-il cependant quelque audacieux qui, pour maintenir son affirmation du « cancer », mettrait, comme on dit, « sa tête à couper » ?

Si cette thèse du « cancer » n'est pas moins « à la mode » aujourd'hui, celle de *l'empoisonnement* se trouve par contre unanimement rejetée et condamnée, comme si, par principe, une telle possibilité était absurde et que l'envisager constituait une sorte de crime de « lèse-majesté », étant d'ailleurs inacceptable pour notre orgueil national que cette éventualité soit le plus généralement avancée par des historiens étrangers, venant

* Docteur Paul Ganière, La maladie et la mort, réf. déjà citée.
** Dans la revue de l'Institut Napoléon (janvier 1960, n° 73, pages 145-151) le docteur Godlewski a développé les raisons pour lesquelles il écarte cette possibilité, penchant plutôt pour une hépatite dont Napoléon aurait guéri et une lésion gastrique dont il serait mort.

donc se mêler de choses qui ne sont pas les leurs, puisqu'il s'agit de notre propre Histoire, et qu'ainsi nous appartient l'exclusivité de l'appréciation...

Il est sans doute vrai que, sitôt la mort de Napoléon, beaucoup de Français crurent qu'il avait été précisément empoisonné et plusieurs brochures furent publiées pour développer la réalité du « crime » qui venait d'être commis.

Le général Lamarque notera d'ailleurs lui-même, dans ses *Souvenirs,* qu'alors « on croyait généralement que l'Empereur avait été empoisonné par le gouverneur de Sainte-Hélène, Sir Hudson Lowe ».

Mais il ne s'agissait évidemment là que de l'expression d'un sentiment populaire, qui était essentiellement subjectif, puisque l'on pensait que les Anglais étaient capables des pires monstruosités, pouvant donc être fort bien l' « assassin » de Napoléon, après avoir été son « bourreau ».

Il faudra, en fait, attendre plus d'un siècle, pour que cette thèse de l'empoisonnement soit débarrassée de la passion qu'inspirait la ferveur, et soit ainsi présentée d'une manière plus rigoureuse, mettant d'ailleurs hors de cause les Anglais qui n'avaient effectivement aucun intérêt politique à « supprimer » lentement leur « prisonnier ».

Et ce sera un historien suédois, Sten Forshufvud, qui, avec plusieurs médecins, devait publier, en 1961, la première étude approfondie sur ce sujet, la reprenant, en 1964, en posant la question « *Napoléon a-t-il été empoisonné ?* », et en y répondant par l'affirmative, désignant même le « coupable ».

Cette publication allait susciter, en France tout au moins, haussements d'épaules, sourires amusés, critiques acerbes, les historiens estimant qu'il s'agissait là d'un « véritable roman policier* » qui était le fruit d'une imagination quelque peu dérangée.

_____

* Jean Tulard, *Napoléon,* Paris, édit. Fayard, 1977.

14

La cause semblait donc entendue et l'affaire définitivement close, nul ne pouvant désormais oser reprendre à son compte une thèse dont le ridicule venait d'être mis en évidence.

Il se trouve malheureusement que des historiens étrangers, dont le degré de réflexion n'est pourtant pas moindre que le nôtre, ont accordé un accueil plus intéressé à l'étude de Sten Forshufvud qui leur parut ouvrir des perspectives de recherches non négligeables.

Ainsi, durant près de quinze ans, le Canadien Ben Weider allait-il se livrer à une véritable « *enquête policière* », interrogeant les textes, comparant les témoignages, confrontant les diagnostics, analysant les comportements, relevant les contradictions, disséquant les impossibilités, recherchant les mobiles, dépistant les coupables possibles, mais aussi consultant historiens et toxicologues, bénéficiant ainsi des progrès scientifiques réalisés depuis quelques années, dans un domaine où l'on errait quelque peu jusqu'alors.

L'étude de Ben Weider, à laquelle devait participer l'écrivain américain David Hapgood, n'est pas ainsi un « roman de science-fiction », hâtivement construit, pour lancer du « sensationnel » sur le marché.

De par le sérieux des travaux effectués et de par la crédibilité des conclusions émises, elle mérite, au contraire, attention et examen, devant ainsi susciter la discussion, puisque à propos de la mort de Napoléon « la question reste posée » et que l'empoisonnement criminel, par l'arsenic, est donc une possibilité dont Ben Weider montre qu'elle est précisément une réalité, en présentant une *preuve* qui doit servir de base à cette discussion, puisqu'elle paraît maintenant inévitable.

Le rôle d'un véritable historien n'est pas, en effet, de conforter les thèses établies, mais, au contraire, de rechercher si elles correspondent vraiment à la réalité de ce qui fut, lui important donc peu de plaire ou de déplaire.

Et, en la circonstance, l'on ne voit pas très bien pour quelles raisons il serait indécent d'envisager que Napoléon ait pu être empoisonné par un proche de son entourage. Il ne paraît pas, en effet, que la gloire de son personnage en ait à souffrir, une telle « fin » étant au contraire moins « médiocre » que celle consécutive à une maladie !

Pour réfuter la thèse soutenue par Ben Weider et David Hapgood, il ne serait donc pas acceptable que l'on reprenne les trop rapides et les trop imprécises dénégations que l'on a opposées aux conclusions de Sten Forshufvud, d'autant que depuis ont progressé les connaissances en matière de toxicologie, et que commence aujourd'hui à s'éclairer le flou d'hier.

Ben Weider et David Hapgood posent des questions et une réponse convenable ne peut être apportée à chacune par un simple « impossible » ou par un simple « ridicule », car, pour être crédible, il lui faut reposer sur une démonstration rigoureuse du contraire.

L'attachement que beaucoup prétendent porter à ce personnage hors du commun que fut Napoléon vaut bien cette recherche et cette discussion, car, suivant la remarque de Voltaire, si l' « *on doit des égards aux vivants, on ne doit, aux morts, que la vérité* ».

JEAN BOISSON ★

★ Jean Boisson est l'auteur, notamment, du *Retour des Cendres*, préfacé par le général de Grancey, gouverneur militaire des Invalides, Prix Broquette-Gonin 1974 de l'Académie française.

L'homme était grand, mince, et des cheveux blonds qui commençaient à grisonner encadraient un visage aux pommettes hautes. Il se cala dans son fauteuil et ouvrit le livre, le dernier recueil de mémoires paru. Il l'avait lu avec le plus grand intérêt, surtout les passages relatant les derniers jours, car, un siècle et demi plus tard, on ne savait pas exactement ce qui s'était passé dans cette petite île perdue dans l'Atlantique.

Longwood, Sainte-Hélène
mai 1821

Le soleil disparaît dans un flamboiement de lumière et le canon de la garnison britannique tonne pour la retraite. L'Empereur soupire ; un des médecins regarde sa montre pour compter les secondes jusqu'au prochain soupir. Quinze secondes... trente... une minute. Soudain, l'Empereur ouvre les yeux, mais un autre médecin, qui se trouve à la tête du lit, les referme aussitôt. Le pouls s'arrête. Il est six heures moins onze minutes. Napoléon vient de mourir.

C'est Louis Marchand, premier valet de l'Empereur, qui procédera à la toilette mortuaire. Agé de trente ans, il a passé toute sa vie d'adulte auprès de Napoléon, auquel il est dévoué corps et âme, et qu'il n'est pas loin de considérer comme le plus grand homme de tous les temps. Au cours des longues années d'exil, Marchand s'est tenu éloigné des querelles qui ont déchiré le petit groupe de Français, et n'a jamais cherché de prétexte pour quitter l'île. Tout au long de ces terribles derniers mois, Marchand n'a pratiquement pas quitté l'Empereur. En témoignage de sa gratitude, Napoléon en a fait son exécuteur testamentaire, au même titre que les deux officiers demeurés auprès de lui.

Avec l'aide des autres valets, Marchand lave le corps à l'eau de Cologne, puis le transporte dans la chambre à coucher (pour plus de facilité, on avait installé le lit du malade dans le petit salon). La chambre est transformée en chapelle ardente : on a dressé un autel sur lequel brûlent des cierges, les murs sont tendus de noir, et un prêtre récite des prières. Sur son lit de camp en fer qui l'a accompagné dans toutes ses campagnes, Napoléon semble plus jeune de vingt ans.

« Après ma mort, qui ne peut être éloignée, je veux que vous fassiez l'ouverture de mon cadavre (...) je vous prie, je vous charge de ne rien négliger dans un tel examen », déclarait Napoléon à son médecin. Tandis qu'il succombait lentement à sa mystérieuse maladie, sa future autopsie était devenue pour lui une véritable obsession. « Vous ne saurez pas ce dont je souffre », dit-il à son médecin trois semaines avant sa mort, « avant de m'avoir ouvert ». On prévoit de procéder à l'autopsie le lendemain après-midi à deux heures ; Louis Marchand la prépare donc pendant la matinée. Il installe dans la salle de billard la table à tréteaux sur laquelle Napoléon étalait ses cartes et refaisait ses batailles. On a choisi cette salle, car des vingt-trois pièces de Longwood, c'est la mieux éclairée.

Le corps de Napoléon est placé sur un drap jeté sur la table, et un peu avant deux heures, médecins et observateurs pénètrent dans la salle de billard. Parmi les dix-sept personnes présentes, on trouve Louis Marchand et les deux seconds valets, les deux officiers français, Montholon et Bertrand, des représentants du gouverneur anglais et sept médecins.

L'autopsie qui va se dérouler sous leurs yeux est un événement politique ; chacun ici en est conscient. Sir Hudson Lowe, le gouverneur de l'île, a déjà dépêché un officier en Angleterre pour y annoncer la mort de Napoléon ; à bord d'un navire rapide, la traversée prendra tout de même deux mois. Cette nouvelle, toutes les têtes couronnées d'Europe, de l'Angleterre à la Russie, de l'Espagne à la Suède, l'attendent depuis six ans.

20

Aucun souverain ne sera plus soulagé que Louis XVIII en apprenant cette mort. Propageant autour de lui les idéaux de la Révolution, Napoléon aura été pendant vingt ans le cauchemar des aristocraties européennes dont il a écrasé les armées sur tous les champs de bataille. Avec sa mort, c'est le spectre de la révolution qui s'éloigne.

Mais cette mort demeure un mystère. Pourquoi un homme dont la santé et la force physique sont légendaires disparaît-il ainsi à l'âge de cinquante et un ans ? Au cours de ses six années d'exil, la santé de l'Empereur a lentement décliné, ce qui a été la source de problèmes sans fin entre les Français rassemblés à Longwood et leurs gardiens anglais. Les exilés mettaient en cause le climat de Sainte-Hélène et accusaient le gouvernement anglais de n'avoir déporté Napoléon sur cette île que pour l'y faire mourir. Les deux médecins de l'Empereur ont diagnostiqué une « maladie due au climat ». Hudson Lowe, le gouverneur, craint par-dessus tout que l'on puisse le tenir, lui ou son gouvernement, pour responsable de la mort de l'Empereur, et il a fait traduire en cour martiale un médecin anglais qui avait diagnostiqué une hépatite, maladie dont le climat pourrait être la cause.

Sur les sept médecins, six sont Anglais, tous militaires, soumis à la discipline et parfaitement conscients des implications politiques de leurs découvertes éventuelles. Le septième, Francesco Antommarchi, un jeune Corse de trente ans, a été le médecin personnel de l'Empereur au cours des dix-huit derniers mois. A la demande de Napoléon, c'est lui qui procédera à l'autopsie ; les médecins anglais y assisteront en tant qu'observateurs. Antommarchi ouvre donc la poitrine pour exposer les organes vitaux à la vue de tous. Il enlève le cœur et le place dans un flacon d'argent rempli d'alcool (Napoléon a ordonné que son cœur soit envoyé à Marie-Louise, mais le gouverneur le fera déposer dans le cercueil en même temps que le corps). Il enlève

21

ensuite l'estomac, où tout le monde s'accorde à voir le siège de la maladie qui a emporté l'Empereur. Antommarchi suggère ensuite d'examiner le cerveau, ce qui chez un homme comme l'Empereur serait du plus grand intérêt. Mais les médecins anglais s'y opposent avec vivacité, faisant valoir que l'on ne doit procéder qu'aux mutilations nécessaires pour déterminer les causes de la mort. Une fois que les médecins ont fini d'examiner les organes, on lave la cage thoracique avec une liqueur aromatique, car à Sainte-Hélène il est impossible de trouver les produits nécessaires à l'embaumement. Enfin, au moyen d'une aiguille chirurgicale, Antommarchi recoud l'incision qu'il a pratiquée.

A l'exception d'Antommarchi et de Marchand, tout le monde quitte ensuite la salle de billard, et le médecin demande à Marchand de l'aider à prendre les mesures de l'Empereur. Puis le premier valet procède au dernier habillage de l'homme qu'il a si longtemps servi. « Nous le revêtîmes de l'uniforme complet des chasseurs à cheval de la Garde impériale ; nous lui mîmes une chemise blanche, une cravate de mousseline blanche et un col noir en soie par-dessus, se rattachant derrière avec une boucle, des bas de soie blanche, une culotte de casimir blanc, une veste de même étoffe, l'uniforme vert à parements rouges des chasseurs de la Garde, décoré des ordres de la Légion d'honneur, de la Couronne de fer, de la Réunion, de la plaque et du cordon de la Légion d'honneur, des bottes à l'écuyère et son chapeau avec cocarde tricolore. »

A quatre heures, soit deux heures après le début de l'autopsie, Marchand et les autres valets ramènent le corps de l'Empereur dans sa chambre, l'étendent sur le lit de fer où il est mort, et prennent en relique des morceaux du drap taché de sang qui a servi pour l'autopsie.

Les médecins n'ont pu se mettre d'accord et publier un communiqué commun établissant les causes de la mort, et ce seront quatre bulletins différents qui verront le jour. Tous constatent l'existence d'un ulcère à l'estomac, près du pylore, l'orifice qui fait communiquer l'estomac et l'intestin. Antommarchi parle d'un « ulcère cancéreux » ; les Anglais de « portions squirreuses prêtes à se cancériser ». Ainsi, bien qu'aucun des médecins présents n'ait diagnostiqué de cancer proprement dit, on estime généralement que Napoléon est mort d'un cancer de l'estomac ou du pylore, maladie qui avait également emporté son père. Hudson Lowe et les Anglais se trouvent donc lavés de tout soupçon ; ils ne sont en rien responsables de la mort de Napoléon, puisque celui-ci a succombé à une maladie héréditaire.

Mais un des médecins anglais, le docteur Thomas Shortt, trouve le foie « plus gros que la normale ». Hudson Lowe, toujours soupçonneux, ne veut pas en entendre parler : une maladie de foie mettrait en effet en cause les conditions sanitaires à Sainte-Hélène. Il convoque donc le médecin et lui ordonne de retirer cette observation de son rapport. Shortt obtempère de mauvaise grâce, mais après avoir quitté l'île, il consigne l'incident par écrit. A l'instar de Shortt, Antommarchi a trouvé le foie anormalement gros, quoique sans lésion apparente. Antommarchi rend le climat de l'île, et donc les Anglais qui l'y ont déporté, responsable de la mort de Napoléon. Il ne s'en cache pas, et Hudson Lowe ne peut faire taire le médecin personnel de l'Empereur.

Trois jours plus tard, le 9 mai, Napoléon est enterré dans une vallée de Sainte-Hélène. Le 27 mai, ses compagnons s'embarquent pour l'Angleterre à bord du *Camel.*

Le 25 juillet, après cinquante-neuf jours de mer, le comte Charles-Tristan de Montholon convoque Louis Marchand dans sa cabine. Le capitaine du *Camel* vient de l'avertir qu'ils cinglaient dans les eaux européennes : c'est le moment qu'avait fixé l'Empereur pour la lecture de ses dernières volontés. Dans la cabine, Marchand retrouve outre Montholon, Henri-Gratien Bertrand, grand maréchal du palais, et désigné comme lui exécuteur testamentaire de l'Empereur, et le prêtre Angelo Vignali, témoin de la signature du document.

Montholon et Bertrand sont les seuls officiers à être restés jusqu'au bout avec Napoléon. Au cours de toutes ces années, ils n'ont cessé de rivaliser pour s'attirer les faveurs de l'Empereur.

Dans les derniers mois, et bien que Bertrand eût été plus longtemps à son service, c'est Montholon, l'aristocrate habile et cultivé, qui l'a emporté sur le grand maréchal, taciturne et un peu effacé. Montholon a été désigné principal exécuteur testamentaire, et c'est à lui que le document a été confié. Son triomphe est maintenant consommé : c'est lui qui va procéder à la lecture du testament, que son rival écoutera en silence.

Montholon brise les sceaux et commence à lire d'une voix douce et policée. En écoutant les dernières volontés de son maître, Marchand ne peut s'empêcher de songer à ces jours et à ces nuits, quatre mois auparavant, pendant lesquels Napoléon agonisant s'efforçait de rédiger son testament. Au cours de ces derniers mois, Marchand n'a pratiquement pas quitté l'Empereur. Mieux que quiconque, il sait ce que jour après jour Napoléon a enduré. Il revoit encore son maître, assis dans son lit, couvrant des feuilles de papier d'une écriture presque illisible. De terribles convulsions interrompaient fréquemment la rédaction, et les draps étaient souillés d'encre et de vomi ; mais Napoléon parvenait à se maîtriser et continuait d'écrire. Il avait un message à délivrer, non seulement à ses proches, mais également à cette lointaine Europe qu'il avait autrefois dominée.

Nulle surprise dans le document que lit Montholon. Même dans son lit d'agonie, Napoléon s'était inquiété du moindre détail. Il léguait ses biens et ses documents aussi bien à ses compagnons des derniers moments qu'à ceux qui l'avaient servi

24

aux premiers temps de sa carrière. La gratitude de Marchand est immense lorsqu'il apprend ce que lui a légué l'Empereur. Il a désormais suffisamment d'argent et de joyaux pour ne plus avoir à servir personne de sa vie. L'Empereur a en outre écrit : « Les services qu'il m'a rendus sont ceux d'un ami ». Voilà un éloge qui n'a pas de prix. En outre, fidèle à son habitude, Napoléon cherche à organiser la vie de ses proches, et à son jeune valet, il demande d'épouser une veuve, sœur ou fille d'un officier ou d'un soldat de sa vieille Garde.

Louis Marchand est bien décidé à se conformer à ces instructions. Il obéira à l'Empereur après sa mort comme il lui a obéi lorsqu'il était vivant. Il a également d'autres responsabilités : il a emporté avec lui trois coffres d'acajou contenant les effets personnels de Napoléon, et des mèches de cheveux qu'une fois en Europe, il doit distribuer à la famille. Quelques jours auparavant, au cours d'une tempête qui a emporté de nombreuses affaires appartenant aux exilés, Marchand a réussi à sauver le journal rédigé à Sainte-Hélène, mais il a eu la douleur de perdre une précieuse relique, une branche d'un des trois saules pleureurs sous lesquels le grand homme aimait à s'asseoir.

Les dernières volontés de Napoléon sont également une arme dirigée contre ce monde qu'il a laissé derrière lui six ans auparavant. Napoléon a perdu son trône et ses armées, mais il n'a point perdu cette faculté de se servir de toutes les armes dont il peut disposer. Son testament est aussi une flèche tirée contre les Anglais et leur geôlier tant haï, Sir Hudson Lowe.

« Je meurs prématurément, assassiné par l'oligarchie anglaise et son sicaire. »

Cette accusation se répandra en Europe comme une traînée de poudre.

Le 2 août, une semaine après que Montholon eut donné lecture du testament, le *Camel* jette l'ancre à Portsmouth. Louis

Marchand raconte qu'à leur arrivée il n'y avait plus à bord en fait de viande fraîche qu'un seul mouton. Grâce à un navire rapide, la nouvelle de la mort de Napoléon est connue en Angleterre depuis un mois. Tandis qu'ils attendent l'autorisation de débarquer, Marchand aperçoit dans le port le *Northumberland,* le navire qui six ans auparavant les a conduits à Sainte-Hélène.

Une fois à terre, Marchand se voit entourer d'une foule de gens qui avec émotion s'enquiert de Sainte-Hélène et de l'illustre proscrit. Cet accueil surprend et émeut Marchand ; il en conclut que ces gens désapprouvent la manière dont leur gouvernement a traité Napoléon. Mais en fait, même au plus fort de la lutte que Napoléon menait contre l'Angleterre, il y avait dans ce pays un courant d'opinion favorable à l'Empereur, qui voyait en lui le continuateur de la Révolution française. On pouvait désormais louer sans danger l'ennemi disparu, ce qui n'empêchait pas une hausse des bons du Trésor anglais à l'annonce de la mort du proscrit de Sainte-Hélène.

Marchand reçoit rapidement l'autorisation de rentrer en France, et dix jours plus tard, en compagnie de trois autres valets venus comme lui de Sainte-Hélène, il prend le bateau pour Calais. Marchand s'inquiète : que fera la douane française de ses précieuses reliques ? Le chef des douanes choisit une malle au hasard et demande à Marchand de l'ouvrir. Cette malle contient les vêtements de l'Empereur, et dans ses *Mémoires,* Marchand écrit : « (...) chacun put voir, dans la malle ouverte, le chapeau de l'Empereur orné de la cocarde tricolore, posé sur un habit des chasseurs de la Garde impériale, où se faisait remarquer la plaque de la Légion d'honneur. » A l'indignation de Marchand, deux employés s'apprêtent à fouiller dans les affaires, mais le chef des douanes les en empêche : « Ne touchez à rien, fermez. Monsieur, ce sont toutes choses qu'il faut laisser en paix. » Trois jours plus tard, Marchand est à Paris où il retrouve avec joie sa famille.

Les exilés retrouvent une France muette. Ce n'est pourtant point par manque d'émotion ; dans ce pays qui a connu tant d'heures de gloire, le souvenir de Napoléon est encore vivace. Mais avec la restauration des Bourbons, il est difficile d'en faire état en public. Louis XVIII sait parfaitement qu'en France il est infiniment moins populaire que l'Empereur. Au cours de ces dix dernières années, les Bourbons ont vécu dans la hantise des complots bonapartistes, pour la plupart fruits de leur imagination. La mort de l'Usurpateur semble affermir la royauté. A ce propos, un des vétérans de Napoléon, le colonel Fantin des Odoards, écrit que seulement à partir de cet instant les Bourbons purent se sentir fermement installés sur le trône, car même enchaîné au milieu de l'Océan, le Géant qui les avait si longtemps fait trembler ne cessait de les hanter comme un cauchemar.

Quel que soit leur réel sentiment de soulagement, les Bourbons évitent de se réjouir en public. Dans *le Moniteur,* la nouvelle apparaît à la suite de la chronique judiciaire : « Les journaux anglais annoncent la mort de Buonaparte. » Le débonnaire Louis XVIII et son frère, le fanatique comte d'Artois, ne réagissent pas. Au cours de ses longues années d'exil, le comte d'Artois, éventuel successeur du roi, n'a pas cessé de comploter contre la vie de l'Empereur. Le comte est un homme sinistre et obstiné, mais il est suffisamment habile pour ne pas laisser éclater sa satisfaction en public.

En dehors des proches de Napoléon, la peur empêche les Français de manifester leur tristesse. Ceux qui s'y laissent aller connaissent des ennuis. Un joaillier du nom de Collier est condamné à trois mois de prison pour avoir mis en vente une breloque portant l'inscription : « Pleure, Français, le grand homme n'est plus. » Pour sa défense, le joaillier déclarera que le

« grand homme » n'est autre que le duc de Berry, le neveu du roi, assassiné un an auparavant par un bonapartiste. Nombreux sont ceux, surtout dans les campagnes, qui refusent de croire à la nouvelle. Car depuis six ans, les rumeurs les plus folles ont couru dans le pays : Napoléon est mort, fusillé, étranglé, étouffé ; on l'a jeté à bas d'une falaise, il s'est échappé de Sainte-Hélène, il se trouve en Amérique, il a levé une armée de Turcs contre la France... un an plus tard, on annoncera sa présence dans un monastère ; des paysans affirment l'avoir vu chevaucher dans la campagne, habillé en moine.

En moins d'une semaine, la nouvelle se répand en Europe, réjouissant les rois et semant la consternation chez les peuples qui continuaient à voir en Napoléon « la Révolution concentrée en un seul homme » et plaçaient en lui leurs espoirs de libération.

A Parme, Marie-Louise apprend la nouvelle par le journal ; Metternich, l'homme qui a arrangé son mariage, n'a même pas daigné lui en faire part. Totalement circonvenue par son entourage, Marie-Louise n'a jamais songé à accompagner son époux en exil, aussi bien à l'île d'Elbe qu'à Sainte-Hélène. Aussi, lorsque l'ancienne impératrice décide de faire dire une messe à la mémoire de Napoléon, elle se range à la décision de son amant, le comte Neipperg, qui interdit que soit prononcé le nom du défunt. Le 15 août, jour où Napoléon aurait eu cinquante-deux ans, elle met au monde l'enfant de Neipperg. A l'annonce de la mort de son père, l'Aiglon, alors âgé de dix ans, pleure silencieusement.

A Rome, la mère de Napoléon, l'intraitable Madame Mère, se refuse tout d'abord à croire à la nouvelle. Quelques années auparavant, un voyant lui a annoncé que son fils ne se trouvait pas à Sainte-Hélène, qu'il avait été transporté en esprit vers une destination inconnue. Lorsqu'elle ne peut plus échapper à la terrible vérité, elle s'évanouit, demeure silencieuse pendant deux semaines, et finit par écrire au ministre britannique des Affaires étrangères, Lord Castlereagh, pour réclamer le corps de son fils. Castlereagh ne répondra pas. La sœur préférée de Napoléon, Pauline, se trouve également à Rome. Cinq jours avant d'avoir appris la mort de son frère, elle a écrit aux Britanniques, leur demandant la permission de se rendre à Sainte-Hélène pour « rejoindre l'Empereur et recevoir son dernier soupir ». Sa lettre est datée du 11 juillet ; son frère est mort depuis plus de deux mois.

De retour en France, les exilés de Sainte-Hélène s'efforcent de retrouver leur existence d'antan. La famille Bertrand retourne à Châteauroux ; surveillé par la police, le grand maréchal ne reçoit guère de visites. Montholon se rend à Bruxelles pour retrouver sa femme et ses enfants qui ont quitté Sainte-Hélène deux ans auparavant, puis revient à Paris. Le docteur Antommarchi fait le tour de l'Europe pour tenter, en vain, de récupérer l'argent que, selon lui, la famille Bonaparte lui doit.

Louis Marchand s'installe à Auxerre ; il a encore un certain nombre de tâches à accomplir pour le compte de son maître. Dans ses malles, il a ramené des cheveux de Napoléon, prélevés après sa mort. Sur les instructions de l'Empereur, Marchand a confectionné un bracelet de cheveux pour Marie-Louise et une chaîne de montre pour son fils ; il dispose également des mèches dans des médaillons en or qu'il envoie à des membres du clan Bonaparte. Pour être sûr qu'on ne substituera pas d'autres cheveux à ceux de Napoléon, Marchand réalise chez lui le travail d'inclusion. Ce travail fait, il se met en devoir d'exécuter une autre volonté de l'Empereur : « épouser une veuve, sœur ou fille d'un officier ou d'un soldat de ma vieille Garde ». A Sainte-Hélène déjà, il avait obtempéré lorsque Napoléon lui avait interdit d'épouser une servante enceinte de ses œuvres.

Deux ans après son retour en France, Marchand épousera Michelle-Mathilde Bayer, fille d'un général de la Garde.

Mais pour les médaillons qu'il envoie au clan Bonaparte, Marchand n'utilise pas tous les cheveux en sa possession. Il garde une mèche pour lui, et la lègue à sa fille, en même temps que le manuscrit de ses *Mémoires*.

Göteborg, Suède
automne 1955

Le port de Göteborg est la fenêtre de la Suède sur le monde. Cette ville d'un demi-million d'habitants regarde au-delà du Kattegat, vers le Danemark et l'Europe continentale. Les bâtisseurs de ce port, venus pour la plupart de Hollande au XVIIe siècle, y ont construit de nombreux canaux qui lui donnent un cachet typiquement hollandais.

Les faubourgs de la ville sont, eux, postérieurs à la Seconde Guerre mondiale, et ne se distinguent guère de leurs équivalents dans le monde occidental. Aussi, le 9 Ulveliden, une maison de trois étages, n'est-il guère différent des maisons voisines, construites sur le même modèle. En revanche, l'homme qui l'occupe n'a, lui, rien de banal.

Sten Forshufvud est un homme grand et sec, qui en cet automne de 1955 est âgé d'une cinquantaine d'années. Les cheveux blonds, légèrement grisonnants, les pommettes hautes, les yeux bleus surmontés d'épais sourcils achèvent de tracer le portrait typique du Scandinave. Forshufvud est un homme courtois, presque aristocratique. Il parle plusieurs langues, utilise souvent des expressions désuètes et pourrait passer pour solennel s'il ne faisait preuve d'un humour très pince-sans-rire, parfois déroutant. L'homme évoque irrésistiblement cette géné-

31

ration de « gentlemen » européens emportée dans le tourbillon des deux guerres mondiales.

En dépit d'une attitude assez conventionnelle, Forshufvud n'a cessé d'agir en « dissident » dans tous les domaines où il a exercé sa compétence. Outre sa profession de dentiste, qui lui permet de vivre, il poursuit des recherches en sérologie, l'étude du sang, et en toxicologie, l'étude des poisons. Ses recherches l'ont amené à la conclusion que l'émail des dents est un tissu non pas inerte mais vivant, et nourri par de minuscules vaisseaux qu'il a baptisés ultracapillaires ; en conséquence, une alimentation appropriée permettrait de guérir les caries dentaires des enfants. Les théories de Forshufvud vont à l'encontre de celles couramment admises dans sa profession, mais cela ne le dérange pas le moins du monde. D'ailleurs, le grand public l'ignore et il ne publie ses travaux que dans des revues spécialisées comme *Acta Odontologica* ou les *Annales d'Anatomie Pathologique*.

Mais la recherche scientifique n'est pas la seule passion de Sten Forshufvud, et tout son intérieur en témoigne. Dans son salon, Napoléon est omniprésent. Au-dessus de la cheminée, trône une figurine de l'Empereur dans son manteau de couronnement. Un peu plus loin, on découvre un grand miroir doré orné d'un buste du jeune Bonaparte en premier consul, à l'époque où il portait encore les cheveux en « oreilles de chien ». L'horloge est surmontée d'une figurine représentant Napoléon à cheval ; le service en porcelaine est semé d'abeilles, l'emblème personnel de l'Empereur ; aux murs, des gravures de scènes napoléoniennes, dont la plus grande représente « les Adieux de Fontainebleau », avant le départ pour l'île d'Elbe. Lennart, le fils de Forshufvud, racontera plus tard que cette gravure le faisait rêver. Au troisième étage, le bureau de Forshufvud est plein de livres sur Napoléon et son temps, dont la reliure fatiguée prouve qu'ils ont été maintes fois relus.

Cet intérêt pour Napoléon, comme celui qu'il manifeste pour la science, Forshufvuf le tient de son père. Dans la maison familiale, Napoléon était l'objet d'un véritable culte. Enfant, il récitait à son père des phrases de l'Empereur, et à l'âge de quatorze ans, il rédige à l'occasion d'un examen un court essai sur Napoléon, dont il parle comme d'un « des plus grands hommes de l'histoire de l'humanité ». Cette même année, il déclare à son père : « J'ai passé trop de temps derrière un pupitre », et il s'embarque sur un navire. Le père ne s'oppose pas à son projet.

Le jeune Forshufvud se retrouve en mer Noire, et en pleine guerre civile, il est fait prisonnier par les bolcheviques. Mais il ne semble décidément pas fait pour la vie de marin, et, à regret, il décide de rentrer au pays et de reprendre ses études. Son père étant médecin, le jeune Forshufvud lui demande l'autorisation d'embrasser la même profession. « Pas question, répond le père, il y a suffisamment de charlatans dans la famille. » Bien que respectueux de la science médicale, le vieux praticien se méfie des méthodes en honneur chez ses confrères, notamment de l'utilisation des médicaments chimiques, qu'il prescrit très rarement. Napoléon agissait d'ailleurs de même : lui qui encourageait les progrès de la science et avait développé l'utilisation des ambulances militaires, ne faisait guère confiance aux médecins, et avait même songé à ne plus jamais prendre aucun médicament.

Le jeune Forshufvud demanda alors s'il pouvait devenir dentiste : « Entendu, lui dit son père, un dentiste est un artisan, et un artisan mérite toujours l'argent qu'il gagne. » Plus tard, Sten Forshufvud devait s'apercevoir qu'il y avait également des charlatans chez les dentistes.

En cette soirée d'automne de l'année 1955, sous l'œil des nombreux Napoléon qui peuplent son salon, Sten Forshufvud lit les *Mémoires* de Marchand, le dernier témoignage des

33

compagnons de Sainte-Hélène à être publié. Marchand a écrit ces *Mémoires* pour sa fille. « C'est pour mieux t'apprendre ce qu'il fut pour moi et plus tard à tes enfants, que je te laisse ces souvenirs », écrit-il. Il faudra attendre plus d'un siècle pour que le petit-fils de Marchand, le fils unique de sa fille, autorise la publication de ces *Mémoires*. A l'époque, le second volume, qui couvre la période de Sainte-Hélène, vient seulement de sortir en France.

Forshufvud attendait avec impatience le récit que donnerait Marchand de la dernière maladie de l'Empereur. Le fidèle valet était demeuré plus que quiconque au chevet de Napoléon et s'était tenu éloigné des intrigues qui meublaient les mornes journées de la petite colonie française. Marchand ne cherche à régler aucun compte dans ces *Mémoires* qui n'étaient d'ailleurs pas destinés à la publication.

Forshufvud a toujours considéré la mort prématurée de l'Empereur comme une des plus grandes tragédies de tous les temps. Lors de son départ pour l'exil, Napoléon n'avait que quarante-cinq ans ; il aurait pu continuer à diriger la France et l'Europe, pendant encore vingt ans. Il aurait pu mener à bien son rêve d'une Europe unifiée, un rêve dont il parlait en ces termes : « Ma destinée n'est pas encore accomplie. Je tiens à compléter ce qui n'a été qu'esquissé. Je veux un Code européen, une Cour d'Appel européenne, la même monnaie, les mêmes poids et mesures, les mêmes lois. Il me faut rassembler toutes les nations d'Europe en une seule nation... » Un siècle et demi plus tard, ce rêve n'est toujours qu'à moitié réalisé. Si Napoléon avait parachevé son œuvre, l'Europe se fût épargné les deux guerres mondiales qui l'ont si effroyablement déchirée.

Aussi Forshufvud suivait-il avec intérêt les débats de spécialistes autour du problème de la mort de l'Empereur. Des dizaines de théories s'affrontaient, présentées par des médecins ou des historiens, mais toutes étaient basées sur les mêmes rapports d'autopsie et les mêmes récits des témoins oculaires. Aucune de ces théories ne le satisfaisait. Il ne croyait guère au cancer, mais aucune preuve sérieuse ne venait étayer les autres explications avancées. Peut-être Marchand détenait-il la clef du mystère.

Ce soir-là, Forshufvud en arrive à la relation quotidienne que donne Marchand des mois de janvier à mai 1821, les derniers mois de la vie de Napoléon. Et il découvre certains détails qui ne se trouvent pas dans les autres récits. Marchand jette un éclairage nouveau sur le supplice que furent les derniers jours de Napoléon et apporte le témoignage de sa propre souffrance face à la mort prochaine de l'homme qu'il servait. Ces passages semblent touchants à Forshufvud, qui a toujours admiré la force de caractère dont a fait preuve le jeune valet au cours de ces derniers jours, mais ils n'apportent rien de vraiment nouveau sur l'agonie de l'Empereur.

A une chronologie déjà bien établie, Marchand ne fait qu'ajouter certains détails. Avec une simplicité qui emporte la conviction, il raconte ce que Napoléon ressentait tel ou tel jour, la manière dont le malade lui-même décrivait ces symptômes, ce qu'il a mangé à telle date et les réactions que cela a entraînées, la façon dont l'Empereur réagissait aux médicaments, qu'il prenait la plupart du temps contre son gré, ainsi que l'aspect que présentait le corps du malade. Car enfin Marchand a été le seul, au cours des derniers mois, à passer presque vingt-quatre heures sur vingt-quatre au chevet de Napoléon.

Plus il s'avance dans sa lecture, plus Forshufvud sent qu'une logique se dégage de l'accumulation de détails que donne Marchand, mais il est pour l'instant incapable de dire laquelle. Marchand évoque l'alternance de somnolence et d'insomnie, le gonflement des pieds et les plaintes de l'Empereur : « Mes jambes ne me portent plus. » ; il observe également qu'à l'exception des cheveux, Napoléon a perdu tous ses poils. Puis, dans les derniers jours, Marchand décrit les réactions de l'Empereur aux médicaments qu'on lui a administrés.

Et tout à coup une question s'impose à son esprit : et si Napoléon avait été empoisonné ? Forshufvud a étudié la toxicologie et il sait qu'il ne pourrait s'agir d'une seule dose mortelle : les témoins oculaires auraient relaté d'autres symptômes, et des traces de poison seraient apparues à l'autopsie ; mais Napoléon aurait très bien pu succomber à une administration progressive, mois après mois, année après année, et à l'époque, ce poison n'aurait pu être que l'arsenic.

Le texte de Marchand s'éclaire d'un jour nouveau. L'alternance de somnolence et d'insomnie, les pieds gonflés, la chute des poils sur le corps : autant de symptômes qui évoquent l'intoxication chronique à l'arsenic. Forshufvud se souvient alors des remarques du Dr Antommarchi, le médecin de Napoléon (et du Dr Shortt, avant son rappel à l'ordre) à propos du foie plus gros que la normale mais ne présentant pas de lésion apparente : c'est exactement ainsi qu'apparaîtrait le foie d'un individu empoisonné à l'arsenic.

Bien des siècles avant Napoléon, l'arsenic était fort prisé en France, où, étant donné sa capacité à accélérer les problèmes de succession, on l'appelait la « poudre à héritage ». A bien des égards, l'arsenic était le poison idéal. Utilisé comme pesticide et comme médicament, on le trouvait facilement ; doux, sans odeur particulière, il peut se mélanger facilement à une boisson ou un aliment. Un cinquième de gramme suffit à tuer un homme en vingt-quatre heures, mais il est tout aussi efficace à petites doses, sur des mois ou des années. Mais la méthode de l'empoisonnement sur une longue période présente un avantage : ses symptômes étant similaires à ceux de nombreuses maladies courantes, le diagnostic était pratiquement impossible à l'époque de Napoléon, et le restera longtemps après sa mort.

En outre, si l'on fait prendre à la personne que l'on veut empoisonner certains médicaments comme le calomel ou le tartrate de potassium et d'antimoine, on ne pourra déceler à l'autopsie aucune trace d'arsenic. Or, ces deux médicaments étaient d'un usage courant à l'époque, ce qui permettait au médecin de soigner et d'achever sa victime en même temps sans laisser de trace ; le crime parfait en quelque sorte.

Au fur et à mesure qu'il poursuit sa lecture, Forshufvud sent croître en lui l'excitation. Les médecins qui soignaient Napoléon n'avaient aucune raison de penser à l'arsenic car les symptômes sont semblables à ceux d'autres maladies. De toute façon, les médecins anglais ne devaient avoir aucune envie d'envisager une telle hypothèse. Et, comme au cours des derniers jours on avait administré à l'Empereur du calomel et du tartrate de potassium et d'antimoine, toute trace d'arsenic avait disparu à l'autopsie.

Forshufvud se rend compte également que l'empoisonnement à l'arsenic résout une contradiction que certains n'ont pas manqué de soulever : comment se fait-il que Napoléon n'ait cessé de grossir presque jusqu'au dernier moment, alors que les malades atteints de cancer (officiellement, l'Empereur est mort d'un cancer de l'estomac) maigrissent au fur et à mesure que progresse la maladie ? En effet, l'obésité est un des symptômes de l'empoisonnement progressif à l'arsenic.

Forshufvud se tourne alors vers sa femme Ullabritta, et d'un ton tranchant, assez inhabituel chez lui, il s'exclame : « C'est ça ! Ils l'ont empoisonné à l'arsenic. C'est inimaginable ! Le plus grand crime des temps modernes ! Et la preuve est là, dans les *Mémoires* de Marchand. » Et du plat de la main, il frappe la couverture du livre, comme s'il voulait féliciter son auteur.

L'enthousiasme de son époux surprend Ullabritta Forshufvud, et elle commence à lui poser des questions. Obligé de mettre de l'ordre dans ses idées pour lui répondre, Forshufvud se rend compte que tous les faits connus concordent parfaitement. « Qui aurait pu commettre ce crime ? » demande alors sa femme. Mais Forshufvud, qui ne s'est pas encore penché sur le problème, n'en a pas la moindre idée.

— Vas-tu écrire quelque chose ?

Non. Forshufvud n'écrira rien. Après tout, ce n'est pas son rôle ; il est chercheur, pas détective. De toute façon, l'empoisonnement est évident ; n'importe quel médecin, n'importe quel toxicologue s'en rendra compte.

Forshufvud a tort. Ce n'est que quatre ans plus tard qu'il consacrera sa vie à rechercher l'assassin de Napoléon.

A bord du *Bellerophon*
juillet 1815

Voilà cinq semaines qu'à la suite du désastre de Waterloo, Napoléon s'est livré aux Anglais qu'il a combattus pendant vingt ans. Aujourd'hui, en cette matinée du 31 juillet, à bord d'un de leurs vaisseaux ancré dans le port de Plymouth, il attend que ses vainqueurs statuent sur son sort.

L'Empereur déchu est devenu l'objet de la curiosité populaire. Les « touristes » ont commencé à affluer autour du *Bellerophon* quelques jours auparavant, alors que le navire était encore à l'ancre dans le port de Torbay. Dès que la présence de Napoléon à bord fut connue, les notables assiégèrent — en vain — l'Amirauté pour obtenir la permission de visiter le navire. Les quais étaient pleins de gens espérant voir le terrible « Boney », l'Ogre corse. L'aspirant de marine George Home n'a pas plus tôt mis le pied à terre qu'il est assailli de questions par un groupe de jeunes filles : « A quoi ressemble-t-il ? Est-ce vraiment un homme ? Ses mains étaient-elles souillées de sang, lorsqu'il est monté à bord ? Avez-vous peur de lui ? » A pied, à cheval, les gens viennent même de Londres pour tenter d'apercevoir l'Empereur ; il ne reste plus une chambre d'auberge à Torbay. Sur le quai, une femme s'enquiert : « Vont-ils nous le montrer ? Est-il enchaîné ? » Le *Bellerophon* est bientôt entouré d'une nuée d'embarcations louées pour la circonstance.

A bord du *Bellerophon,* les marins tiennent le public informé en brandissant un tableau sur lequel ils inscrivent les nouvelles à la craie : « Il prend son petit déjeuner. » « Il est retourné dans sa cabine. »

A Plymouth, les mêmes scènes se répètent, avec plus d'ampleur encore. La baie est littéralement couverte de petits bateaux ; on paye jusqu'à soixante livres (le loyer annuel d'une maison) pour la location d'une embarcation. Dans les barques, pour attirer l'attention de l'Empereur, on joue des airs populaires français. Le 30 juillet, Frederick Maitland, capitaine du *Bellerophon,* écrit : « Il y a aujourd'hui plus de bateaux que je n'en ai jamais vu. Sans exagération aucune, il devait bien y en avoir un millier, avec une moyenne de huit personnes à bord. » En s'efforçant de disperser les curieux, un garde-côte coule une barque et un homme se noie. Louis Marchand évoque la « brutalité révoltante » de cette intervention.

Flatté de l'intérêt qu'on lui porte, Napoléon cherche à ne pas décevoir les curieux ; chaque jour, en dépit de l'inquiétude qu'il éprouve quant à son sort, il monte sur le pont et y reste parfois une heure ou plus. Vêtu de son uniforme vert de colonel de la Garde, il arpente le pont, contemple la foule des curieux qui l'observe, leur adresse parfois un sourire ou tire un coup de chapeau aux dames. « Quelles charmantes jeunes filles ! Quelles jolies femmes ! » répète-t-il à plusieurs reprises.

De son vivant, l'Empereur est déjà devenu une légende. Cette silhouette trapue, ce profil d'aigle, ce chapeau orné d'une cocarde sont célèbres dans l'Europe entière. Personne n'est autant que lui haï ou adulé. Tout le monde connaît l'histoire incroyable de ce Corse obscur devenu Empereur des Français, qui pendant des années a tenu en échec la vieille Europe coalisée contre lui, qui a donné à la France un code civil, des écoles, des universités, une administration, qui a perdu son empire dans les montagnes d'Espagne et les neiges de Russie, et l'a reconquis pour cent jours avant de le perdre à nouveau dans la plaine de Waterloo. Cet homme a maintenant quarante-six ans.

Il semble que désormais sa carrière météorique ait pris fin. Mais tout n'est pas encore joué ; Napoléon s'est déjà trouvé dans des situations désespérées et c'est d'ailleurs dans ces moments-là qu'il se bat le mieux. A une époque où la naissance seule déterminait le rang, il lui a fallu une volonté à toute épreuve pour se rendre maître de l'Europe. Au cours de ses batailles, il a souvent réussi à écraser un ennemi supérieur en nombre en l'étudiant avec attention.

Ce n'est par exemple qu'après y avoir mûrement réfléchi qu'il a pris la décision de se livrer aux Anglais. Dans la confusion qui a suivi son abdication, Napoléon, accompagné de quelques fidèles, gagne La Rochelle après être passé sous l'Arc de Triomphe encore en construction. En chemin, il s'arrête à La Malmaison, le château qu'il a laissé à Joséphine après leur divorce. Il demeure seul quelques instants dans la chambre où elle est morte l'année précédente, puis il fait ses adieux à Madame Mère et à ses proches, y compris ses deux fils illégitimes, et poursuit sa route.

Le chaos règne en France. Louis XVIII attend que les armées étrangères le replacent sur le trône ; l'armée est démoralisée. Napoléon sait qu'il doit quitter la France avant le retour des Bourbons qui n'ont cessé dans leur exil de comploter contre sa vie. Le capitaine d'un navire propose de déjouer le blocus anglais et de le conduire en Amérique ; les jeunes Etats-Unis qui viennent de combattre les Anglais l'accueilleraient certainement et un nouveau monde s'ouvrirait à lui. Son frère Joseph, qui lui ressemble un peu, s'offre à prendre sa place pour faciliter sa fuite. Le navire est prêt, mais Napoléon, qui n'a jamais hésité sur le champ de bataille, ne parvient pas à se décider. Quelle humiliation, si les Anglais le capturaient, caché à bord d'un vaisseau cherchant à se faufiler à travers le blocus naval !

41

Napoléon et sa suite se trouvent maintenant sur l'île d'Aix, dans l'estuaire de la Gironde. L'Empereur habite une sombre maison grise qu'il a lui-même fait construire quelques années auparavant pour le commandant maritime de la place. L'étau se resserre autour de lui. De sa chambre au second étage, Napoléon aperçoit le *Bellerophon*, le vaisseau de ligne anglais qui dirige le blocus, patrouillant dans l'estuaire. Paris vient de tomber aux mains des Alliés et les Bourbons sont de retour en France ; d'un geste furieux, Napoléon jette sur le sol la lettre lui annonçant la nouvelle. Dans l'estuaire, les canons du *Bellerophon* tirent une salve pour saluer la prise de Paris. Ses ennemis vont bientôt s'emparer de l'île et le livrer aux Anglais comme prisonnier de guerre. Ses proches sont tous d'un avis différent sur la conduite à suivre : la fuite en Amérique, la reddition aux Anglais ou la lutte à outrance en France. Comme d'habitude, il ne dévoile rien de ses pensées, mais à minuit, sa décision est prise : il fait envoyer un mot au capitaine qui lui a proposé de forcer le blocus, pour l'informer qu'il ne rejoindra pas son bord. Le 14 juillet, un émissaire de l'Empereur se présente au capitaine du *Bellerophon* et lui annonce sa reddition. Le lendemain, en grand uniforme et suivi de ses fidèles, Napoléon monte à bord du vaisseau anglais. Dans un message adressé au prince régent, il déclare : « En *but* aux factions qui divisent mon pays, et à l'inimitié des plus grandes puissances de l'Europe, j'ai terminé ma carrière politique, et je vais comme Thémistocle m'asseoir *sur* le foyer du peuple britannique. Je me mets sous la protection de ses lois que je réclame de votre Altesse Royale, comme du plus puissant, du plus constant, et du plus généreux de mes ennemis. » La référence à Thémistocle est habile. Après avoir défait les Perses, ce général grec avait en effet trouvé asile auprès de ses anciens ennemis ; les Anglais pouvaient-ils se montrer moins généreux que les Perses ?

Au cours des premiers jours passés à bord du *Bellerophon*,

où il est reçu avec tous les honneurs, Napoléon élabore ses plans pour l'avenir. Il prendrait un pseudonyme, colonel Duroc ou colonel Muiron (deux aides de camp tués à ses côtés) et mènerait une existence paisible dans la campagne, à dix ou douze lieues de Londres. Il semble pourtant douteux que Napoléon se soit résolu à vivre la vie tranquille d'un « gentleman farmer ». Depuis l'âge de vingt-cinq ans, il a vécu dans l'ivresse du pouvoir et les fumées de la bataille. Il est encore robuste et il déborde d'énergie ; pourquoi se retirerait-il à quarante-cinq ans ?

Quoi que Napoléon ait pu en penser, personne ne croit à sa subite vocation de propriétaire terrien, et sa demande d'asile plonge le gouvernement anglais dans le plus grand embarras. Les Anglais ont toutes les raisons de le craindre ; il est presque parvenu à mettre l'Angleterre à genoux et six semaines plus tôt, à Waterloo, seule l'erreur de Grouchy a sauvé les armées anglaises et prussiennes du désastre. Napoléon doit être mis hors d'état de nuire, et cette fois-ci définitivement. Il n'est pas question de l'envoyer à l'île d'Elbe dont il s'est déjà enfui, ni en Amérique, où les colons qui ont combattu les Anglais en 1812 lui réserveraient un accueil enthousiaste. Il est également impossible de le laisser vivre en Angleterre, trop proche du continent européen. Comme le fait observer Lord Liverpool, le premier ministre, si Napoléon restait en Angleterre, « il deviendrait aussitôt un objet de curiosité et quelques mois plus tard de compassion ».

Au cours des deux semaines qui viennent de s'écouler, les Anglais ont pu mesurer l'immense ascendant que Napoléon exerce sur les hommes. Au fils des jours, l'Empereur est devenu le véritable maître du *Bellerophon*. Aussi habile en politique que sur les champs de bataille, il a réussi à démontrer aux Anglais que l'Ogre corse était un être profondément humain. Toujours courtois et enjoué, son humeur ne s'est assombrie que pour une journée, lorsque le navire a quitté les eaux françaises ; il est alors demeuré silencieux, regardant disparaître à l'horizon les rivages de cet empire qu'il venait de perdre. A bord, tout est fait pour lui faciliter la traversée, et, bien que l'Empereur goûte peu les choses de la table, le capitaine Maitland s'efforce de lui faire servir de la cuisine française. Il passe ses journées à arpenter le navire, inspectant les équipements, les moindres recoins, jusqu'aux magasins et à l'infirmerie ; il parle de tout et avec tous. Sa curiosité est immense ; aux officiers, il pose des questions sur leurs campagnes, et s'enquiert des mœurs anglaises, car, explique-t-il, « je vais probablement passer le reste de mes jours en Angleterre ». Il observe les manœuvres de l'équipage et commente les différences existant entre les marines française et britannique ; sa connaissance des affaires navales impressionne le capitaine Maitland. La langue ne constitue pas une barrière : de nombreux officiers anglais parlent le français ou l'italien (les deux langues que parle Napoléon) ; sinon, l'attitude de l'Empereur lève tous les obstacles, et un jeune aspirant racontera plus tard que « le grand Napoléon » lui a souri, lui a tapoté la joue et pincé l'oreille.

Napoléon traite ces hommes avec une familiarité dont ne font jamais preuve leurs officiers issus de l'aristocratie. Mieux que quiconque, Napoléon connaît la vie du soldat, et c'est en pourvoyant à leurs besoins élémentaires (nourriture, boisson, habillement) qu'il a su éveiller un tel sentiment de dévotion à son égard au sein de la Grande Armée. Il a toujours partagé leur dure condition, et à Waterloo il était avec eux sur le champ de bataille, tandis que le général anglais se tenait à l'abri derrière une colline. Il s'entretient maintenant aussi familièrement avec eux qu'avec ses Grognards, le soir au bivouac. Il s'enquiert de leurs années de service, les interroge sur leurs campagnes ; à un chirurgien, il demande : « Combien avez-vous coupé de bras ? »

à un payeur : « Combien volez-vous ? » Et lorsqu'il demande à un vétéran aux cheveux grisonnants depuis combien d'années il n'a pas eu de promotion, il sait qu'il touche là un point sensible, car les Anglais n'ignorent pas que dans l'armée française seul le mérite compte, tandis qu'il faut chez eux être bien né. Lors d'une revue des troupes embarquées à bord, il s'enfonce dans les rangs, écartant les baïonnettes de ses mains nues, saisit le fusil d'un soldat et montre comment présenter les armes à la française.

Il semble qu'il suffirait de quelques semaines encore pour que les soldats anglais lui soient aussi dévoués que sa Garde impériale. A un de ses officiers, il confie : « Que ne pourrait-on faire avec deux cent mille gaillards aussi solides que ceux-là ! » Après avoir entendu ce propos, l'aspirant Home écrira : « Ah ! vous pouviez le dire, très redoutable Empereur ! car si on vous avait donné deux cent mille de ces valeureux soldats, et qu'on vous eût permis de prendre terre à Rochefort, je jure bien qu'en trois courtes semaines vous auriez mis en fuite et dispersé dans toutes les directions Wellington et ses Saints Alliés (...) Mais cela ne pouvait pas être ! »

On ne pouvait permettre à un tel homme de demeurer en Angleterre. Il fallait le mettre à l'écart, et cette fois-ci de façon définitive. Mais pas question pour autant de le livrer au bourreau ; Napoléon s'était certes montré un ennemi implacable, mais toujours honorable, et il jouissait en Angleterre même d'un prestige indéniable auprès de ceux qui partageaient les idéaux de la Révolution française. Et puis, en politique, l'avenir n'est jamais sûr ; le vaincu d'aujourd'hui sera peut-être le vainqueur de demain, et les dirigeants qui envoient avec tant d'aisance leurs peuples à la bataille, garantissent leur propre sécurité en épargnant leurs ennemis. Le duc de Wellington lui-même estime qu'une exécution serait « une folie ». Quant au premier ministre britannique, l'idée de voir d'autres que lui se

45

charger de la besogne n'est pas pour lui déplaire : « En faisant pendre ou fusiller Buonaparte, le roi de France conclurait cette affaire le mieux du monde. »

Mais Louis XVIII n'est pas prêt lui non plus à une telle extrémité. Il ne désire qu'une chose, bien sûr, c'est que soit écartée à jamais la menace que représente Napoléon, mais le roi est un homme faible et sa situation est précaire. Les Bourbons sont si impopulaires qu'il n'a pu rentrer à Paris que dans les fourgons de l'Etranger. L'armée est encore fidèle à celui qui lui a donné la gloire, et en mettant à mort son héros dès le début de son règne, le roi mettrait la monarchie en péril. Louis XVIII ne fait donc pas mystère de ses intentions : c'est aux Anglais de se charger de l'Usurpateur. Napoléon ne devant sous aucun prétexte rééditer sa fuite de l'île d'Elbe, son exil devra être lointain et sévèrement gardé.

Dans la matinée du 31 juillet, Napoléon apprend le sort qui lui est réservé. Un amiral anglais, Lord Keith, se rend à bord du *Bellerophon,* et son interprète, dans un français hésitant, lit à l'Empereur le texte du décret le condamnant au bannissement à Sainte-Hélène. Pour l'amiral Keith, la tâche est particulièrement embarrassante : c'est en effet grâce à une intervention personnelle de l'Empereur que son neveu a eu la vie sauve à Waterloo. Napoléon écoute en silence la lecture du décret, puis laisse éclater sa colère : « C'est pis que la cage de fer de Tamerlan ! Je préférerais qu'on me livrât aux Bourbons ! (...) Je me suis mis sous la protection des lois de votre pays. Le gouvernement viole les lois sacrées de l'hospitalité (...) Autant aurait valu signer mon arrêt de mort ! »

Mais en dépit de son amertume, Napoléon n'est pas vraiment surpris. L'Angleterre ne peut se permettre de le laisser retourner une nouvelle fois en Europe. A l'île d'Elbe, déjà, il avait reçu des rapports : réunis à Vienne, ses ennemis envisageaient de l'exiler sur une île lointaine et à cette occasion

46

on avait parlé de Sainte-Hélène. Ce choix constitue une des ironies de l'Histoire ; en 1804, au plus fort de sa puissance, Napoléon avait envisagé d'envoyer une expédition navale pour s'emparer de l'île. « Il aurait fallu de mille deux cents à mille cinq cents hommes », faisait-il observer. Pour le surveiller, les Anglais vont en envoyer le double.

Après son éclat, Napoléon retrouve rapidement son calme, et, au grand étonnement de Maitland, il remonte sur le pont et fait sa petite promenade quotidienne avant de retourner à sa cabine. Marchand raconte : « En entrant, je trouvai les rideaux des fenêtres hermétiquement fermés ; ils étaient en soie de couleur rouge, ce qui donnait une teinte mystérieuse à la chambre. L'Empereur avait déjà retiré son uniforme, disant qu'il voulait un peu se reposer. Continuant de se déshabiller, il me dit de lui poursuivre la lecture de la *Vie des hommes illustres* qui était sur la table, là où en était le signet. » Napoléon se couche alors et tire les rideaux de taffetas vert de manière à demeurer dérobé aux regards. Marchand est inquiet : l'Empereur a toujours sur lui de quoi échapper définitivement à ses ennemis. « Une pensée de destruction m'apparut prompte comme l'éclair ; j'eus un moment d'angoisse inexprimable (...) lorsque l'Empereur sans ouvrir ses rideaux me dit : « Lis. » Je pris le livre et lus avec assez de fermeté pour ne pas lui laisser deviner le soupçon qui s'était élevé dans mon âme. Après une demi-heure de lecture terminée par la mort de Caton, l'Empereur sortit de dessous ses rideaux avec un calme qui fit s'évanouir toutes mes craintes et passa sa robe de chambre. » Quelques instants plus tard, il envoie Marchand chercher le grand maréchal.

Toujours acharné à la tâche, l'Empereur se met au travail avec Bertrand, et n'évoque pas une seule fois l'échec de ses projets. Les Anglais lui ont annoncé qu'il pourrait emmener avec lui trois officiers et une dizaine de serviteurs. Il est trop tard pour demander à ses fidèles compagnons demeurés en France de l'accompagner dans son exil : il doit choisir parmi ceux qui se sont embarqués avec lui à bord du *Bellerophon*.

Le choix de Bertrand s'impose d'emblée : cet officier du génie, devenu grand maréchal du palais, a servi Napoléon depuis la campagne d'Egypte. Calme, taciturne, méticuleux, parfois jusqu'à l'excès, il a toujours fait preuve d'une loyauté sans faille vis-à-vis de l'Empereur qu'il a d'ailleurs accompagné dans son premier exil à l'île d'Elbe. Son épouse, Fanny, semble moins disposée que lui à ce nouvel exil. Grande, blonde aux yeux sombres, Fanny Bertrand qui est d'origine anglaise par son père, espérait retrouver en Angleterre la vie brillante qu'elle avait menée à Paris, d'autant que Bertrand a déjà transféré là-bas une partie importante de sa fortune. Dès qu'elle apprend que l'Empereur est déporté à Sainte-Hélène, elle court se jeter à ses pieds et le supplie d'autoriser son mari à rester en Europe. Napoléon se contente de répondre que Bertrand est libre de ses actes. Désespérée, Fanny Bertrand tente de se jeter à la mer. « Croyez-vous que sa tentative ait été sérieuse ? » demande Napoléon avec un sourire. C'en est décidé : Bertrand ira à Sainte-Hélène avec sa femme et ses trois enfants.

Le choix des autres officiers semble à première vue moins évident. Aucun ne l'a accompagné à l'île d'Elbe et d'ailleurs deux de ceux qui ont partagé ce premier exil ont cherché ensuite à rentrer dans les bonnes grâces des Bourbons. Cette fois-ci, deux de ses officiers appartiennent à la vieille aristocratie. Le comte Charles-Tristan de Montholon n'a jamais été un proche de l'Empereur et celui-ci le connaissait à peine. Agé de trente-deux ans, bel homme avec ses favoris bouclés, il a les manières policées d'un banquier. Grâce à sa famille, il a réussi à obtenir un certain nombre de postes militaires et diplomatiques où il ne s'est jamais illustré. Quoique ayant rang de général, et en dépit de l'état de guerre presque ininterrompu sous l'Empire, il a réussi à ne jamais combattre. Trois ans auparavant, en 1812, alors qu'il était ministre plénipotentiaire auprès du grand-duc de Würzbourg, Montholon a épousé, contre l'avis de l'Empereur, Albine de Vassal qui venait de divorcer de son second mari. Napoléon se trouvait alors à Moscou, mais même en ces heures dramatiques, il continuait à diriger son empire, tenant à régler lui-même jusqu'au plus petit détail. Montholon s'attira ainsi les foudres de Napoléon à cause de ce mariage que l'Empereur jugeait « incompatible » avec ses fonctions diplomatiques. Après Waterloo, on voit réapparaître Montholon en uniforme de grand chambellan, protestant de sa loyauté à l'Empereur, et parvenant à rejoindre sa suite en compagnie de son épouse. Ils gagneront Sainte-Hélène avec leur enfant.

Le marquis de Las Cases (Emmanuel Auguste Dieudonné Marius Joseph, pour être précis) est également un compagnon de la dernière heure. Issu, comme Montholon, de l'ancienne noblesse, il a pour lui deux atouts : il parle couramment l'anglais et il écrit bien. Ensemble, dit-il à l'Empereur, nous écrirons l'Histoire que vous avez faite. Il semble bien que seule la perspective de recueillir les souvenirs de Napoléon le pousse à l'accompagner à Sainte-Hélène. Outre ses qualités d'écrivain, Las Cases a la chance d'être le seul officier plus petit que Napoléon (de trois centimètres) et plus âgé (de quatre ans). Il emmène avec lui son fils de quinze ans.

Le nombre de trois officiers autorisés par les Anglais est donc atteint, mais Gourgaud ne l'entend pas de cette oreille. Âgé de trente-deux ans, officier d'artillerie (comme l'Empereur), Gourgaud est un brave ; il a sauvé la vie de Napoléon en Russie (c'est du moins ce qu'il dit) et a combattu à Waterloo. En apprenant qu'il ne figure pas sur la liste des élus, Gourgaud fait résonner le navire de ses cris et des protestations, tant et si bien que Napoléon cède et le compte au nombre des officiers en faisant figurer Las Cases comme secrétaire. Gourgaud viendra seul, sans famille.

Louis Marchand, le premier valet, occupe un poste de confiance. Faisant fonction de garde du corps, il dort dans la cabine de Napoléon, sur un matelas, et tient littéralement la vie de l'Empereur entre ses mains. Il a vingt-quatre ans, il est célibataire, et n'a rien fait d'autre dans sa vie que servir Napoléon.

Parmi les serviteurs, on trouve une figure sombre, inquiétante : Franceschi Cipriani. Cet homme connaît Napoléon de longue date, puisque, dans sa jeunesse, il écumait déjà les marmites de la famille Buonaparte, en Corse. Son rôle auprès de l'Empereur a toujours été mystérieux, d'autant que personne ne les comprend lorsqu'ils parlent tous deux le dialecte corse. A l'île d'Elbe, Napoléon a envoyé Cipriani espionner les Alliés ; celui-ci lui rapporte alors que ses ennemis songent à le déporter dans quelque endroit éloigné. Ce rapport sera pour beaucoup dans la décision que prendra Napoléon de retourner en France. Comme Louis Marchand, Cipriani vient seul à Sainte-Hélène.

Napoléon est également autorisé à emmener avec lui un médecin. A bord du *Bellerophon,* l'Empereur s'est pris de sympathie pour le médecin du navire, le docteur Barry O'Meara, un protestant irlandais de vingt-neuf ans, qui parle couramment l'italien et a servi en Egypte après le départ des Français. A la grande satisfaction des Anglais qui espèrent avoir ainsi un espion dans l'entourage de Napoléon, O'Meara accepte d'accompagner l'Empereur à Sainte-Hélène.

Les Anglais ne lui offrent pas de faire venir l'impératrice et le roi de Rome. D'ailleurs, Napoléon n'y songe pas. Marie-Louise est retournée en Autriche avec son fils avant le départ pour l'île d'Elbe et a refusé de le rejoindre pendant les Cent Jours. Aucun membre du clan Bonaparte ne s'offre non plus à l'accompagner, alors même qu'ils lui doivent tous leurs fortunes et leurs positions.

Le 7 août, Napoléon accompagné d'une suite de vingt-sept personnes quitte le *Bellerophon* pour s'embarquer sur le *Northumberland* qui doit les emmener à Sainte-Hélène. Avant de dresser dans la cabine le petit lit de camp de l'Empereur, Marchand a tout juste le temps d'écrire un billet à ses parents pour leur annoncer sa nouvelle destination.

Nous sommes en novembre 1959. Plusieurs mois après avoir décidé, non sans réticences, de consacrer son temps à résoudre l'énigme de la mort de l'Empereur, Sten Forshufvud découvre à la bibliothèque de Göteborg un article de Hamilton Smith qui va se révéler déterminant pour la poursuite de ses travaux.

Quatre ans ont passé depuis le soir où Forshufvud a trouvé dans les *Mémoires* de Marchand ce qu'il a cru être la preuve d'un empoisonnement par l'arsenic. A ce moment-là Forshufvud avait pensé que quelqu'un, parmi les spécialistes de l'histoire napoléonienne, tirerait de ces mémoires les mêmes conclusions que lui. Etait-ce à lui, l'amateur, de signaler cette preuve aux experts ? Aussi pendant ces quatre années Forshufvud a-t-il continué ses recherches de laboratoire et son métier de chirurgien-dentiste. Cependant, en original qu'il est, sa pratique de l'art dentaire n'a rien de conventionnel. Il se borne à réparer les dégâts causés par les erreurs de ses confrères. Cela lui donne beaucoup de travail, mais lui laisse tout de même le temps de lire l'abondante littérature qui continue de paraître sur Napoléon, depuis les articles universitaires jusqu'aux biographies populaires. Il attend toujours, mais en vain, de lire ce qu'il croit être l'inévitable révélation.

Or cette révélation ne vient pas. Va-t-il être obligé de se lancer dans l'arène ? Il a tant de choses à faire dans son laboratoire ! Il mène une recherche d'avant-garde qui est loin d'être terminée. S'il se plonge dans le projet Napoléon, il sait d'avance qu'il ne s'arrêtera pas à mi-chemin. Ce n'est pas son genre. Il sera entraîné loin de son laboratoire et consacrera moins de temps à sa famille. Enfin, n'est-il pas déjà âgé — il approche de la soixantaine — pour se lancer dans une telle aventure ? S'il échoue, on le traitera de fou. Bref, les arguments « contre » s'accumulent.

Mais s'il est homme de science, Forshufvud est aussi un rêveur. Dans ses travaux de recherche, jamais il n'est demeuré prisonnier des opinions établies : c'est ce qui en fait la valeur. Plus d'une fois, la pensée de Forshufvud s'est tournée vers le grand homme qui est au centre de son projet. Cet homme n'a cessé de poursuivre un rêve. En eût-il été autrement qu'il serait resté un obscur officier français ou un homme politique corse du nom de Napoleone Buonaparte.

Deux articles consacrés à la mort de Napoléon qui paraissent dans des revues suédoises, finiront cependant par emporter sa décision. Aucun des auteurs n'évoque l'éventualité d'un empoisonnement à l'arsenic ni ne parle des preuves apportées par Marchand. Tout se passe comme si les *Mémoires* du valet de chambre de l'Empereur n'avaient jamais vu le jour. Les deux articles rabâchent les vieilles théories : cancer, hépatite et une douzaine d'autres qui courent le monde depuis plus de cent ans. Ce jour-là, Forshufvud annonce à sa famille : c'est décidé, je vais agir moi-même. Sa femme, Ullabritta, s'apprête à le voir de moins en moins. Elle a vécu suffisamment longtemps à ses côtés pour savoir que lorsqu'il se fixe un objectif, il n'a de cesse avant de l'avoir atteint.

Forshufvud commence par se plonger dans l'étude de ce qu'il nomme « l'affaire Napoléon ». Formé aux disciplines scientifiques il se lance dans cette nouvelle recherche en employant ses méthodes habituelles. Il relit l'immense littérature consacrée à l'arsenic, passe en revue les symptômes observés sur les victimes, ainsi que les emplois (légaux et criminels) que l'on faisait de ce toxique au temps de Napoléon. Il lit et relit les récits des témoins et les rapports médicaux de l'autopsie, et compare les témoignages à des détails qui ont subitement pris un sens nouveau. Il commence à vivre dans l'intimité de gens morts depuis longtemps, dans un monde infiniment éloigné, dans l'espace et dans le temps, de son confortable foyer suédois : le monde désespéré de Longwood, isolé sur le plateau solitaire de Sainte-Hélène, entouré de soldats anglais, prisonnier de l'Océan, où l'Empereur agonise au printemps de 1821. Forshufvud regarde tous ceux qui entourent Napoléon, aussi bien son entourage immédiat que les geôliers anglais, et la manière dont ils jouent leurs rôles en ces jours ultimes. Si Forshufvud a raison, l'un d'entre eux a empoisonné l'Empereur et achève à présent sa sinistre besogne. Oui, mais lequel ? Avec son autodiscipline habituelle, Forshufvud décide d'écarter pour l'instant cette question de son esprit. Il n'a pas encore apporté la preuve que Napoléon a été empoisonné. Sans crime, il est vain de rechercher le criminel. S'il a raison sur le fond, il sera temps de se livrer alors à cette recherche, mais plus tard. La méthode scientifique consiste à ne prouver qu'une seule chose à la fois. Forshufvud a toujours été un scientifique.

Plus il passe au peigne fin les documents relatifs aux derniers mois de l'agonie de Napoléon, plus Forshufvud est convaincu d'être sur la bonne piste. L'intuition qu'il a eue lorsqu'il a lu quatre ans plus tôt les *Mémoires* de Marchand renferme bien l'explication de la mort de l'Empereur. La conclusion n'a pas été facile à atteindre car l'empoisonnement à l'arsenic est particulièrement difficile à diagnostiquer. Ses symptômes recoupent ceux de maintes maladies courantes. Pour compliquer encore le diagnostic, certains des symptômes paraissent contradictoires. La somnolence alterne avec l'insomnie, la perte générale d'appétit est suivie de périodes pendant lesquelles la victime semble atteinte de boulimie. Dès lors un ou même plusieurs symptômes ne peuvent être concluants. Toutefois, les preuves accumulées par Forshufvud sont écrasantes : rapprochant le rapport d'autopsie, le récit du médecin personnel de Napoléon, Antommarchi, et le récit détaillé jour après jour de l'état du malade tel que l'a consigné le fidèle Marchand, Forshufvud constate que dans ses derniers jours Napoléon n'a pas manifesté moins de vingt-deux des symptômes d'un empoisonnement par l'arsenic sur les trente reconnus par la médecine légale. Le fait qu'aucun des témoins qui ont enregistré ces symptômes n'ait songé à la possibilité d'un empoisonnement rend leurs témoignages encore plus convaincants.

Egalement important : rien dans ces témoignages ne vient contredire la thèse de l'arsenic. Si aucun lecteur des *Mémoires de Marchand* n'y a songé, c'est que personne n'envisageait cette hypothèse. Chacun cherchait à étayer ses propres théories défraîchies. Voilà qui n'est pas pour surprendre Forshufvud. Son expérience de la science et de la médecine lui a laissé peu de respect pour ses confrères. Les historiens ne valent guère mieux. Les uns et les autres ne savent que suivre le troupeau.

Cependant, même après plusieurs mois de recherches, Forshufvud sait qu'il lui reste un long chemin à parcourir avant d'être capable d'apporter la preuve de ce qu'il avance. En fait il n'existe aucune preuve. Le moyen évident d'en obtenir une serait d'analyser les restes de Napoléon. Le corps de l'Empereur a été ramené à Paris dix-neuf ans après sa mort et repose à présent dans le grand tombeau des Invalides sous trente-cinq tonnes de porphyre aux couleurs d'alizarine et de terre de Sienne brûlée. Forshufvud s'imagine mal allant demander aux autorités françaises de bien vouloir ouvrir ce sarcophage pour permettre à un enquêteur inconnu et étranger de procéder à une analyse des cendres du héros national. De ce côté-là, pas l'ombre d'un espoir : Forshufvud ne pourra pas offrir en témoignage le corps de la victime.

Dans la pensée de Forshufvud il existe pourtant une autre chance : les cheveux de Napoléon. A l'époque, le don d'une boucle de cheveux était un présent habituel de la part des gens éminents, un peu l'équivalent des autographes des hommes célèbres de nos jours. On sait que Napoléon avait souvent offert ainsi des boucles de ses cheveux. Dans son livre, Marchand raconte qu'il a rapporté en France une assez grande quantité de cheveux coupés sur la tête de son maître juste après sa mort et qu'il en a distribué la plus grande partie à la famille Bonaparte, sauf une boucle qu'il a léguée à sa propre fille. Forshufvud a également appris lors de ses recherches médicales que le cheveu se prête à merveille à la mesure de la teneur en arsenic d'un corps humain. La méthode d'analyse des cheveux pour rechercher l'arsenic est connue et pratiquée depuis des générations. Ainsi, si le corps de Napoléon ne peut servir directement de témoignage, il reste ses cheveux.

Mais il existe encore un autre obstacle et qui paraît insurmontable. La méthode courante d'analyse exige une quantité de cheveux relativement importante, de l'ordre de cinq grammes, équivalant à quelque 5 000 cheveux. Forshufvud pourrait trouver à la rigueur une mèche ou deux — c'est du domaine du possible sinon du probable — mais qu'il puisse tenir entre ses mains cinq mille cheveux de l'Empereur paraît aussi impensable que de déplacer les trente-cinq tonnes du sarcophage et d'en exhumer le corps de Napoléon. La preuve physique de la présence d'arsenic semble donc aussi lointaine que jamais. Mais Forshufvud n'est pas homme à renoncer. S'il décide d'accomplir un travail, c'est comme le font souvent les savants, dans l'espoir qu'une lumière surgira de quelque source encore inconnue pour l'heure.

Cette lumière lui parvient un soir de novembre, à la bibliothèque municipale de Göteborg où, comme il le fait fréquemment, il est venu consulter les derniers journaux scientifiques pouvant présenter quelque intérêt pour lui. Il découvre en effet ce qu'il cherche dans un article de l' « *Analytical Chemistry* » qui décrit une nouvelle méthode pour déceler la présence d'arsenic dans les cheveux, une méthode qui n'exige plus que la possession d'*un seul* cheveu. Dans la salle des périodiques de la bibliothèque municipale, Forshufvud est aussi excité ce jour-là que lorsque, quatre ans auparavant, il a songé au poison en lisant les *Mémoires* de Marchand. Voici la lumière espérée ! S'il pouvait seulement obtenir cet unique cheveu de l'Empereur !

L'inventeur de la nouvelle méthode, l'auteur de l'article paru dans la revue de chimie, est un certain docteur Hamilton Smith, attaché au service de médecine légale de l'université de Glasgow en Ecosse. Smith est un spécialiste connu en toxicologie, l'étude des poisons. Il s'est intéressé aux effets de l'arsenic sur l'environnement, notamment aux risques de cancer du poumon, car l'arsenic est largement utilisé comme insecticide sur les plants de tabac. Smith a recherché un moyen pratique et sûr de tester une très petite quantité de cheveux et l'a découvert grâce à l'une des « retombées » bénéfiques de la dernière guerre mondiale, l'utilisation de l'énergie nucléaire dans le domaine de la recherche. Travaillant en liaison avec le Centre de Recherches Atomiques de Harwell, près de Londres, Smith a mis au point un procédé dans lequel le bombardement nucléaire d'un unique cheveu active l'arsenic qui y est présent, de manière à en mesurer aisément la quantité.

En quittant la bibliothèque, Sten Forshufvud est enchanté : Hamilton Smith ne pourra refuser d'analyser pour lui un unique cheveu. Seulement, ce cheveu il doit commencer par le trouver. Forshufvud se décide à écrire au Prince Napoléon, descendant du frère cadet de l'Empereur, Jérôme Bonaparte, et héritier présomptif du trône impérial.

Sainte-Hélène
octobre 1815

Le dîner vient d'être servi lorsque la vigie lance le cri traditionnel tant attendu : — « Terre ! » L'amiral conduit Napoléon et ses officiers sur le pont supérieur. Il y a 71 jours que le *Northumberland* a quitté Plymouth. Les exilés tentent d'apercevoir l'île qui va les accueillir. Dans sa longue-vue, Napoléon aperçoit à l'horizon la crête d'une montagne. « Le Pic de Diane », annonce l'amiral. Mais très vite la nuit tombe et l'on ne voit plus rien. Pendant une nuit encore, les exilés ne pourront qu'imaginer Sainte-Hélène, telle qu'ils en ont maintes fois rêvé au cours de leur long voyage dans l'Atlantique Sud.

La vie des proscrits sur le bâtiment anglais, un navire de ligne de 74 canons, s'est jouée comme une répétition de ce qu'elle sera à Sainte-Hélène. Les Français y ont vécu dans une sorte d'étrange état intermédiaire entre la prison et la liberté. Ni gardés ni enfermés dans leurs appartements pendant la nuit, ils avaient entière liberté de circuler partout dans le vaisseau. Pourtant, à chaque détour du pont ou des entreponts ils se heurtaient aux vareuses rouges et aux fusils des centaines de soldats embarqués à bord pour empêcher toute évasion. Lorsqu'ils tournaient leurs regards vers l'Océan, c'était pour apercevoir l'un des neuf navires de l'escorte, emmenant les troupes qui allaient renforcer la garnison de Sainte-Hélène.

A bord, la vie des Français comme celle des Anglais tourne autour du personnage ambigu de Napoléon : mi-prisonnier, mi-Empereur. Le gouvernement de Londres, divisé sur la façon dont il doit traiter l'ancien maître de l'Europe, a finalement décidé, pour des questions de protocole, de le considérer comme un « général sans affectation ». Le général Buonaparte. Ce titre est amèrement ressenti par Napoléon et cette médiocre vexation va devenir une source de conflits sans fin entre Anglais et Français. Non que Napoléon tienne tellement aux titres. Son profond réalisme le met au-dessus de ces vétilles : pendant ses années de pouvoir il a distribué suffisamment de hochets, et des milliers d'hommes sont morts pour un bout de ruban. Mais lorsqu'on parle devant lui de décorations comme de « babioles », il rétorque : « L'humanité est régie par de telles babioles. » Toutefois il n'en va pas de même de sa couronne. Elle lui a été donnée par le peuple français lors du référendum de 1804. Napoléon croit avant tout au talent, au mérite, et il méprise ceux qui doivent leur pouvoir au seul hasard de leur naissance. En France, les Bourbons ont reçu leur titre non pas du peuple, mais de « quelques prêtres et évêques ». Aucun des monarques qui ont combattu Napoléon n'a reçu le droit de régner à la suite d'un vote populaire. De tels hommes peuvent l'emprisonner, le tuer même, ils ne peuvent le priver de sa couronne. Seul le peuple de France aurait ce droit. Pour ses compagnons comme pour lui-même, il ne sera jamais le « général Bonaparte » mais toujours « l'Empereur » même lorsque, comme à présent, son empire ne consiste qu'en vingt-sept personnes, hommes, femmes et enfants.

A bord du *Northumberland,* Napoléon est tombé dans une routine quotidienne bien éloignée de ses journées de travail de seize heures aux Tuileries. On lui a attribué l'une des deux cabines de la dunette, celle de tribord, sur l'arrière du mât de misaine, l'autre étant occupée par l'amiral George Cockburn qui commande la flottille voguant vers Sainte-Hélène. C'est la meilleure cabine du vaisseau. Les autres passagers, français ou anglais, sont entassés dans de minuscules cabines sans aération, mais il en est presque toujours ainsi sur les navires de guerre. Louis Marchand a remplacé la couchette par l'un des deux lits de fer de l'Empereur, ces lits étroits à rideaux de taffetas vert qui ont accompagné Napoléon dans toutes ses campagnes. Le reste du mobilier consiste en une toilette, une petite table et un fauteuil ainsi que quelques tableaux que Marchand, lui-même peintre amateur, a accrochés aux parois afin de donner un peu d'agrément au logement de son maître. Marchand dort sur un matelas posé à même le plancher de la cabine. Son sommeil est souvent interrompu par Napoléon qui, en proie à l'insomnie, lui réclame son flambeau couvert, un livre, une plume, de l'encre et du papier. Marchand prend un livre dans la collection d'ouvrages qu'il a rassemblés à la hâte avant de quitter la Malmaison; cette collection remplace la « bibliothèque de campagne », les six cents livres contenus dans six caisses d'acajou qui, comme les lits de fer, accompagnaient toujours l'Empereur dans ses campagnes. Assis dans son lit, Napoléon lit et prend des notes à la lueur de la chandelle, tandis que le jeune valet reste éveillé sur son matelas. Pendant ces longues heures nocturnes Napoléon parle très peu, sauf pour donner un ordre à Marchand.

Dès l'aube, Marchand apporte à Napoléon son café noir, puis vers dix heures un petit déjeuner consistant : de la viande, un peu de vin. Napoléon passe dans sa cabine la plus grande partie de la journée. Fréquemment il prie Marchand d'aller convoquer l'un de ses officiers. Le plus souvent Emmanuel de Las Cases, l'aristocrate écrivain. Las Cases est un petit homme très imbu de lui-même, détesté par les autres officiers qui l'appellent « le jésuite » et jalousent ce nouveau venu qui cherche tellement à accaparer les faveurs de Napoléon. Avec

Las Cases, pourtant, l'Empereur commence ce qui sera sa dernière campagne : sa justification devant le tribunal de l'Histoire. Encore en robe de chambre, arpentant en quelques pas sa cabine, comme un tigre en cage, puisant dans sa prodigieuse mémoire le récit de ses années de gloire, « l'Empereur dicte très vite, il faut le suivre presque aussi vite que la parole », écrit Las Cases, « j'ai dû me créer une espèce d'écriture hiéroglyphique, je courais à mon tour dicter à mon fils... » Le lendemain, Las Cases relit ce que lui-même et son fils de quinze ans ont consigné dans la soirée, et Napoléon révise, redictant un passage à plusieurs reprises — parfois jusqu'à dix fois ! — jusqu'à ce qu'il revête la forme souhaitée.

Au milieu de l'après-midi, Marchand prépare l'uniforme vert de colonel de la Garde que Napoléon endosse avant de se rendre dans le carré des officiers. Il y fait une partie d'échecs presque quotidienne pendant deux heures avec l'un de ses compagnons d'exil. Le grand stratège se révèle un médiocre joueur d'échecs. Il perd la plupart du temps. Ses pensées sont ailleurs. Le dîner est servi à cinq heures dans une autre pièce de la dunette. Napoléon préside la grande table carrée. Deux serviteurs se tiennent debout derrière lui. A sa droite, Fanny Bertrand, la blonde épouse du grand maréchal du Palais, le plus ancien en grade des officiers accompagnant Napoléon vers l'exil. A sa gauche, l'amiral. Les autres officiers, aussi bien français qu'anglais, ainsi qu'Albine de Montholon, sont placés autour de la table selon leur rang. Par ordre de l'amiral, la conversation se tient en français, Las Cases servant d'interprète lorsqu'il le faut, mais, au grand déplaisir des Français, la musique du 53e régiment accompagne le dîner. Au cours du repas, Napoléon parle peu, se sert fréquemment de ses doigts, et quitte brusquement la table tandis que les Anglais restent à bavarder et à boire.

Un soir, Napoléon voit un nouveau visage : le capitaine

Wright commandant un brick qui escorte le *Northumberland*. — « Etes-vous parent du capitaine Wright que vos pamphlétaires m'ont accusé d'avoir étranglé ? » demande-t-il. — « Oui, sire, répond le capitaine, et je serais curieux de savoir comment le pauvre diable a pu se suicider, car je n'ai jamais pensé que vous aviez pu le faire pendre sans motif sérieux. » — « Je vais vous le dire, commence Napoléon. » Et de raconter que l'autre capitaine Wright commandait un bateau anglais chargé de débarquer sur la côte française des complices du « complot de la machine infernale », une tentative d'assassinat commise en 1800 par des émigrés royalistes et qui n'avait échoué que parce que la calèche de Napoléon avait dépassé le lieu de l'attentat quand l'explosion s'était produite. — « J'étais las de toutes ces intrigues. J'avais décidé d'y mettre un terme, continue Napoléon. J'ai fait arrêter Wright et l'aurais gardé en prison jusqu'à la signature de la paix avec votre pays, mais le chagrin et le remords l'ont accablé et il s'est suicidé. Et pourtant, une affaire pareille devrait moins vous éprouver vous autres Anglais, parce que chez vous le suicide est presque une coutume nationale ! » Sur cette réflexion, Napoléon se lève et quitte brusquement la table sans ajouter un mot.

Après le dîner, Napoléon va sur le pont et l'arpente en compagnie d'un de ses officiers ou de l'amiral lui-même. L'Empereur déchu, petit et déjà corpulent, forme un contraste étrange avec son immense et maigre geôlier. Les deux hommes marchent ainsi sur le pont en se tenant par le bras et évoquent leurs aventures militaires. Le vice-amiral Cockburn, qui a quatre ans de moins que Napoléon, est un homme sec, d'aspect sévère, jaloux de son autorité mais connu pour sa loyauté. Il a combattu les Français à Toulon, là où Napoléon a remporté sa première victoire. Il a commandé les forces anglaises qui ont pris la ville de Washington en 1812. Cockburn a commencé le voyage vers Sainte-Hélène, bien décidé à ne pas laisser le prisonnier de l'Angleterre « jouer à l'Empereur ». Mais la patience et la grandeur d'âme de Napoléon face à l'adversité ont bientôt raison de lui. A la fin de la traversée, au grand souci de Cockburn, Napoléon est en passe de devenir trop populaire à bord de son vaisseau, comme il en avait déjà été ainsi quelques semaines auparavant sur le *Bellerophon*. Les jeunes officiers écarquillent les yeux sur son passage et montent la garde près de lui lorsqu'il s'accoude au canon qu'ils ont dénommé « le canon de l'Empereur ».

Après sa promenade du soir sur le pont, Napoléon revient au salon des officiers et joue aux cartes avec un groupe qui comprend généralement Cockburn, quelques compagnons de Napoléon et les femmes de deux de ses officiers, Fanny Bertrand et Albine de Montholon. Ils jouent au whist ou au vingt-et-un, et les pièces de monnaie qui constituent l'enjeu, les napoléons et les louis, symbolisent l'histoire récente de la France. Napoléon joue d'une façon mécanique, avec une sorte d'indifférence lointaine, comme si le fait de jouer une pièce d'or sur la sortie d'une carte n'offrait que peu d'intérêt à l'homme qui avait joué le sort des nations sur l'issue d'une bataille. Il perd presque toujours, sauf le 15 août, qui marque son quarante-sixième anniversaire. Seuls quelques toasts portés à sa santé, et une chance exceptionnelle au vingt-et-un célèbrent l'occasion. Lorsqu'il se retire dans sa cabine, Napoléon dit à Marchand : « Ma chance a été telle que mon gain s'élève à 80 napoléons. » Cette chance paraît réellement exceptionnelle à Marchand qui, chaque jour, est obligé de remplacer dans la bourse de son maître les quelques napoléons perdus au jeu la veille.

Mais de telles distractions sont rares et le temps pèse lourdement sur les exilés, tandis que le bâtiment fait lentement voile vers sa destination fatale. On franchit l'équateur. L'étoile polaire disparaît du ciel, remplacée par la Croix du Sud qu'aucun des Français n'a jamais vue. Les exilés évoquent les détails qui rendent les journées un peu différentes les unes des autres : un jour on a aperçu des poissons volants, un autre jour un homme est tombé à la mer. Un matin, Napoléon monte sur le pont voir un requin que les marins viennent de capturer et il est éclaboussé de son sang. Grâce à un marin qui avait été autorisé à se rendre à terre lors de l'escale à Madère, Marchand a pu emporter une boîte d'aquarelles, ceci « pour servir à mes distractions à Sainte-Hélène ». Marchand assiste à la flagellation d'un marin coupable et il s'étonne : Comment un être humain ne se révolte-t-il pas devant un traitement aussi barbare ? La dégradation est telle pour l'homme qui reçoit ce châtiment qu'il est difficile de croire que par la suite son âme soit encore sensible à aucun sentiment d'honneur.

La plupart du temps, les exilés sont simplement accablés d'ennui et bien entendu se querellent. Fanny Bertrand se dispute avec Albine de Montholon, une jolie femme encore coquette qui a été une véritable beauté dans sa prime jeunesse. Gourgaud, le jeune et impétueux officier d'artillerie, supporte mal son célibat. Pendant les repas il se dispute avec Montholon, trop courtisan à son gré. Il tient un journal dans lequel il consigne des observations assez sournoises sur la belle Albine. Il ne la trouve pas aussi jolie qu'elle croit l'être : elle a la déplorable habitude de se gratter le cou et de minauder. Tout cela exaspère Gourgaud. Mais c'est encore Las Cases qui l'agace le plus. Personne n'aime Las Cases, mais le petit historien s'estime tellement lui-même que peut lui chaut. Tous enfin se plaignent des habitudes des Anglais « si différentes des nôtres », note Las Cases.

Les Français savent peu de chose sur ce qui les attend à destination, mais ils sont persuadés que leur exil ne durera pas éternellement. Voici un an seulement, Napoléon se trouvait à l'île d'Elbe. Bertrand et Marchand étaient déjà à ses côtés, et cet exil n'a duré que dix mois. La France pourrait chasser les Bourbons et rappeler l'Empereur aux Tuileries. Peut-être viendra-t-on les délivrer : lors des premiers jours en mer ils ont vu passer des vaisseaux français et la rumeur a couru, vite démentie, qu'il s'agissait d'une flottille de délivrance. Ou bien, au pire, les Anglais décideront-ils de leur affecter un lieu d'exil plus proche de l'Europe. La plupart attendent surtout la fin de cet interminable voyage. « Pour mon compte, écrit Marchand, j'étais si las de cette maison flottante, si fatigué de ces titres de général et d'Excellence donnés à l'Empereur, que, quel que fût l'endroit où nous devions habiter, pourvu que nous y fussions seuls, je le préférais au *Northumberland*. » A présent, enfin, ils arrivent. Au matin, on verra Sainte-Hélène.

Le lendemain en effet, le *Northumberland* jette l'ancre devant Jamestown, l'unique port de l'île. Napoléon s'habille rapidement et, accompagné de Marchand, monte sur le pont. Ses compagnons et lui contemplent ce qui va devenir leur résidence. Ils voient une haute muraille stérile de basalte, dépourvue de toute végétation, s'élevant comme une forteresse naturelle entre deux pics gris également désolés. Droit devant eux, ramassées entre deux falaises hérissées de pièces d'artillerie, quelques maisons pâles contrastent avec le rocher sombre. Ce sont les maisons du petit port de Jamestown. Paysage sinistre et hostile, combien différent des luxuriants et tendres paysages de la France ou de la sobre beauté de la Corse. « C'est le diable qui a ch... cette île, en volant d'un monde à l'autre », aurait dit, selon la chronique, une des dames de la suite de Napoléon. Même les Anglais sont rebutés par un lieu que le chirurgien militaire Walter Henry décrit comme « le plus horrible, le plus triste rocher imaginable, à la surface rugueuse et feuilletée, s'élevant du fond des abîmes marins comme une monstrueuse excroissance noire ». A Marchand, l'île apparaît comme un tombeau. Napoléon la contemple en silence et, notera Marchand, « l'Empereur après un examen de quelques instants, rentra chez lui ne faisant aucune observation et ne laissant rien deviner de ce qui se passait dans son âme ». Quelques instants plus tard, Napoléon déclarera à Gourgaud : « Ce n'est pas un joli séjour. J'aurais mieux fait de rester en Egypte. Je serais à présent Empereur de tout l'Orient. » Puis il prie Las Cases de le rejoindre et travaille avec lui comme d'habitude.

L'amiral Cockburn descend le premier à terre et en revient quelques heures plus tard accompagné du gouverneur de l'île, le colonel Mark Wilds, qu'il présente à Napoléon dans le carré des officiers. Wilks est un homme distingué d'une cinquantaine d'années, aux cheveux gris bouclés, aux abondants sourcils noirs, un intellectuel autant qu'un militaire avec des manières aisées et gracieuses. Etant donné que Cockburn va le remplacer en tant que gouverneur, il peut s'exprimer assez librement. Les deux hommes s'entendent bien. Très vite Napoléon soumet Wilks au feu roulant habituel de ses questions sur l'île qu'il vient de gouverner pendant deux ans. Il peut prendre alors la mesure de ce que va être son isolement : Sainte-Hélène, découverte en 1502 par les Portugais, et propriété actuelle de la Compagnie des Indes orientales, se trouve à 1 750 miles de la ville du Cap en Afrique du Sud, à 1 800 miles de l'Amérique du Sud, à 4 000 miles de l'Europe. La terre la plus proche, l'île d'Ascension, à 700 miles, est un autre pic volcanique perdu dans l'immensité océane et, elle aussi possession anglaise. Il est inutile de nier l'évidence : si les Anglais ont choisi Sainte-Hélène pour le second exil de Napoléon, c'est à cause de son terrible isolement.

Qui vit à Sainte-Hélène ? Wilks explique que la petite île (treize kilomètres de large sur dix-neuf de long) abrite une population de quelque 4 000 âmes, y compris une garnison de mille hommes qui va être triplée en raison de la présence de

Napoléon. Des civils ? Moins de huit cents sont européens, les autres sont des Noirs, des Chinois, des Lascars. Les trois quarts des Noirs sont encore des esclaves. Après chaque réponse, Napoléon hoche la tête et enchaîne sur la question suivante. La population locale, les Yamstocks, vit du commerce maritime imposé par la situation de l'île, sur la route de l'Angleterre vers l'Afrique du Sud et les Indes. Les navires allant en Orient ou en revenant font escale à Sainte-Hélène pour s'approvisionner en eau, et leurs équipages se délassent pendant quelques heures dans les tavernes de Jamestown. Combustibles, viande, produits manufacturés, tout doit être importé, ce qui explique le coût élevé de la vie. En général, ce qui se passe dans le monde intéresse peu les Yamstocks. Il faut trois mois pour que parviennent les nouvelles d'Europe et ces dernières les concernent rarement. Seuls les potins locaux leur paraissent importants. Pourtant les insulaires vont connaître l'événement capital de toute l'histoire de Sainte-Hélène. Cinq jours auparavant, ils ont appris ce qui allait leur arriver grâce au brick *Icarus*, l'un des bâtiments de la flotte de Cockburn qui s'était séparé du *Northumberland* au large de Madère et avait pris une route différente plus à l'ouest. En fait, Sainte-Hélène apprend pêle-mêle tous les grands événements de ces derniers mois en Europe : le retour de l'île d'Elbe, les Cent jours, Waterloo et, pour finir, la déportation de Napoléon sur leur petite île.

Malgré leur indifférence légendaire aux événements du monde extérieur, les habitants de Sainte-Hélène manifestent une certaine excitation depuis l'annonce des nouvelles apportées par l'*Icarus*. Un mélange de crainte et de curiosité ; la renommée de Napoléon a atteint l'île lointaine, un peu comme un écho. Il y est devenu une figure de légende, assez terrifiante, d'une dimension dépassant celle des mortels. C'est le fameux « Boney » dont les nourrices anglaises parlent à leurs marmots comme d'un épouvantail. Betsy Balcombe, par exemple, qui a à présent quatorze ans, rappelle dans ses Mémoires : « La première idée que j'avais eue de Napoléon était celle d'un ogre ou d'un géant terrible avec un grand œil flamboyant placé au milieu du front, de longues dents protubérantes avec lesquelles il déchiquetait et dévorait les petites filles pas sages, particulièrement celles qui n'apprenaient pas bien leurs leçons. » Chaque jour, les insulaires se rendent sur les quais de Jamestown dans l'espoir de voir descendre à terre le géant enchaîné. Ce n'est que deux jours après l'arrivée du *Northumberland* que Napoléon descend à terre, à bord d'un canot qui aborde le long du petit escalier de pierre de l'un des quais. Des soldats, baïonnette au canon, repoussent la foule. Il fait presque nuit. Les habitants allument leurs lanternes pour tenter de voir quelque chose. Betsy Balcombe et sa famille sont parmi eux. Ils sont désappointés. Betsy rappelle : « Il faisait trop sombre pour bien l'apercevoir. Nous le vîmes marcher entre l'amiral et le général Bertrand. Il était comme enveloppé dans sa cape. Je voyais surtout l'éclat d'une étoile de diamants qu'il semblait porter sur son cœur... Nous rentrâmes aux Briars dans la nuit pour parler et rêver de Napoléon... »

Le « Record Book », les Archives de Sainte-Hélène, signale à la date du 17 octobre 1815 : « Arrivée à bord du *Northumberland* du général Napoléon Buonaparte et de certains individus en tant que prisonniers d'Etat. »

Telle est bien la réalité de leur situation.

Paris
mai 1960

Le commandant Lachouque a accepté de rencontrer Sten Forshufvud ; l'affaire prend une bonne tournure. Il était temps !

Le Suédois est arrivé dans la capitale française une semaine auparavant (au cours du week-end précédant l'Ascension), dans l'espoir de voir le Prince Napoléon. L'héritier de la famille impériale, à qui il avait écrit depuis Göteborg, lui avait répondu en l'invitant à lui téléphoner quand il serait à Paris.

De sa chambre d'hôtel, Forshufvud a donc téléphoné au prince dès le lundi suivant son arrivée. C'est la collaboratrice du secrétaire du Prince qui lui a répondu. Elle lui a promis que ce dernier, le secrétaire, un certain monsieur Fleury, allait le rappeler. Forshufvud a attendu toute la journée dans sa chambre tandis que sa femme, dont c'était le premier séjour en France, allait visiter Paris. Le secrétaire n'a pas rappelé et, à 19 h 30, Forshufvud décide qu'il peut quitter sa chambre pour aller dîner. Le lendemain matin, il rappelle la collaboratrice du secrétaire qui se déclare surprise que son patron n'ait pas appelé. Nul doute qu'il le fera aujourd'hui même. Suit une interminable journée d'attente. Le lendemain, mercredi, Forshufvud réitère son appel, obtient la même réponse et une fois de plus le secrétaire ne rappelle pas.

Paris, mai 1960

Demain, ce sera jeudi de l'Ascension, jour férié. Le silence au bout du téléphone convainc Forshufvud que le Prince Napoléon n'a aucune envie de voir cet étranger, arrivé de la Suède lointaine pour rouvrir l'affaire de la mort de son illustre ancêtre. A présent, Forshufvud commence à comprendre les réticences du Prince à la seule idée de voir la question évoquée. Un Bonaparte, notamment celui qui est considéré comme le prétendant au trône impérial, doit agir prudemment en France, même en cette seconde moitié du xxe siècle. Il n'y a que dix ans que le gouvernement français a abrogé la loi d'exil des Bonaparte. Cette affaire d'empoisonnement pourrait déchaîner une tempête politique capable de faire revenir le gouvernement sur son autorisation de séjour. Le Prince a donc d'excellentes raisons de désirer que les cendres de l'Empereur reposent en paix. Forshufvud n'a aucune aide à espérer de ce côté.

Pendant qu'il se cloître dans sa chambre d'hôtel, Forshufvud a amplement le temps de songer à l'enquête qu'il est venu mener à Paris. Il commence à se sentir un peu mal à l'aise sinon tout à fait nigaud dans son nouveau rôle de détective amateur. Son enquête n'a fait aucun progrès. De Paris, la ville dont il a toujours rêvé, il n'a vu qu'un bout de rue par la fenêtre de son hôtel. Il a du travail à Göteborg. Des recherches scientifiques à terminer. Il est temps qu'il regagne son pays. Après tout ce temps perdu il n'est pas loin de renoncer. Seulement, il est entêté et au cours des derniers mois il a consacré beaucoup d'énergie à l'affaire Napoléon. Il se donne encore quelques jours.

Surmontant son découragement, il songe à un plan de rechange. Il se souvient alors que dans les *Mémoires* de Marchand, il était question d'une certaine « Mme Sylvestre », censée détenir une boucle de cheveux de Napoléon. Forshufvud consulte l'annuaire téléphonique de l'hôtel, mais découvre qu'il existe au moins cinquante « Sylvestre » à Paris. Par qui commencer ? Et au fond, cette Mme Sylvestre, mentionnée dans les notes ajoutées aux *Mémoires,* vit-elle encore ? Habite-t-elle seulement Paris ?

Peut-être pourrait-il s'adresser à quelqu'un d'autre. Le nom de « Lachouque » lui vient à l'esprit. Par chance, il n'en existe qu'un dans l'annuaire de Paris. Ce pourrait bien être le célèbre commandant Lachouque, éminent spécialiste de l'histoire napoléonienne, ancien directeur du musée de l'Armée et coéditeur des *Mémoires* de Marchand. A tout hasard, Forshufvud compose son numéro sur le cadran du téléphone et, dès cette première tentative, obtient le commandant Lachouque lui-même. Peut-il venir l'entretenir d'un sujet touchant à Napoléon ? La voix qui lui répond est cordiale : rendez-vous est pris pour le lendemain.

L'homme qui reçoit le Suédois et son épouse dans le salon de son appartement de Montmartre est trapu, chauve, d'un certain âge, très « vieille France ». Il se montre si galant envers l'épouse de Forshufvud que celui-ci n'est pas loin de croire à un coup de foudre. A l'invitation de Lachouque, le Suédois expose sa théorie. Il lui explique comment il a été mis au courant, voici quelques mois, du procédé découvert par le professeur Hamilton Smith de l'université de Glasgow, qui permet de tester la présence d'arsenic au moyen d'un seul cheveu. « C'est ce qui m'a amené à Paris, conclut-il, je cherche un cheveu de l'Empereur. »

— Des cheveux de l'Empereur ? Mais j'en ai, répond Lachouque. Venez avec moi.

La pièce où ils pénètrent est le musée privé du commandant. Une chambre emplie de reliques napoléoniennes. Des sabres et des épées accrochés aux murs. Dans un angle, une sorte d'autel surmonté de draperies tombant du plafond. Sur l'autel, une réplique en plâtre blanc du masque mortuaire de Napoléon. « Le dernier visage de l'Empereur », commente

Lachouque. C'est là que se trouve aussi ce qui a amené Forshufvud à Paris : le « reliquaire » de Marchand. Le petit coffret de bois dans lequel le valet a placé des souvenirs de Sainte-Hélène. Dans le coffret, des dessins faits par Marchand pendant les funérailles, la carte à jouer sur laquelle il a griffonné dans la chambre obscure de l'agonisant les dernières instructions testamentaires de l'Empereur.

Dans le reliquaire, il y a également une petite enveloppe blanche où est écrit, de la main de Marchand, « les cheveux de l'Empereur ». Elle renferme la boucle coupée au lendemain de la mort de Napoléon. Forshufvud contemple la mèche en silence. Elle est d'un brun-roux exceptionnellement soyeux. Après plus d'un siècle, peut-être va-t-elle révéler son secret.

Le commandant Lachouque retire l'enveloppe du reliquaire et, gravement, la tend à la femme de Forshufvud. Habilement (elle a été l'assistante dentaire de Forshufvud avant de devenir son épouse), Ullabritta prélève au moyen d'une pince un unique cheveu qu'elle dépose dans la petite boîte métallique que lui tend son mari.

— Allez-y, madame, prenez-en davantage, dit Lachouque.

Mais elle décline poliment l'offre et son mari n'insiste pas : une délicatesse qu'il regrettera plus tard. Forshufvud referme doucement le couvercle de la boîte. Ce simple cheveu peut confirmer (ou infirmer) son hypothèse.

Le commandant Lachouque demande alors :

— Peut-être, madame, aimeriez-vous avoir une abeille ?

Forshufvud répond rapidement que sa femme serait enchantée. Le Français lui montre alors une abeille, d'environ dix centimètres sur quinze, tissée de fils d'or finement torsadés. Elle ornait la robe de couronnement de Napoléon. L'Empereur, on le sait, avait choisi l'abeille comme emblème personnel — l'aigle représentait l'Empire — et Forshufvud a toujours pensé que c'était là un symbole particulièrement adapté à un homme dont la capacité de travail était légendaire. Forshufvud n'est guère sensible au symbolisme, mais le fait qu'on lui offre cette abeille d'or, symbole de l'Empereur, en même temps que le précieux cheveu, lui donne un peu le sentiment que Napoléon en personne vient de le charger d'élucider le mystère de sa mort.

Au moment de prendre congé, il déclare au commandant Lachouque : « C'est le plus beau jour de ma vie. »

Les Briars, Sainte-Hélène
décembre 1815

Le jour où Napoléon quitte les Briars, Betsy Balcombe court s'enfermer dans sa chambre pour y pleurer. La vie à Sainte-Hélène est souvent fort ennuyeuse pour une jeune fille de quatorze ans aussi ravissante et espiègle. Mais ces deux derniers mois, depuis l'arrivée de Napoléon, ont été pleins de moments merveilleux. Après tout, quelle fillette peut se vanter d'avoir le maître du Monde pour camarade de jeux ?

Betsy et sa sœur, de deux ans plus âgée, sont revenues l'année précédente de leur collège d'Angleterre où elles ont notamment appris le français. Leur père, William Balcombe, est agent maritime et fournisseur de la Compagnie des Indes orientales, un emploi lucratif qui classe sa famille parmi les privilégiés de l'île. Les Balcombe vivent confortablement, avec des domestiques et des esclaves, dans un cottage situé sur une colline, à moins de deux kilomètres du petit port de Jamestown. A cinquante mètres du cottage ils disposent d'un pavillon, une « guesthouse » comme on dit en anglais, un bungalow pour les invités éventuels. En eux-mêmes, les Briars n'ont rien de remarquable, mais, ainsi que l'écrira plus tard Betsy, « ils étaient entourés, comme tout ce lieu verdoyant, par des montagnes si dénudées que leur domaine semblait un petit paradis, un Eden florissant au milieu de la désolation. Une

magnifique allée de banians y conduisait et chaque côté était
bordé de lacos immenses alternant avec des myrtes et des
grenadiers, avec une profusion de grandes roses blanches
ressemblant beaucoup à nos églantiers d'Angleterre, d'où le
nom donné au cottage *. Un sentier ombragé de grenadiers de
dix à douze mètres de haut conduisait au jardin ».

Dès le lendemain de son arrivée à Sainte-Hélène, Napoléon
avait remarqué cette allée de banians. Il rentrait d'une visite à
Longwood, le domaine situé plus à l'intérieur des terres, que les
Anglais avaient choisi pour sa résidence. Il avait trouvé
Longwood dans un triste état, laissant prévoir qu'il ne pourrait
l'occuper avant un assez long temps, et il revenait à Jamestown
passablement abattu lorsqu'il avait vu l'entrée des Briars.
Napoléon détestait son logement provisoire en ville en raison
des curieux qui venaient l'observer derrière sa fenêtre ; aussi
avait-il suggéré à l'amiral Cockburn, chargé d'organiser sa
résidence, de le laisser séjourner dans le bungalow des Briars en
attendant que Longwood soit prêt à l'accueillir.

Plusieurs années plus tard, à Londres, « après que les rêves
et les espérances brillantes de ma prime jeunesse eurent été
flétris et détruits », Betsy Balcombe racontera ces journées
mémorables des Briars, alors qu'elle avait quatorze ans et que
Napoléon était leur hôte. Cet épisode s'inscrit de manière
étrange et émouvante dans la vie tumultueuse de Napoléon, et
le portrait que trace de lui Betsy Balcombe n'est semblable à
aucun autre.

« Avec quelle netteté je revois mes sentiments de crainte
mêlée d'admiration lorsque je l'aperçus pour la première fois !
Son aspect, sur son cheval, était noble et imposant. L'animal
qu'il montait était superbe. Noir de jais. Il remonta fièrement
l'avenue, cambrant la tête et rongeant son frein et je pensai qu'il

* Briars : églantiers, en anglais.

76

était fier de son cavalier qui avait été le maître de presque toute l'Europe...

« Napoléon s'assit dans l'un des fauteuils de notre cottage et après avoir scruté notre petit appartement de son regard d'aigle, il félicita Maman sur la charmante situation des Briars. Dès qu'il se mit à parler, son sourire fascinant et ses manières aimables effacèrent tout vestige de la terreur avec laquelle jusqu'alors je l'avais regardé.

« Tandis qu'il parlait à Maman, j'avais l'occasion d'observer ce qui le caractérisait, ce que je fis avec le plus vif intérêt. Certainement n'avais-je encore jamais vu quelqu'un possédant une physionomie aussi remarquable et si impressionnante. Ses portraits donnent une bonne idée générale de ses traits, mais son sourire et l'expression de ses yeux ne pouvaient pas être transmis à la toile, et c'est pourtant ce qui faisait le charme principal de Napoléon. »

La jeune fille que voit Napoléon est jolie. Une blonde au teint de rose dont le corps d'adolescente un peu maigre commence tout juste à prendre les rondeurs de la femme. Elle porte une capeline sur sa chevelure indisciplinée, un corsage à col de dentelle et une jupe courte sur des pantalons descendant jusqu'aux chevilles — une mode que Napoléon déteste tellement, il le lui dira plus tard, qu'il la ferait interdire s'il était gouverneur de l'île ! Le regard bleu de la jeune fille est aussi direct et interrogateur que celui de l'Empereur. Il invite Betsy à venir s'asseoir près de lui.

... « Ce que je fis le cœur battant. Il me demanda alors : Parlez-vous le français ? Je lui répondis que oui et il me demanda qui me l'avait appris. Je l'informai et il me posa plusieurs questions sur mes études, plus particulièrement à propos de géographie. Il m'interrogea sur les capitales des différents pays d'Europe. — Quelle est la capitale de la France ? — Paris. — De l'Italie ? — Rome. — De la Russie ? — A présent Saint-Pétersbourg, auparavant, Moscou. Lorsque je lui dis cela, il se tourna de façon abrupte et me regardant de ses yeux perçants, me demanda sévèrement : — Et qui l'a brûlé ? Quand je vis l'expression de son regard et perçus le changement de sa voix, toutes mes anciennes terreurs me reprirent et je fus incapable d'articuler une seule syllabe.

« J'avais souvent entendu parler de l'incendie de Moscou et assisté à des discussions portant sur le point de savoir qui, des Français ou des Russes, avaient été les auteurs de cette terrible affaire. Et c'est pourquoi je craignais de l'offenser en y faisant allusion. Mais il répéta sa question et je balbutiai : — Je ne sais pas, sire. — Oui, oui, me répondit-il en riant vivement. Vous le savez très bien : c'est moi qui l'ai brûlé ! Le voyant rire, je repris un peu courage et lui dis : — Je crois, sire, que les Russes l'ont brûlé pour se débarrasser des Français. Il rit à nouveau et parut content de découvrir que je savais quelque chose du sujet. »

Une amitié remarquable grandit très vite entre le souverain détrôné et la jeune fille de Sainte-Hélène. Pour la première fois de sa vie d'adulte, Napoléon dispose de temps : pas d'empire à gouverner, pas d'armée à conduire. A présent, il semble découvrir avec Betsy l'adolescent qu'il n'a jamais été. En quittant sa famille, en Corse, pour rejoindre l'école militaire de Brienne, le petit garçon maigre qui parlait mal le français avait été directement précipité de l'enfance dans la vie d'homme. Par-delà l'abîme de l'âge et de la nationalité, Napoléon et Betsy découvrent rapidement qu'ils partagent le même sens spontané de la plaisanterie. Or leurs plaisanteries se font souvent aux dépens des autres :

« Peu de temps après son arrivée, une petite fille, miss Legg, la fille d'un de nos amis, vint nous rendre visite aux Briars. La pauvre enfant avait entendu des histoires si horrifiques sur Bonaparte que, lorsque je lui annonçai qu'il allait venir sur la pelouse, elle s'agrippa à moi en poussant un cri de terreur. Oubliant mes propres frayeurs anciennes, je fus assez cruelle pour sortir et aller parler à Napoléon des épouvantes de la petite fille, le suppliant de venir avec moi jusqu'à la maison. Il le fit et marcha vers elle en ébouriffant ses cheveux avec sa main, secoua la tête, prit une expression terrible et poussa une sorte de cri sauvage. La petite fille poussa un hurlement si violent que Maman craignit qu'elle ne fasse une crise d'hystérie et dut l'emmener rapidement hors de la pièce. Napoléon éclata de rire à l'idée d'être chez les Anglais un pareil objet d'épouvante et eut de la peine à me croire quand je lui avouai que j'avais été jadis, moi aussi, terrorisée par lui. Lorsque je lui fis cette confession, il essaya de me faire peur comme il l'avait fait avec la pauvre petite Legg, en ébouriffant ses cheveux et modifiant ses traits, mais il me parut plus ridicule qu'horrible et j'éclatai de rire avec lui. Il essaya alors de pousser son fameux cri sauvage, mais sans succès auprès de moi. Il m'affirma qu'il s'agissait d'un hurlement cosaque. C'était bien possible. Il était en tout cas suffisamment barbare pour l'être réellement. »

Le tempérament combatif de Betsy enchante Napoléon. De son côté, elle est heureuse de trouver un adulte à qui plaît son espièglerie et qui ne l'en punit pas comme le fait d'habitude son père. Elle met un point d'honneur à ne laisser passer aucune des plaisanteries de Napoléon sans les lui retourner. Napoléon découvre qu'il réussit à la provoquer en la menaçant de la marier au fils de Las Cases, un garçon tranquille qui a à peu près le même âge qu'elle mais qui, à ses yeux, est beaucoup trop jeune.

« Rien ne me faisait davantage enrager. Je ne pouvais supporter d'être traitée comme une enfant et, particulièrement à ce moment car il y avait un grand bal en perspective, auquel j'avais grand espoir que mon père me laisse aller, tout en sachant qu'il objecterait que j'étais encore beaucoup trop jeune.

Napoléon, témoin de mon ennui, désirait que le jeune Las Cases m'embrasse, et il me tint les mains pendant que le petit page s'exécutait. Je fis tous mes efforts pour m'échapper, mais en vain. Dès que mes mains furent libérées je frappai vigoureusement les oreilles du " petit " Las Cases, mais j'avais décidé de me venger de Napoléon et en regagnant le cottage pour aller jouer au whist, une occasion se présenta que je décidai sur-le-champ de ne pas laisser échapper. Il n'existait pas de communication intérieure entre le bungalow occupé par l'Empereur et notre cottage, et le chemin descendant était très escarpé et étroit. On ne pouvait l'emprunter qu'une personne à la fois. Napoléon marchait le premier, suivi de Las Cases, puis de son fils, et en dernier venait ma sœur Jane. Je laissai le groupe avancer tranquillement, tandis que je restais dix mètres en arrière. Je courus alors de toutes mes forces sur ma sœur qui tomba en avant sur le petit page, qui tomba à son tour sur son père le grand chambellan, lequel, à sa grande confusion, fut poussé sur l'Empereur qui, bien que le choc eût été un peu atténué par les poussées successives, eut toutes les peines du monde à demeurer debout dans l'étroit sentier. J'étais absolument ravie de la confusion que je venais de créer et pensais avoir ainsi pris ma revanche sur le baiser forcé. Mais je fus vite obligée de mettre une sourdine à mon triomphe : Las Cases était atterré de l'insulte ainsi faite à l'Empereur et fut rendu plus furieux encore en entendant mon rire incontrôlé. Il me prit par les épaules et me poussa vivement sur le rocher. Ce fut à mon tour de devenir furieuse. Je me mis à pleurer, et m'adressant à Napoléon, m'écriai : — Oh sire, il m'a poussé ! — Ce n'est rien, dit l'Empereur, ne pleurez pas, je vais le tenir pendant que vous allez le punir. Je le punis réellement, le frappant sur les oreilles jusqu'à ce qu'il demande grâce. Mais je ne voulus rien entendre. Napoléon finit par se lasser, le libéra et lui dit de courir et que s'il ne pouvait pas courir plus vite que moi, il serait à nouveau battu. Il s'enfuit sans demander son reste, moi le poursuivant, Napoléon battant des mains et riant à perdre haleine. Depuis cette aventure, Las Cases ne m'aima plus et ne m'appela plus que " le garçon manqué ". »

Las Cases et les autres officiers français ressentent une certaine irritation, voire de la jalousie, envers cette jeune Anglaise un peu trop libre. Un protocole rigide règle leurs relations avec Napoléon. Un officier ne peut approcher l'Empereur sans y avoir été convié par un valet. Il ne peut lui parler ni même s'asseoir sans y avoir été invité, et parfois l'invitation tarde à venir. Naturellement, on ne s'adresse à Napoléon qu'en l'appelant « Votre Majesté ». Or aucune de ces règles ne s'applique à Betsy. Elle n'appelle son compagnon que « Boney », et, bien que personne ne soit admis dans le jardin où il passe de longues heures à travailler... « j'étais exemptée de cette interdiction, selon le désir même de l'Empereur. J'étais considérée comme une personne privilégiée. Même s'il était en train de dicter une phrase à Las Cases il venait et répondait à mon appel ». « Déverrouillez la porte du jardin et entrez, me disait-il et j'étais toujours accueillie et admise avec un sourire. »

Las Cases est l'officier le plus souvent mêlé aux jeux de Napoléon et de Betsy, et semble en éprouver une certaine rancœur. A cinquante ans, cet aristocrate quelque peu solennel est le seul officier plus âgé que Napoléon. Il est très infatué de son titre d'historien et très flatté d'être le seul des compagnons d'exil à habiter les Briars. On lit dans le *Mémorial :* « Je me trouve seul en tête à tête dans ce désert presque en termes familiers avec l'homme qui a dirigé le Monde, avec Napoléon ! » Et voici qu'à présent cette gamine turbulente piétine allègrement ses plates-bandes. Evidemment le bonhomme Las Cases, avec son profil de vieil oiseau, est horrifié par l'incident singulier qui a lieu le jour où Napoléon montre à Betsy une belle épée. C'est elle qui raconte l'affaire :

« Je demandai à Napoléon de me laisser la regarder de plus près. C'est alors qu'un incident qui s'était produit le matin et au cours duquel j'avais été très piquée par la conduite de l'Empereur, me revint en mémoire. La tentation fut irrésistible et je décidai de le punir pour ce qu'il avait fait. Je tirai rapidement la lame de son fourreau et commençai à la faire virevolter au-dessus de la tête de l'Empereur, effectuant des moulinets, et Napoléon dut faire retraite jusqu'à ce que je parvienne à l'acculer dans un angle de la pièce. Je le maintins ainsi, lui disant qu'il ferait bien de faire ses prières parce que j'allais le tuer. Mes cris attirèrent ma sœur qui vint au secours de Napoléon. Elle me gronda violemment et dit qu'elle préviendrait mon père si je ne cessais pas immédiatement. Mais je me moquai d'elle et conservai ma position, gardant l'Empereur en échec jusqu'à ce que mon bras retombe de fatigue. Je revois aujourd'hui encore la tête du grand chambellan (Las Cases), avec son visage parcheminé, tremblant pour la sécurité de son Empereur, indigné par l'insulte que je venais de lui faire. Il me regardait comme s'il avait voulu m'anéantir sur place, mais comme il avait éprouvé auparavant la force de mes mains sur ses oreilles, la prudence lui dicta de me laisser tranquille.

Quand je reposai son épée, Napoléon me prit par l'oreille — celle qui avait été malmenée la veille — et la pinça, me causant une vive douleur. J'appelai au secours. Il me prit par le nez qu'il tira vigoureusement, mais en manière de plaisanterie. Durant toute cette scène, la bonne humeur ne l'avait jamais abandonné.

« L'incident ne s'était produit que parce que le matin même Napoléon avait provoqué ma colère. Mon père se montrait extrêmement strict sur le plan de mes études, m'obligeant à faire chaque jour une version française, sur laquelle Napoléon condescendait parfois à jeter un coup d'œil pour corriger mes fautes. Un matin, je me sentais moins encline que d'habitude à rédiger mon devoir, quand Napoléon arriva au cottage et me demanda si ma version était prête. Je ne l'avais même pas commencée. Lorsqu'il s'en aperçut, il prit ma page et descendit jusqu'à la pelouse trouver mon père qui s'apprêtait à monter à cheval. " Tenez, Balcombe, voilà le devoir de Mlle Betsy, voyez comme elle a bien travaillé ! " lui montrant en même temps la feuille blanche. Mon père ne saisit qu'imparfaitement ce que lui disait l'Empereur mais vit la feuille, comprit au sourire de l'Empereur qu'il voulait que je sois réprimandée. Entrant dans le jeu, mon père se prétendit très en colère et me menaça d'une punition sévère si je n'avais pas achevé mon devoir avant le dîner. Sur quoi, il sauta sur son cheval ; Napoléon me quitta aussi, riant de mon air morose et mortifié. C'est le souvenir de cette petite scène qui m'incita à lui faire peur avec son épée... »

L'affaire de l'épée se répand comme une traînée de poudre, et gagne même l'Europe où les gens accueillent avidement la moindre rumeur concernant l'Empereur. Le marquis de Montchenu, arrivé à Sainte-Hélène quelques mois plus tard en tant que représentant des Bourbons, écrit dans son journal après sa première rencontre avec la famille Balcombe : « Les deux filles parlent français. La cadette, appelée Betsy, est une fille pas commode, et qui se permet tout ce qui lui passe par la tête. C'est à elle à qui Bonaparte fait la cour, suivant ce qui nous a été dit en Europe. » Il était venu ce jour-là à l'idée de Betsy de se vanter auprès de Montchenu d'avoir réussi à effrayer Napoléon avec sa propre épée. Quand Montchenu lui demanda si elle avait vraiment voulu tuer Napoléon, elle répliqua : « Non, pas exactement, juste le piquer légèrement pour m'amuser. » Bien qu'il n'y ait pas de preuve que Napoléon ait réellement fait la cour à Betsy, il est manifeste qu'à l'occasion il paradait un peu devant elle comme un jeune homme cherchant à impressionner sa petite amie...

« Un jour, il me demanda si je trouvais qu'il montait bien à cheval. Je lui répondis avec la plus grande sincérité que j'estimais qu'il montait mieux que quiconque à ma connaissance. Il parut content. Demandant qu'on lui amène son cheval, il l'enfourcha et fit plusieurs fois au galop le tour de la pelouse, faisant tourner l'animal dans un très petit cercle et manifestant ainsi la plus grande maîtrise en tant que cavalier.

« Une autre fois, Archambault, son piqueur, faisait travailler un jeune et splendide cheval arabe qui avait été acheté spécialement pour l'Empereur. Le poulain fonçait et se cabrait de la plus terrible façon et se refusait à franchir un linge blanc que l'on avait intentionnellement étendu sur le gazon pour briser ses dérobades. Je dis à Napoléon qu'il ne pourrait jamais réussir à monter ce cheval tant il paraissait vicieux. Il sourit et fit signe à Archambault, lui demandant d'en descendre. A ma grande frayeur, il sauta sur le cheval et réussit non seulement à le faire sauter par-dessus le tissu blanc, mais encore à lui faire poser ses sabots. Par la suite, l'Empereur le monta très souvent. »

« Vous auriez pu être dresseur de chevaux », lui dit Betsy, et Napoléon de répondre : « Les hommes et les chevaux ont des mentalités semblables. »

Leurs jeux se déroulent selon des règles non écrites que les deux partenaires comprennent d'instinct. Napoléon se sent obligé de ne jamais montrer le moindre ressentiment ni même la moindre irritation devant les espiègleries de Betsy : « ... Napoléon possédait quelques très beaux sceaux et des pièces de monnaie rares dont il se servait pour faire des cachets de cire. Un jour que nous étions ainsi occupés, je fis un mouvement malencontreux et lui heurtai l'épaule, faisant couler de la cire chaude sur ses doigts. C'était très douloureux et lui provoqua une grosse cloque. Mais il se montra tellement compréhensif que je lui dis combien j'étais désolée de ma maladresse. Eût-il manifesté du mécontentement, je crois que j'aurais eu une réaction différente : je me serais réjouie... »

Les règles de jeux informulées permettent à Napoléon de rendre espièglerie pour espièglerie. Lorsque Betsy, un jour, l'accuse de tricher lors d'une partie de cartes à la veille de son premier bal — auquel elle n'aura la permission de se rendre que grâce à l'intercession de Napoléon — l'Empereur s'empare de sa robe de bal et court l'enfermer dans sa chambre. Betsy pleure et lui envoie des messages toute la journée suivante, mais il fait dire qu'il est souffrant et ne veut pas la voir. Il ne lui fait rendre la robe que juste avant le bal ! Il joue de ses frayeurs d'adolescente à propos d'un homme connu sous le nom d'Old Huff, qui avait été précepteur d'un des plus jeunes frères de Betsy (il n'existe pas d'école dans l'île). Après l'arrivée de Napoléon, le vieil homme était devenu fou : il annonçait partout qu'il avait pour mission de faire évader Napoléon. Huff se suicidera et sera enterré à un carrefour de trois routes dont l'une donne accès aux Briars :

« ... Parmi bien d'autres sottises, j'avais la terreur des fantômes et cette faiblesse était bien connue de l'Empereur qui, très longtemps après le suicide de Huff, en jouait pour provoquer mes crises. Certains soirs, juste avant que je me retire pour gagner ma chambre, il criait : " Miss Betsy, ole Huff ! Ole Huff ! " La frayeur que je ressentais alors, je ne l'oublierai jamais. Je sautais parfois de mon lit en pleine nuit et courais me réfugier dans la chambre de ma mère où je restais jusqu'à ce que les premières lueurs de l'aube viennent dissiper mes frayeurs nocturnes.

« Un soir que ma mère, ma sœur et moi étions tranquillement assises sous le porche du cottage, jouissant de la fraîcheur de la brise, j'entendis tout à coup du bruit et, nous retournant, nous aperçûmes un personnage tout blanc, comme vêtu d'un suaire. Je poussai un cri. Nous entendîmes un rire étouffé que ma mère reconnut tout de suite comme celui de l'Empereur. Elle empoigna le personnage enveloppé d'un drap blanc et fit apparaître le visage d'un de nos petits domestiques que Napoléon avait incité à m'épouvanter, tandis que dissimulé dans un bosquet, il pouvait juger par lui-même de l'effet de sa plaisanterie. »

Devenue adulte, Betsy Balcombe racontera avec beaucoup d'esprit la plupart de ses escapades enfantines avec Napoléon. En un cas au moins, elle reconnaît avoir agi avec trop d'étourderie.

« ... Je me souviens d'avoir montré à Napoléon une caricature le représentant en train de monter à une échelle dont chaque barreau portait le nom d'un pays conquis ; à la fin il était assis à califourchon sur le monde. C'était une allusion à un jouet très connu en Angleterre. Par une astuce mécanique, Napoléon basculait de l'autre côté de l'échelle et, après une descente périlleuse, atterrissait sur Sainte-Hélène. Je n'aurais jamais dû lui montrer ce jeu de mauvais goût dans son malheur présent, mais à cette époque j'étais inconsciente, capable d'accomplir n'importe quelle mauvaise action, quoique sans intention de faire du mal. Mais je sais aujourd'hui que j'avais été trop loin. Mon père, que je craignais, eut vent de ma grossièreté et me pria de me considérer comme en retenue pour une semaine au moins. On me transféra de la salle d'étude dans une cave où je fus laissée à ma solitude et au repentir. Je n'oubliai pas de sitôt cette punition, car la cave était hantée de rats qui jaillissaient de tous côtés autour de moi. L'Empereur exprima ses regrets devant une punition aussi sévère pour une offense qu'il jugeait sans grande importance, mais il s'amusa fort du récit de ma bataille contre les rats, ajoutant que lui-même avait été effrayé un jour de voir un gros rat sauter hors de son chapeau au moment où il allait le mettre sur sa tête.

« Lors d'une autre occasion, je fus enfermée pendant toute

une journée dans la même prison. Ayant provoqué la colère de mon père par je ne sais quelle gaminerie, je fus condamnée, malgré les objurgations de Napoléon, à une semaine de réclusion. On me conduisait à la cave chaque matin, et je n'en sortais que le soir pour aller au lit. Pendant cette semaine de punition, le grand amusement de l'Empereur était de venir bavarder avec moi au travers du grillage de la fenêtre ; il réussissait même à me faire rire en parodiant mon attitude douloureuse. Il me disait : — Vous voyez, Betsy, nous sommes tous deux prisonniers. Vous pleurez, moi pas. — Mais vous avez déjà pleuré ? — Oui, c'est exact. Mais cela n'empêche pas la prison de continuer à exister. Aussi est-il mieux de s'occuper et de rester de bonne humeur. »

Au cours de son séjour aux Briars, Napoléon se prend d'affection pour le jardinier des Balcombe, un vieil esclave malais nommé Tobie qui avait été capturé, mis de force sur un bateau anglais et vendu bien des années plus tôt à Sainte-Hélène. Lorsqu'il flâne dans le jardin, Napoléon aime s'arrêter et parler à Tobie. L'esclave, s'appuyant sur sa pelle, sourit de cette attention inhabituelle et répond aux questions rapides que Napoléon lui pose, avec Las Cases pour interprète, à propos de son lointain pays d'origine et de sa vie en esclavage. Sur l'insistance de Betsy, l'Empereur demande à William Balcombe de racheter la liberté du vieil homme, mais le gouverneur refuse : « Ce n'est pas seulement Tobie que le général Bonaparte veut libérer pour faire plaisir à Miss Balcombe, mais il cherche à s'attirer la gratitude de tous les nègres de l'île. »

Napoléon fait observer à Las Cases : « Ce pauvre Tobie que voilà, c'est un homme volé à sa famille, à son sol, à lui-même et vendu ! Peut-il être de plus grand tourment pour lui, de plus grand crime pour les autres ? Si ce crime est l'acte du capitaine anglais seul, c'est à coup sûr un homme des plus méchants. Mais s'il a été commis par la masse de l'équipage, ce forfait peut avoir été accompli par des hommes qui ne sont peut-être pas aussi mauvais qu'on croirait, car la perversité est toujours individuelle, presque jamais collective. »

« ... Fréquemment — écrit Betsy — lorsque la nuit était illuminée par l'admirable lune tropicale, il se levait à trois heures du matin, allait flâner dans le jardin longtemps avant que Tobie ait achevé son premier sommeil et il se régalait d'un petit déjeuner nocturne de fruits qui abondaient dans notre jardin. Notre vieil esclave adorait tellement " Boney " — comme il nommait l'Empereur — qu'il plaçait toujours la clef du jardin dans un endroit où il savait que Napoléon pourrait l'atteindre et la prendre sous le portillon. Personne n'avait droit à de telles faveurs de la part de Tobie, mais Napoléon avait totalement fasciné et conquis le cœur du vieil homme.

« Ce vieil esclave gardait une profonde reconnaissance pour la bonté de Napoléon à son égard, et rien ne pouvait davantage l'honorer que lorsqu'on le chargeait de cueillir les meilleurs fruits, d'arranger les plus beaux bouquets pour les envoyer à Longwood par la suite. " On les envoie à cet homme bon, Boney ", continuait-il de dire en évoquant l'Empereur. Chaque fois que j'ai vu l'Empereur à Longwood, il ne manquait jamais de s'enquérir de la santé du vieux Tobie, à qui il avait remis vingt napoléons d'or le jour où il nous quitta... »

Quelques années plus tard, à Londres, Betsy évoquera cet homme qu'elle avait imaginé jadis comme « un ogre avec un œil rouge flamboyant placé au milieu du front »... et qui était devenu son charmant compagnon de jeux.

« ... Je n'ai jamais rencontré quelqu'un supportant aussi bien que Napoléon les gamineries. Il semblait positivement " entrer " dans chaque plaisanterie ou réjouissance avec un cœur d'enfant. Et, bien que j'aie souvent mis sa patience à mal, je ne l'ai jamais vu perdre son sang-froid ni descendre au-dessous de son rang ou de son âge pour se protéger des conséquences de ma familiarité et de son indulgence à mon égard. Lorsque j'étais avec lui, je le considérais presque comme un frère ou un compagnon de mon âge. Tous les avertissements que je recevais, de même que les propres résolutions de le traiter dorénavant avec plus de respect et de formes, volaient en éclats dès que je me trouvais sous l'influence de son sourire et de son rire malicieux. Si j'approchais de lui avec plus de gravité que d'habitude, avec une allure plus posée et un ton plus discret, il commençait par me dire : " Eh bien qu'avez-vous, mademoiselle Betsy ? Est-ce que le petit Las Cases est devenu volage ? Si c'est le cas, envoyez-le-moi donc... " ou quelque autre petit discours enjoué qui me faisait plaisir ou enrager selon le cas, mais en tout cas me faisait oublier sur-le-champ mes premières résolutions de me comporter enfin comme " une demoiselle comme il faut "... »

Napoléon demeure aux Briars pendant deux mois. Puis il gagne Longwood, l'affreuse résidence qui lui a été assignée, à huit kilomètres de là et qui est à présent prête à le recevoir. Napoléon est en train de jouer avec les enfants Balcombe quand la nouvelle arrive. Le seul moment un peu heureux de ses années d'exil est sur le point de s'achever. Dans deux jours il aura quitté les Briars et sa jeune amie...

« ... Le matin du départ, qui fut pour moi très mélancolique, Sir George Cockburn, accompagné par la suite de l'Empereur, est arrivé aux Briars pour le conduire à sa nouvelle résidence. Je pleurai amèrement. Il vint et me dit : " Il ne faut pas pleurer, mademoiselle Betsy. Vous viendrez me voir la semaine prochaine et il faudra revenir souvent. " Je lui répondis que cela dépendait de mon père. Il se tourna vers lui et dit : " Balcombe, il faudra que vous envoyiez Jane et Betsy me voir la semaine prochaine, n'est-ce pas, quand vous irez à cheval à Longwood ? " Il me donna une ravissante bonbonnière que j'avais souvent admirée et me dit : " Vous pouvez la donner comme un gage d'amour au petit Las Cases. " Je fondis en larmes et quittai la pièce. Je restai derrière une fenêtre d'où je pouvais le voir partir. Mais mon cœur était trop gros pour que je puisse le regarder alors qu'il nous quittait. Je me jetai sur mon lit où je pleurai pendant longtemps. »

Göteborg
juillet 1960

Quand il voit le timbre anglais et l'inscription « Service de Médecine Légale, Université de Glasgow », le premier mouvement de Forshufvud est d'ouvrir l'enveloppe aussi vite que possible. Il doit s'agir de la réponse de Hamilton Smith qu'il attend avec impatience depuis dix-neuf jours.

Tout impatient qu'il soit, il refrène néanmoins son impulsion première et s'oblige à marcher lentement dans le salon, tenant à la main l'enveloppe encore close. Il s'assied dans son fauteuil préféré qui se trouve juste sous la gravure représentant les Adieux de Fontainebleau.

Il y a près de trois mois que Forshufvud est rentré de Paris avec le précieux cheveu de Napoléon que lui a donné le commandant Lachouque. Il s'est d'abord adressé au laboratoire de toxicologie de Stockholm, mais la réponse ayant tardé, Forshufvud s'est finalement décidé à appeler Hamilton Smith à Glasgow. Le Suédois était résolu à ne pas dévoiler le nom de celui à qui appartient le cheveu, mais par chance, Hamilton a accepté de procéder aux analyses sans rien lui demander.

Soigneusement enveloppé, le cheveu a été expédié en Ecosse sous pli recommandé. Forshufvud avait envisagé un moment d'apporter lui-même le précieux spécimen à Glasgow, mais les contraintes de son travail — il doit encore gagner sa vie

— rendaient impossible son absence. De toute façon, le commandant Lachouque possède suffisamment de cheveux de l'Empereur : une perte éventuelle ne serait pas catastrophique. Plutôt que d'attendre, il avait risqué un envoi par la poste.

Forshufvud ouvre l'enveloppe, et lit ces quelques mots écrits de la main même de Hamilton Smith :

« Après analyse selon ma méthode d'activation, l'échantillon marqué H. S. que vous m'avez envoyé révèle une teneur de 10,38 microgrammes d'arsenic par gramme de cheveu. Cette teneur montre que le sujet a absorbé des quantités relativement élevées d'arsenic. »

10,38 pour un million... alors que, normalement, dans la chevelure humaine la teneur en arsenic est de l'ordre de 0,8 pour un million, du moins à notre époque. A l'époque de Napoléon où l'environnement en contenait moins, la moyenne devait être encore inférieure. Ainsi le cheveu de Napoléon contenait, à la date de sa mort, treize fois la porportion normale d'arsenic !

Forshufvud savoure son triomphe. Il tient en main la confirmation matérielle de sa théorie. Ses soupçons étaient donc justifiés !

Mais Forshufvud a encore un long chemin à parcourir. Déjà, il entend la voix des sceptiques, de ceux dont l'esprit est enchaîné par les théories admises : l'échantillon est trop réduit... l'arsenic vient peut-être de l'environnement, l'eau de boisson, les tissus, les tentures, n'importe quoi... il n'y a pas eu empoisonnement délibéré... qu'est-ce qui prouve que le cheveu appartenait bien à Napoléon, etc.

Il va falloir d'autres cheveux, d'autres essais. Il doit maintenant être absolument sûr des conclusions qu'il peut tirer de ces résultats. Avant tout, donc, rencontrer Hamilton Smith. A la première occasion, Forshufvud se rendra à Glasgow.

Longwood, Sainte-Hélène
janvier-juin 1816

Une journée à Longwood.

L'aube se lève quand Napoléon sonne son valet de chambre. Il a passé une nuit blanche. L'homme qui pouvait jadis s'assoupir à volonté, arrachant deux heures de sommeil au matin d'une bataille, après une nuit entière consacrée à en dresser les plans, cet homme ne peut plus commander au sommeil. Pendant toute la nuit il est allé de l'un à l'autre de ses deux lits de campagne installés dans les petites pièces communicantes. Venant de la minuscule chambre voisine où il a passé la nuit, le valet entre, portant le café noir. « Laisse entrer le bon air de Dieu », dit Napoléon. Le valet ouvre les volets. L'Empereur enfile une robe de chambre et s'assied devant la petite table ronde.

La lumière matinale dévoile à Napoléon la tristesse de son habitat spartiate. La chambre ressemble à un bivouac. La seule note personnelle tient aux quelques tableaux que Marchand a accrochés aux murs : des portraits de Joséphine, de Marie-Louise, du petit Roi de Rome... Les deux chambres de Napoléon sont situées dans un angle de la bâtisse de vingt-trois pièces, jaune pâle, en bois enduit de stuc, nommée Longwood House. La plupart des officiers sont logés à l'autre bout de la maison, quant aux domestiques, de loin plus nombreux que les

93

maîtres, ils sont entassés dans le grenier. En tout, plus de cinquante personnes vivent à Longwood. Au cours de ses soixante-dix ans d'existence, le bâtiment a été plusieurs fois agrandi. D'étable et de grange qu'il était à l'origine, il a été transformé par la suite en résidence d'été pour le vice-gouverneur. Plus récemment, afin d'y accueillir Napoléon et son entourage, les Anglais ont ajouté une aile et converti en espace d'habitation ce qui avait été originellement la grange.

Longwood est loin d'être confortable. Il pleut presque toute l'année sur ce plateau élevé, même lorsque le soleil brille au-dessus des vallées proches. Comme elle n'a pas de cave, la maison est constamment humide. Les vêtements y moisissent très vite, les murs se recouvrent de salpêtre. En raison de l'agrandissement réalisé trop hâtivement, le toit laisse filtrer l'eau. Pire que tout : Longwood est infesté de rats, comme d'ailleurs toute l'île de Sainte-Hélène. On les entend sans cesse courir derrière les cloisons, se glisser dans les réserves à provisions, effrayer les enfants. On a dû abandonner un poulailler tant les rats s'y pressaient pour y manger les œufs. Les domestiques tentent d'obturer les trous en clouant des plaques de fer-blanc et se livrent parfois à la chasse aux rats avec des chiens. Mais les rats résistent et survivent. Les Français envisagent de les empoisonner avec de l'arsenic mais abandonnent finalement l'idée parce que si les rats crevaient dans l'épaisseur des murs ou des cloisons, la puanteur serait insoutenable.

Après le café, vient la cérémonie du rasage, au cours de laquelle Napoléon est assisté par deux valets. L'un tient un miroir, l'autre lui tend les instruments. Napoléon a pris l'habitude de toujours se raser lui-même depuis que, Premier Consul, il était la cible des assassins de tout genre. Nu jusqu'à la ceinture, il se lave, se frotte et un valet lui frictionne le dos et la poitrine avec de l'eau de Cologne. « Une protection contre bien des maladies », dit-il souvent à ses officiers. A Las Cases, il fait observer gaiement que sa poitrine sans poils et ses pectoraux sont assez proéminents (Napoléon, à présent, engraisse beaucoup) et « qu'ils ne sont pas de notre sexe... »

Aidé de Marchand, Napoléon s'habille pour sortir. Il porte généralement des culottes courtes et une veste de chasse verte à poignets et col de velours. Il arbore toujours le fameux bicorne et la plaque d'argent de la Légion d'honneur. Dans ses poches, il met sa petite longue-vue de campagne, une tabatière et une provision de réglisse dont il use presque constamment. Il sort par une porte conduisant de sa chambre au jardin que Marchand a aménagé pendant ses moments libres. De ce jardin, Napoléon peut contempler le monde étroit où on l'a confiné. Longwood s'étend sur un plateau élevé et dénudé, à huit kilomètres à vol d'oiseau du port de Jamestown. En dépit des pluies incessantes, la terre reste stérile. L'herbe est grossière et clairsemée, et les rares gommiers sont courbés par les vents permanents de sud-est. Pour des Européens, ce climat de l'Atlantique Sud où les saisons sont inversées, est soit trop humide, soit trop chaud. Autour de cette plaine désertique et venteuse s'élèvent des pics volcaniques dentelés. Sur l'un d'eux se trouve *Alarm House* d'où les Anglais tirent le canon pour annoncer le lever et le coucher du soleil ainsi que l'approche de navires.

Autour de lui, où qu'il porte ses regards, Napoléon aperçoit les troupes chargées de le garder. Devant lui, le camp de Deadwood où sont stationnés les cinq cents hommes du 53e régiment. Les sentinelles en tunique rouge sont placées en vue l'une de l'autre tout le long du mur de pierre de six kilomètres qui encercle Longwood et la zone immédiatement alentour. Les vigies postées sur les hauteurs environnantes utilisent des pavillons de sémaphore pour relayer les nouvelles de Longwood concernant le captif : « Le général est sorti mais il est accompagné au-delà du cordon des sentinelles. » Si les vigies devaient signaler que « le général Bonaparte est manquant », un pavillon bleu serait hissé sur le poste de commandement dont dépend chaque unité armée sur l'île, et des recherches seraient menées sur tout le territoire. Les Anglais ont envoyé à Sainte-Hélène près de 3 000 hommes de troupe. Toutes les routes de l'île sont surveillées et gardées. Toute personne circulant après neuf heures du soir est arrêtée. Les quatre emplacements où un débarquement serait possible sont formidablement fortifiés. Les batteries de terre sont susceptibles de repousser tout assaut venant de la mer. Entre les pitons fortifiés, Napoléon aperçoit la flotte anglaise qui garde les eaux territoriales : cinq bâtiments de guerre au large de Jamestown, dont l'un croise en permanence sous le vent, un autre au vent. Six bricks font le tour de l'île nuit et jour. Au-delà des sentinelles, au-delà des forts, au-delà des navires en patrouille, Napoléon contemple le plus sûr, le plus implacable de ses geôliers, l'Océan. L'Océan vide, gris, qui s'étend de tous côtés jusqu'à l'horizon.

Lorsqu'il regarde ainsi la mer, Napoléon rêve-t-il parfois de s'évader de cet îlot rocheux ? Son formidable génie militaire s'applique-t-il certains jours au problème du franchissement de la ligne des sentinelles, des forts, des vaisseaux, de l'Océan lui-même ? Un problème insoluble à première vue, mais Napoléon n'a-t-il pas toujours cherché à réaliser l'impossible ? Aucun des exilés ne rapporte d'éventuels projets d'évasion au cours de ces premières semaines à Longwood. Napoléon mise surtout sur les fluctuations de la politique européenne. Il met quelque espoir dans la princesse Charlotte, l'héritière de la couronne d'Angleterre, qui est l'une de ses admiratrices. Lorsqu'elle s'assoira sur le trône, elle aura sûrement à cœur de mettre un terme à son exil. Il déclare à Las Cases que, sauf événements imprévisibles, il n'entrevoit que deux circonstances qui permettraient son rappel au pouvoir : « Le besoin que pourraient avoir de moi les rois contre les peuples débordés, ou celui que pourraient avoir les peuples soulevés, aux prises avec les rois. Car dans cette immense lutte du Présent contre le Passé je suis l'arbitre et le médiateur naturel... mais le Destin en a ordonné autrement... » Quand la rumeur parvient aux exilés qu'un des maréchaux d'Empire, Bertrand Clausel, dirigerait une révolte contre les Bourbons, Las Cases imagine tout de suite une possibilité de retour au pouvoir de l'Empereur, mais Napoléon se contente de lui dire : « Croyez-vous qu'il serait assez bête pour me céder sa place ? J'ai bien des partisans, mais s'il réussissait il en aurait aussi beaucoup... et puis les derniers ont toujours raison : on oublie le passé pour le présent. »

L'objectif immédiat de Napoléon est d'empêcher que ce monde qu'il a jadis dominé n'oublie son nom. Pour ce faire, les exilés doivent déjouer la censure qui contrôle toute correspondance. En pratique, ce n'est guère difficile, encore que les exilés se soient montrés réticents, même après plusieurs années, à révéler les méthodes auxquelles ils avaient recours. Napoléon quitte rarement Longwood et ne va jamais à Jamestown. Mais ses compagnons font fréquemment, à cheval, le chemin de huit kilomètres qui mène au petit port. Là, dans les rues et les boutiques du bord de mer, ils glanent les nouvelles et se mêlent aux marins des bâtiments de passage. En particulier Cipriani. Cipriani, le sombre et courageux petit Corse qui a vécu auprès de Bonaparte depuis sa prime jeunesse, se rend à Jamestown pour les affaires de Longwood et effectue des missions privées pour Napoléon. Les deux hommes sont souvent seuls ensemble et personne ne sait de quoi ils s'entretiennent. En Europe parviennent régulièrement des lettres qui ont échappé aux censeurs de Sainte-Hélène. Avec la même régularité, les exilés reçoivent toute une correspondance de l'étranger, non censurée. A Longwood, le valet Saint-Denis, qui a une écriture excellente, est chargé de copier les messages qui passeront en contrebande grâce à un commerçant local ou à un marin se laissant convaincre par quelques pièces d'or ou la promesse d'une récompense à l'arrivée. Tous les messages n'arrivent pas à bon port. Quarante ans plus tard, dans un manoir irlandais, on découvrira une tabatière que l'Empereur avait offerte à un officier de marine anglais de passage à Sainte-Hélène ; la tabatière contenait une lettre de Napoléon donnant des instructions pour l'éducation du roi de Rome. Grâce à cette correspondance clandestine et aux récits rapportés en Europe par ses visiteurs, Napoléon tente de maintenir vivante son image et de rendre possible son retour en Europe.

Parfois l'Empereur va faire une promenade à cheval. Il est autorisé à se déplacer librement sur le plateau de Longwood au-delà de la ligne rouge des sentinelles et jusque dans quelques-unes des vallées voisines qui paraissent fertiles comparées à la plaine dénudée. Mais passé cette zone, il doit être accompagné d'un officier anglais, et cela Napoléon refuse de l'accepter. Il arrive que lors d'une de ces promenades il descende de cheval pour entrer inopinément dans une maison. C'est ainsi qu'à l'occasion d'une de ces haltes, il fait la connaissance de miss Robinson, une jeune fille charmante de dix-sept ans, fille d'un agriculteur. Il la surnommera la Nymphe de la vallée et lui rendra visite plus d'une dizaine de fois. Les rumeurs touchant ces visites parviendront jusqu'en Europe. Mais ces promenades monotones sur un territoire limité lassent bientôt l'homme dont les longues chevauchées étaient jadis légendaires. Il monte de moins en moins. Lorsqu'il ne sort pas, il se contente de flâner dans le jardin de Longwood House, fredonnant très faux un air d'opéra ou bavardant avec l'un de ses officiers. Quand il pleut — ce qui arrive souvent — il reste dans ses appartements à lire l'un des ouvrages de la petite bibliothèque que Marchand a hâtivement rassemblés à la Malmaison, augmenté des livres envoyés d'Europe ou empruntés aux Anglais. Il lit aussi les journaux de Londres, vieux de trois mois, que lui transmettent de temps en temps le gouverneur ou quelque voyageur. C'est un lecteur rapide et vorace. Le sol autour de son sofa se jonche des livres qu'il jette au fur et à mesure : beaucoup portent dans les marges des observations à l'emporte-pièce.

Vers le milieu de la matinée, s'il est monté à cheval auparavant, Napoléon prend un bain. Dans sa baignoire de bois doublée de zinc, il se prélasse pendant des heures à lire ou bavarder. Marchand a fort à faire à apporter sans cesse de l'eau chaude de la cuisine pour conserver le bain à la température brûlante qu'aime l'Empereur. C'est aussi à cette heure que Napoléon convoque fréquemment son médecin, Barry O'Meara. Pourtant ce n'est pas à la science médicale d'O'Meara que Napoléon éprouve le besoin de faire appel en ces premiers temps de la captivité. Sauf de légères indispositions qui ne durent pas plus d'une journée, la santé de Napoléon est généralement bonne. En outre, il n'accorde aucune foi aux traitements que les médecins font subir à leurs patients. Il respecte les chirurgiens et, en France, il a fortement encouragé la pratique de la vaccination, mais il refuse avec constance tous les médicaments ordonnés par les médecins, estimant qu'ils font « plus de mal que de bien ». « Combien avez-vous tué de malades dans votre carrière ? » dit-il souvent lorsqu'on lui présente un médecin. Mais O'Meara a le mérite d'être au fait des rumeurs locales. Ce médecin de marine de trente-trois ans et qui vit à Longwood House est le seul à pouvoir se déplacer librement entre les deux mondes de Sainte-Hélène. Assis à côté de la baignoire, il raconte en très bon italien ce qui se passe au-delà de la ligne des sentinelles anglaises. En fait, il joue un double rôle : d'une part il tient Napoléon au courant, mais il va également rendre compte au gouverneur. De plus, sans qu'aucun de ses deux interlocuteurs ne le sache, il envoie des lettres privées à ses supérieurs de Londres.

Le déjeuner — généralement aux environs de onze heures — est pris soit dans la chambre de Napoléon, soit, si le temps est beau, dans le jardin. Le menu, qu'il engloutit selon sa précipitation habituelle en moins d'un quart d'heure, consiste en une soupe brûlante — Napoléon considère que le bouillon de poulet est la meilleure thérapeutique —, deux plats de viande et un plat de légumes. La nourriture est préparée dans la cuisine de Longwood par les cuisiniers que Napoléon a eu l'autorisation d'amener avec lui. Mais ce ne sont pas eux qui le servent. Cette mission est toujours réservée à Marchand et à ses deux valets adjoints, Saint-Denis (dit Ali) et Abram Noverraz. Napoléon boit un verre ou deux de vin coupé d'eau, jamais davantage. Ce vin provient de sa réserve personnelle de vin de Constance, un cru sud-africain assez renommé originaire du vignoble de Constantia près du Cap. Ceux qui partagent ses repas boivent du « vin ordinaire ». La plupart des produits alimentaires sont fournis par William Balcombe, le père de Betsy, qui a été nommé « pourvoyeur » de Longwood par l'amiral Cockburn. L'achat des vivres a été confié au majordome, Cipriani, ainsi qu'au comte de Montholon.

La désignation de Balcombe comme « pourvoyeur » rassure Napoléon. Les Anglais préféreraient le savoir mort, il le sait, et il les croit tout à fait capables de l'empoisonner. Médecins et pharmaciens lui ont toujours conseillé de se méfier du vin et du café, mais dans les circonstances présentes il écarte cette éventualité. « Aucun risque de ce côté-là, puisque c'est Balcombe qui fournit les vivres et que O'Meara et Poppleton (l'officier anglais résident) sont comme lui des gens loyaux qui ne se prêteraient pas à un tel forfait. » Ayant si souvent risqué sa vie sur les champs de bataille, Napoléon ne se préoccupe guère de sa sécurité ; au cours de ses années de pouvoir, il a

100

survécu, selon ses propres termes « à plus de trente conspirations à pièces authentiques sans parler de celles qui sont demeurées inconnues », la plupart étant tramées par le comte d'Artois, le frère de Louis XVIII. Sa principale précaution, dit-il encore, a consisté à ne jamais dire à quiconque, jusqu'à la dernière minute, où il allait se rendre et quel chemin il emprunterait. Ici, il se sent relativement en sécurité. Il dit à Montholon : « Je ne serais pas six mois en Amérique sans être assassiné par un agent du comte d'Artois. Je ne vois rien en Amérique que l'assassinat ou l'oubli. Je préfère encore Sainte-Hélène... »

Napoléon tient à déjeuner en compagnie de ses officiers, mais leurs querelles incessantes l'exaspèrent. « Vous ne composez plus qu'une poignée au bout du monde, votre consolation doit être au moins de vous y aimer. » Mais il n'est pas écouté. Le problème des officiers tient à leur désœuvrement. Napoléon a pourtant soigneusement réparti les attributions de chacun, mais il y a trop peu de travail à accomplir et trop de temps leur est laissé pour se disputer les dérisoires faveurs de la cour en exil. Seul le plus âgé d'entre eux, Las Cases, est assez occupé par les dictées de l'Empereur. Bertrand, le tranquille officier du génie, se sent malheureux d'être supplanté par Montholon. Morose, il ne parle guère et reste autant qu'il peut au sein de sa petite famille. Depuis l'Egypte, Bertrand a toujours été aux côtés de Napoléon. A Paris, il avait le titre de grand maréchal du palais, donc — de droit — la charge de la maison devrait lui revenir. Mais sur l'insistance de sa blonde épouse, Fanny, qui tient (pour quelle raison ?) à garder ses distances avec Napoléon, il a choisi de vivre en dehors de Longwood House. Froissé, Napoléon a confié la gestion de la maison au comte de Montholon. En outre, tandis que Fanny Bertrand évite Longwood, Albine de Montholon est toujours là, toujours de bonne humeur et complaisante. On murmure que cette brune assez coquette a frayé son chemin (avec l'accord de son mari) jusqu'au lit de Napoléon. « N'est-ce pas qu'elle est charmante ? » demande Napoléon à Betsy Balcombe, à propos d'Albine. Et Betsy, pensive, ne répond rien.

Gaspard Gourgaud est sans conteste le plus réservé. Las Cases a son travail et son fils. Bertrand et Montholon ont leur femme et leurs enfants. Gourgaud n'a rien ni personne. Cet homme de grande taille, au teint basané, n'a que trente-deux ans, et ni son énergie ni son affection ne trouvent à se dépenser. Sa plus grande fierté, il l'a souvent répété, est d'avoir sauvé la vie de Napoléon en Russie. Il n'y a guère d'occasions de semblables gestes d'héroïsme à Sainte-Hélène, si ce n'est qu'un jour aux Briars, — Betsy Balcombe l'évoquera en s'en moquant gentiment — une vache ayant foncé sur Napoléon et Gourgaud qui traversaient un champ, Gourgaud avait bondi devant l'Empereur, tiré son épée et crié ensuite : « C'est la seconde fois que je sauve la vie de l'Empereur ! » A Longwood, Napoléon a chargé Gourgaud de veiller sur les dix chevaux de l'écurie. Mais de toute façon ce sont les palefreniers qui font tout le travail, et les devoirs de sa charge lui prennent peu de temps. Il parcourt furieusement à cheval le plateau de Longwood. Il croit être tombé amoureux de Laura Wilks, une gamine de quinze ans, fille de l'ancien gouverneur, mais il peut rarement la voir et encore moins lui faire la cour. Il se querelle, le plus souvent avec Montholon, va se plaindre à Napoléon, puis boude. Plus que tout, Gourgaud s'ennuie, s'ennuie désespérément ainsi qu'il le note dans son « journal intime » :

« Mardi 25, Ennui, Ennui. Mercredi 26, idem. Jeudi 27, idem. Vendredi 28, idem. Samedi 29, idem. Dimanche 30, grand ennui. »

Après le déjeuner, Napoléon se rend dans le salon de billard pour dicter à l'un de ses compagnons, la plupart du temps à Las Cases, mais parfois aussi à Marchand ou à Saint-Denis. Mais les journées d'action de seize ou de vingt heures du grand homme de jadis se réduisent à présent à un peu moins du quart de ce temps. Dans ses dictées, il explique et justifie sa carrière, mais prend aussi le temps de commenter les campagnes de César ou d'exercer son esprit sur des sujets aussi divers qu'un plan de réforme de l'enseignement ou un projet d'irrigation de la vallée du Nil. Dictant à toute vitesse, il ne cesse de marcher de long en large dans la pièce, s'arrêtant quelques instants pour jeter un coup d'œil sur la mappemonde où l'on a tracé les trajets de ses campagnes : la moitié de la planète, infiniment loin du minuscule rocher perdu dans l'Atlantique Sud. Ou bien il scrute, à l'aide de sa longue-vue, à travers le trou qu'il a fait percer dans les volets, les soldats anglais faisant l'exercice. « Ecrivez ! » ordonne-t-il d'un ton brusque à l'officier assis inconfortablement devant un bureau, en uniforme à col haut, l'épée au côté...

Vers la fin de l'après-midi, Napoléon revêt un uniforme et accueille des visiteurs, nombreux en ces premiers temps de captivité. L'Empereur cherche ainsi à faire parler de lui en Europe car ces visiteurs sont en général des fonctionnaires coloniaux anglais dont le bâtiment, en route vers l'Angleterre, fait escale à Sainte-Hélène. Beaucoup d'entre eux publieront leurs impressions dès qu'ils seront rentrés chez eux, et Napoléon ne l'ignore pas. Afin que nul n'oublie qu'il est encore et toujours l'Empereur, il exige que ses visiteurs se soumettent au même protocole qu'aux Tuileries. Le visiteur doit solliciter une audience auprès de Bertrand qui lui délivre un laissez-passer manuscrit. Il est ensuite accueilli dans le salon de billard par deux officiers, généralement Montholon et Gourgaud. Un domestique vêtu d'une livrée verte à garniture dorée ouvre la porte de la chambre des cartes et annonce à voix haute le nom du visiteur. Napoléon le reçoit, debout devant la cheminée, son chapeau sous le bras. Las Cases, à ses côtés, sert d'interprète. Le visiteur restera debout pendant toute l'entrevue, même si celle-ci dure une heure ou davantage, même s'il défaille de fatigue. C'est la règle : on doit rester debout devant l'Empereur. Comme toujours, Napoléon commence par interroger le visiteur sur son passé et ses activités. Quel que soit le cours pris par la conversation, Napoléon étale la gamme extraordinaire de ses connaissances, et fait comprendre à son interlocuteur qu'il n'a jamais cessé d'être l'Empereur.

Ce 14 janvier 1816, le commandant John Theed, qui commande la corvette *Leverett*, apporte des journaux à Longwood. Lorsqu'il prend congé, Fanny Bertrand lui remet un souvenir de sa visite : un médaillon contenant des cheveux de Napoléon.

Le protocole est plus souple pour les visiteurs de moindre importance ou pour ceux qui, comme les Balcombe, sont considérés comme des amis de Longwood. Pour Betsy, il n'y a aucun règlement. Une fois par semaine environ, les Balcombe viennent à Longwood et Betsy revoit ainsi celui qu'elle nomme « son vieux compagnon de jeu ». Napoléon est plus abattu que lorsqu'il habitait aux Briars, mais en sa présence, il semble retrouver une certaine jeunesse. Ils jouent au billard. Betsy raconte dans ses souvenirs « ... Il me fit entrer dans le salon de billard où la table venait juste d'être livrée. Je me souviens qu'à cette époque je jugeais le billard bien enfantin pour des hommes mûrs. L'Empereur voulut m'en apprendre les règles, mais je ne fis que très peu de progrès et m'amusais seulement à heurter la main impériale avec les billes au lieu de chercher à réussir les carambolages ou les blouses qu'il voulait m'enseigner. Je n'étais jamais si contente que lorsque j'avais réussi à le faire crier. »

Un jour Betsy trouve Napoléon souffrant : on vient de lui arracher une dent. Elle a un peu honte pour lui qu'il se plaigne d'une si petite douleur, lui qui a connu tant de batailles. Elle lui réclame la dent arrachée pour la faire enchâsser dans une de ses boucles d'oreilles. « ... L'idée le fit rire aux éclats et, en dépit de sa souffrance, il me fit remarquer que je ne devrais jamais perdre mes dents de sagesse. Il était redevenu de bonne humeur et ne manquait pas de faire un trait d'esprit... »

Parfois, à la grande joie de Betsy, Napoléon tente devant elle de parler un peu anglais. Pendant la traversée, à bord du *Northumberland*, il avait pris quelques leçons avec Las Cases. Depuis, il parvient à lire les journaux de Londres, mais lorsqu'il tente de parler, le résultat est — selon Betsy — proprement ahurissant « ... Lors d'une de ses dernières tentatives pour s'exprimer en anglais, il fit de mon père la cible de son ironie sur les habitudes anglaises de s'adonner à la boisson. " Si Balcombe était ici, dit-il, il voudrait boire une, deux, trois, cinq bouteilles, et rentrerait complètement ivre aux Briars ! "... » Napoléon interroge Betsy sur ses études. « Il aimait tirer de moi quelques bribes des connaissances que j'avais acquises lors de mes lectures qui étaient, il faut bien l'avouer, fort décousues. Néanmoins, aimant beaucoup les livres et ayant une mémoire assez fidèle, il m'arrivait de réussir à retenir son attention pendant des heures. « A présent, mademoiselle Betsy, me disait-il, j'espère que vous avez été une bonne fille et que vous avez bien appris votre leçon. » Il disait cela pour m'ennuyer car il savait combien j'étais désireuse d'être prise pour une adulte. »

Mais l'heure n'est pas toujours à la plaisanterie. Lors d'une visite de Betsy... elle raconte : « Je me revois sautant vers le valet Saint-Denis, lui demandant à voir Napoléon, mais ma gaieté fut subitement douchée par la gravité avec laquelle il me répondit que l'Empereur était en train de guetter à la longue-vue l'arrivée du *Conqueror* qui approchait de l'île battant pavillon de l'amiral Plampin. " Vous le trouverez auprès de Mme Bertrand, me dit Saint-Denis, mais il n'est pas d'humeur à badiner aujourd'hui, Mademoiselle. " Nonobstant cette remarque, je me dirigeai vers le cottage des Bertrand et, en un instant, mon esprit passa de la joie à la tristesse. Aussi jeune que je fusse alors, je ne pouvais manquer d'être fortement impressionnée par la mélancolie intense de son expression. Il se tenait debout avec le général Bertrand, le regard tristement tourné vers le vaisseau qui n'était encore qu'un point sur la ligne d'horizon. »

Profitant de ses relations privilégiées avec l'Empereur, la jeune Betsy l'interrogera sur certains actes de cruauté qu'on lui prête : le massacre des prisonniers turcs de Jaffa ou l'empoisonnement des malades de l'hôpital de Saint-Jean-d'Acre... Napoléon prend le temps de lui exposer son propre point de vue sur ces affaires, et Betsy en conclura que... « ces événements faisaient partie des nombreux et tristes résultats d'une ambition sans limites liée à l'exercice d'un pouvoir lui aussi illimité ». Lors d'une visite, Betsy lui chante une complainte sur l'exécution du duc d'Enghien. Quand Napoléon comprend quel est le sujet de la chanson, il interroge la jeune fille sur ce qu'elle sait de l'affaire. « Je lui répondis qu'il était considéré comme l'assassin de cet illustre prince. » Il me rétorqua que c'était exact, qu'il avait ordonné son exécution car le duc était un conspirateur qui avait payé des soldats pour l'assassiner. Il estimait que, devant une telle conspiration, il ne pouvait agir de façon plus politique qu'en ordonnant qu'un des princes soit condamné à mort afin de dissuader les autres de chercher encore à attenter à sa vie. »

Vers quatre ou cinq heures, Gourgaud fait atteler la calèche à six chevaux pour la promenade de l'après-midi. Napoléon y prend place avec l'une des femmes, Fanny Bertrand ou Albine de Montholon, parfois avec des officiers ou des visiteurs. Il prie les cochers, les deux frères Archambault, d'aller à toute vitesse dans les dangereux virages des collines. Betsy se souvient. « ... Ces chevauchées semblaient inspirer à Bonaparte un plaisir malfaisant. Il ajoutait à ma frayeur en m'assurant plusieurs fois que les chevaux allaient s'emballer et que nous allions tous finir en pièces au fond des précipices. » Mais Napoléon désirait en fait que sa jeune amie sache maîtriser ses frayeurs. « ... L'Empereur conseillait souvent à mon père de me corriger tant que j'étais jeune et disait qu'il ne fallait jamais encourager mes folles frayeurs ni même permettre que j'y donne libre cours. »

Si les Bertrand ne sont pas de la promenade de l'aprèsmidi, Napoléon demande souvent au cocher de l'arrêter devant leur cottage, Hutt's Gate. Il y entre et joue avec les trois enfants. Un jour, au cours d'une promenade dans une vallée verdoyante qui se trouve derrière ce cottage, il découvre une source ombragée par trois saules pleureurs. C'est la Vallée du Géranium. Dorénavant des domestiques iront chaque jour à cette source puiser de l'eau dont Napoléon décide de faire sa boisson favorite. Il dit ensuite aux Bertrand : « Si mon corps est laissé aux mains de mes ennemis quand je mourrai, je désire qu'on m'enterre ici... »

Le canon d'Alarm House annonce le coucher du soleil. Dès que tombe l'obscurité, le nœud coulant des sentinelles anglaises se resserre autour de Longwood House. Les exilés se retirent dans leur intérieur et se rassemblent à la lueur des chandelles dans le salon des cartes. Les hommes sont en uniforme, les dames en robe du soir. Ils jouent aux cartes : piquet ou reversi. Napoléon propose que les gains soient mis dans une caisse commune destinée au rachat des esclaves, mais comme pour sa tentative de racheter la liberté du vieux Tobie, l'esclave des Balcombe, cette proposition en restera là.

Le dîner, pris généralement à huit heures, est l'occasion d'une autre cérémonie. Le protocole est le même qu'aux Tuileries. Cipriani, incongru dans sa veste verte bordée d'or et ses culottes de soie noire, ouvre la porte de la salle à manger, s'incline profondément et annonce : « Le dîner de Sa Majesté est servi ! » Napoléon offre son bras à la première des dames, la plupart du temps Albine de Montholon, à présent que les Bertrand vivent en dehors de Longwood. Les officiers suivent et prennent place selon l'ordre des préséances, ce qui leur procure une bonne occasion de nouvelles disputes. Cette cour n'a plus aucun pouvoir, mais cela n'empêche nullement les officiers de se quereller. Gourgaud en particulier trouve là une occasion de laisser libre cours à sa mauvaise humeur. Il écrit dans son journal qu'il « bottera » Las Cases si ce petit homme tente encore une fois de passer devant lui. A propos de Montholon, il écrit : « J'ai eu une discussion avec mon collègue à propos des places que nous devons occuper à table. Je lui ai dit que je ne lui céderais en rien. Bientôt je me battrai en duel avec lui. »

Le dîner est servi dans des assiettes en argent et en porcelaine de Sèvres illustrées de scènes des campagnes napoléoniennes et que Marchand a réussi à emporter de Paris. Pour quelques instants peut-être, les exilés peuvent oublier les sentinelles qui montent la garde au ras des fenêtres, l'Océan qui les enserre de toutes parts, et se croire revenus à l'heureux temps des Tuileries. Les nombreuses chandelles créent une chaleur étouffante. L'illusion se dissipe lorsqu'un rat traverse la pièce. Saint-Denis et Noverraz ne s'occupent que de Napoléon. Parmi les autres domestiques il y a des marins anglais revêtus de la livrée impériale française. Dérisoire déguisement. Le menu est copieux : un potage, deux entrées, un rôti, deux légumes et un dessert. La nourriture à Longwood est cause d'interminables chamailleries entre les exilés et les autorités anglaises. Les Français se plaignent de la médiocre qualité des aliments, surtout de la viande et du vin. Les Anglais se plaignent que le luxe de Longwood épuise aussi bien le budget de vie quotidienne des exilés que les ressources de l'île ! Il est vrai que celle-ci est sujette à des pénuries chroniques de produits alimentaires. Anglais et Français ont raison sur le fond. La viande et le vin importés d'Afrique du Sud sont rares et chers et, après leur longue traversée maritime, souvent mauvais. Les coloniaux et les militaires anglais y sont sans doute moins sensibles que les Français qui hier encore faisaient si bonne chère à Paris. Le dîner peut durer jusqu'à quarante minutes, jusqu'à ce que Napoléon se lève brusquement et quitte la salle à manger.

Après le dîner, la petite cour revient au salon pour tuer le temps jusqu'à l'heure du coucher. A Longwood, comme on peut s'en douter, les distractions vespérales sont limitées. A nouveau on joue aux cartes. Ou on écoute Albine de Montholon jouer du piano et chanter des airs italiens que Napoléon affectionne. Ou bien l'Empereur se lance dans l'un de ces monologues au cours desquels il évoque les grands événements de sa carrière. Il refait ses batailles, surtout la dernière, celle qu'il n'aurait jamais dû perdre, celle qu'il a presque gagnée et vers laquelle ses pensées retournent de manière quasi obsessionnelle : Waterloo. « Quel roman que ma vie ! s'écrie-t-il. » Ou bien il demande un livre à l'un des domestiques et lit à haute voix. Romans, théâtre, poésie. Il aime particulièrement le poète gaélique Ossian et le roman *Paul et Virginie* qui se déroule dans une île de l'océan Indien. « Allons au théâtre », a-t-il coutume de dire quand il va donner la lecture d'une pièce. D'ailleurs il s'interrompt fréquemment pour émettre des critiques sur l'œuvre. Du *Britannicus* de Racine il fait remarquer que la conclusion est trop abrupte, que le spectateur ne peut pas prévoir comme il le faudrait l'empoisonnement du principal personnage. Napoléon lit assez mal, d'une voix monotone. Il massacre la cadence des vers. Chacun, sur le point de s'assoupir, se sent comme obligé de proposer à Napoléon de le remplacer comme lecteur. D'une soirée, Gourgaud écrira dans son journal : « L'Empereur a demandé *Zaïre* (la pièce de

Voltaire) et l'a lu jusqu'à minuit. Nous étions tous écrasés de sommeil et d'ennui. »

En tout cas personne, même s'il tombe de sommeil ou d'ennui, n'a le droit de quitter le salon avant Napoléon. A la fin, il jette un coup d'œil sur la pendule et dit : « Quelle heure est-il ? Bah ! ça n'a aucune importance. Allons au lit. » Il part pour sa chambre, gardant parfois l'un de ses officiers qu'il charge de lui faire la lecture à haute voix. Quand finalement il trouve le sommeil, Marchand éteint le flambeau couvert, allume la veilleuse et se retire dans sa propre petite chambre ou dans son grenier. Dans ce cas, un second valet reste dans la petite chambre pour y attendre la sonnette matinale de Napoléon, qui annoncera le début d'une nouvelle journée à Longwood House.

Glasgow
août 1960

Les deux hommes assis dans le laboratoire de Glasgow devant les inévitables tasses de thé se sont immédiatement pris de sympathie l'un pour l'autre. La conversation se déroule en anglais. Comme beaucoup de Suédois, Sten Forshufvud a appris très jeune les principales langues européennes et son anglais est excellent.

Avant d'évoquer ses recherches sur l'arsenic, Hamilton Smith invite son visiteur, qui ne laisse rien paraître de son impatience, à faire le tour de son laboratoire.

Puis le savant de Glasgow explique la technique du bombardement nucléaire utilisée pour déterminer la teneur en arsenic. Le cheveu envoyé par Forshufvud a été pesé et scellé dans un petit conteneur en polyéthylène. Dans les locaux de l'Institut de l'Energie Atomique de Harwell, près de Londres, le cheveu d'une part et une solution standard d'arsenic d'autre part ont subi pendant vingt-quatre heures, dans leurs conteneurs, une irradiation identique de neutrons thermiques. La comparaison entre les deux échantillons a indiqué quelle était la teneur en arsenic du cheveu, et c'est à partir de ce chiffre que l'on peut calculer la quantité totale contenue dans un corps humain. Cette technique nouvelle qu'il a longuement mise au point et testée donne des résultats aussi précis avec un seul et

111

unique cheveu que la méthode ancienne qui en exigeait d'assez fortes quantités ; « malheureusement », fait remarquer Hamilton Smith, « le test détruit le cheveu lui-même, ce qui interdit tout essai ultérieur. »

Une foule de questions se presse dans l'esprit de Forshufvud : l'arsenic peut-il provenir d'une source externe ? D'une lotion pour les cheveux, par exemple, ou être apparu au cours des nombreuses années qui se sont écoulées entre la mort de la victime et les analyses ?

— Non, répond Smith avec assurance, c'est totalement impossible. De l'arsenic externe se présenterait tout à fait différemment. Le toxique était localisé dans le corps même du cheveu ; il avait donc pénétré par la racine et provenait forcément de l'organisme.

Forshufvud pèse soigneusement ses mots :

— Peut-on déterminer à qui appartient un cheveu ?

— Pas exactement, répond Hamilton Smith. Ce que l'on peut déterminer avec certitude, en revanche, c'est si deux ou plusieurs cheveux appartiennent à une seule et même personne. La forme que prend l'arsenic dans le cheveu de quelqu'un est aussi distinctive que la forme de ses empreintes digitales.

Ainsi, si Forshufvud lui confiait d'autres cheveux, il pourrait lui dire s'ils proviennent de la même personne que le premier soumis à sa méthode d'analyse.

Et enfin, l'inévitable question :

— Pouvez-vous me dire, cher ami, qui a été victime de ce crime ?

Forshufvud demeure un instant silencieux, puis répond lentement :

— Ce cheveu appartenait à Napoléon.

Hamilton Smith blêmit. Forshufvud craint un moment de s'être aliéné l'homme dont l'aide lui est si précieuse ; Smith est Anglais... il doit songer à l'opprobre qui va s'abattre sur son pays, car bien entendu, dans son esprit, seuls les Anglais pourraient être tenus pour responsables de ce crime monstrueux. Aussi, Forshufvud s'empresse-t-il d'ajouter :

— Je suis certain en tout cas que ce ne sont pas les Anglais qui l'ont empoisonné.

— Qu'est-ce que vous voulez que ça me fasse ? Je suis Ecossais, moi ! rétorque Hamilton Smith avec indignation.

Les deux hommes éclatent de rire, et cet incident efface entre eux tout reste de formalisme. Une amitié solide se noue entre les deux scientifiques, et Hamilton Smith ne manquera jamais, les années suivantes, d'apporter le concours de son laboratoire aux travaux de Forshufvud. D'ailleurs, Smith se pique au jeu ; lui qui croyait rendre un service de routine à un confrère suédois est tout excité à l'idée de l'utilisation qui est faite de sa méthode.

Il explique ensuite à Forshufvud qu'il vient de mettre au point une technique encore plus élaborée lui permettant de procéder à l'analyse d'un cheveu par segments. Le Suédois comprend immédiatement l'importance que revêtirait une seconde mesure opérée de cette manière. On pourra alors déterminer avec précision à quel moment de la pousse le toxique a été administré à la victime, et en quelle quantité. Si la personne a été contaminée de manière constante par son environnement (un objet situé dans sa chambre, par exemple, ou l'eau qu'elle buvait quotidiennement), l'analyse révélera une quantité constante de segment en segment et se traduira sur le graphique par une ligne droite. Si, en revanche l'arsenic a été absorbé en quantités importantes et à intervalles plus ou moins réguliers, le diagramme montrera des pointes et des creux. Un cheveu pousse à un rythme assez régulier (de l'ordre de 0,35 millimètre par jour — soit presque un centimètre et demi par mois) ; il est donc possible de calculer le temps écoulé entre les pics du diagramme, pics qui signalent les moments les plus forts de l'intoxication. Si par chance le cheveu a été rasé à la racine, à une date connue, son analyse par segments permettra de dater avec précision, pratiquement à un jour près, la première absorption massive.

Forshufvud songe à la boucle qui dort encore dans le reliquaire de Marchand à Paris, à cette boucle dont sa femme a eu la délicatesse de ne retirer qu'un seul cheveu, celui qu'a analysé et donc détruit Hamilton Smith. Pour l'instant on ne sait que deux choses : Napoléon présentait à la fin de sa vie tous les symptômes cliniques d'un empoisonnement à l'arsenic et, au moment de sa mort, ses cheveux — et par conséquent son organisme tout entier — contenaient une quantité de poison « anormalement élevée ». A présent donc, grâce à la technique améliorée d'analyse par segments, il serait possible de déterminer si Napoléon a absorbé le poison de manière continue ou par fortes doses périodiques. On pourrait même calculer les dates exactes d'administration, puisque l'on sait que les boucles ont été non pas coupées mais rasées au lendemain de sa mort. Il suffira de mettre en regard les dates et les récits des symptômes quotidiens que manifestait le malade pendant les derniers mois de sa vie, et l'on parviendra à reconstituer jour après jour l'histoire du crime. Forshufvud pourrait ainsi expliquer au monde, preuves en main, comment a été tué Napoléon.

Mais bien entendu, pour ce faire, il faut commencer par se procurer d'autres cheveux de l'Empereur. Forshufvud se souvient que le commandant Lachouque avait offert de lui en donner d'autres. Que n'a-t-il accepté ? Mais rien n'est encore perdu ; il suffira d'un nouveau voyage à Paris.

Hamilton Smith et Sten Forshufvud se séparent les meilleurs amis du monde. Le Suédois promet de revenir à Glasgow dès qu'il aura pu se procurer un ou plusieurs cheveux de la même mèche. Les deux hommes envisagent déjà de rendre publiques leurs découvertes.

Longwood, Sainte-Hélène
11 juillet 1816

A quatre heures de l'après-midi, Napoléon et Gourgaud entrent dans la chambre d'Albine de Montholon. Quelques jours plus tôt, elle a donné naissance à son deuxième enfant, une fille. Ils trouvent la ravissante épouse de Montholon en train de lire (Gourgaud l'a noté dans son journal) « Les Fables de la Fontaine » et « L'Histoire de la Marquise de Brinvilliers ».

L'histoire de Madame de Brinvilliers n'a rien d'une fable ; c'est celle, véridique, de la plus célèbre affaire criminelle de l'histoire de France. Marie-Madeleine d'Aubray, marquise de Brinvilliers, vivait à Paris au milieu du XVIIe siècle, sous le règne de Louix XIV. Accusée d'avoir empoisonné à l'arsenic un grand nombre de gens, notamment son père et ses deux frères, elle fut exécutée en 1676 (elle fut décapitée et son corps brûlé). Avant de mourir, la marquise avait fait une confession détaillée de ses crimes.

Ces aveux et ceux de deux de ses complices forment la matière première du livre qu'est en train de lire Albine de Montholon cet après-midi-là. On y décrit par le menu la façon de tuer à petit feu sa victime à l'arsenic, sans être découvert. Voici le résumé de l'affaire :

En 1663, Madeleine de Brinvilliers a trente-trois ans. Elle est de taille moyenne, avec des yeux bleus et une abondante

115

chevelure châtain. C'est une femme extravagante, débauchée et d'une extraordinaire susceptibilité. Pendant quatre ans elle a été la maîtresse d'un certain Godin, officier de cavalerie qui se fait appeler Sainte-Croix. Le père de la marquise, un grand notable parisien, désapprouve la manière qu'elle a de s'afficher avec son amant. Il le fait arrêter dans le carrosse même de sa fille et emprisonner à la Bastille. Au cours des deux mois qu'il passe en forteresse, Sainte-Croix fait la connaissance d'un Italien, grand expert en poisons, nommé Exili, mais dont le nom véritable est Eggidi. Cet homme a jadis été au service de la reine Christine de Suède à qui il servait de protecteur contre d'éventuels empoisonneurs. Dès son élargissement, Sainte-Croix accompagné de la marquise commence à fréquenter un pharmacien suisse bien connu à l'époque, Christopher Glaser, apothicaire du roi, qui tient boutique au faubourg Saint-Germain. Le trio concocte des poisons qu'il nomme les « recettes Glaser ». Dès lors, Madeleine se rend dans les hôpitaux de Paris pour y faire soi-disant la charité et y porte des cadeaux aux malades : de la confiture, du vin et des biscuits. Nombreux sont les malades qui meurent après avoir goûté ses « cadeaux », mais chaque fois, les médecins concluent à une mort naturelle.

La marquise n'a pas pardonné à son père d'avoir fait embastiller son amant. Trois ans plus tard, en février 1666, elle commence à lui administrer de faibles doses d'arsenic. Il se plaint de maux de tête, de perte d'appétit, de vomissements, de démangeaisons, de douleurs dans la poitrine. Il est très pâle. Son médecin habituel ne parvient ni à diagnostiquer ni à soigner sa maladie, et le père de la marquise part pour sa maison de campagne dans l'espoir que le changement d'air lui fera du bien. De fait, il commence à aller mieux, mais il invite sa fille demeurée à Paris à le rejoindre pour lui tenir compagnie. Mal lui en prend. Peu après l'arrivée de la marquise, les symptômes recommencent au point qu'il décide de rentrer à Paris pour consulter un autre médecin. Sa maladie empire. Il a des vomissements continuels. Pensant qu'il va mourir, il convoque son notaire et rédige un nouveau testament en faveur de sa fille qui a si bien pris soin de lui. Dès le départ du notaire, la marquise donne à son père un bol de vin émétisé — du vin contenant du tartrate d'antimoine et de potassium — que le médecin a prescrit. Le père de la marquise meurt le 10 septembre, huit mois après qu'elle lui eut administré sa première dose d'arsenic.

L'autopsie ne révèle rien de particulier. La marquise avouera plus tard avoir administré à son père vingt-huit à trente doses d'arsenic, tandis qu'un de ses domestiques, nommé Gaston, lui en donnait pour sa part la même quantité, sinon davantage.

Quatre ans plus tard, pour hériter d'eux, la marquise assassine ses deux frères. L'aîné est empoisonné par un domestique, La Chaussée, qu'il avait naïvement engagé sur le conseil de sa sœur. Il met trois mois à mourir et, tout comme son père, souffre de fréquentes crises de vomissements au cours des dernières semaines. Là non plus, les médecins ne trouvent pas la mort suspecte. Le frère cadet de Madeleine, servi par le même La Chaussée, meurt en septembre de la même année 1670. Cette fois, cependant, un médecin déclare, après autopsie, que la mort semble due à un empoisonnement à l'arsenic. Mais nul ne soupçonne la marquise.

Ne s'arrêtant pas en si bon chemin, Madeleine de Brinvilliers tente d'empoisonner le marquis, son mari. Dans sa confession elle déclarera que le premier symptôme manifesté fut une soudaine faiblesse des jambes. Mais le marquis soupçonne sa femme et Sainte-Croix de chercher à le faire disparaître. Un soir où Sainte-Croix dîne avec le couple, le marquis dit au domestique « ne changez pas mon verre, mais rincez-le chaque fois que vous me donnez à boire ». Après le souper, Madeleine

117

se retire dans sa chambre avec Sainte-Croix et c'est alors sans doute que les amants décident de mettre un terme à leur tentative. Le marquis se rétablit donc.

La marquise administre également de l'arsenic à ses domestiques, à ses amis, et à ses nombreux amants, mais jamais à des doses mortelles. Un domestique ayant un jour mangé du jambon donné par la marquise, souffre de douleurs « semblables à des coups de poignard dans le côté ». Un de ses amants, nommé Briancourt, qui est également le tuteur de son fils et à qui elle a avoué avoir assassiné son père et ses frères, menace de la dénoncer le jour où elle lui annonce qu'elle se dispose à empoisonner sa sœur. Madeleine attire Briancourt dans sa chambre à coucher où Sainte-Croix l'attend pour le poignarder. Briancourt réussit à s'échapper et, fait incroyable, ne court pas la dénoncer !

En dépit de la mort et de la maladie qui se répandent ainsi autour d'elle, en dépit des soupçons de certains de ses proches, à commencer par son mari, et surtout en dépit de la découverte d'arsenic dans le corps de son jeune frère lors de l'autopsie, personne ne songe à accuser Madeleine jusqu'au jour de la mort subite — et pourtant naturelle, celle-là ! — de son amant Sainte-Croix. En effet, imprudemment, celui-ci avait laissé un coffre-fort contenant des poisons et trente-quatre lettres de Madeleine dans lesquelles celle-ci décrivait les crimes qu'elle avait commis avec Sainte-Croix et La Chaussée. La marquise se rend auprès de la veuve de Sainte-Croix pour tenter de récupérer les lettres, mais il est trop tard. Un officier de police du nom de Picard les a déjà saisies. Un homme peu curieux, ce Picard : il n'ouvrira les lettres que longtemps après. La veuve du frère cadet de la marquise intente alors un procès, et la marquise s'enfuit à Londres.

Quatre ans plus tard, en 1676, Madeleine commet l'imprudence de revenir sur le continent et est arrêtée à Liège dans un couvent. On arrête également La Chaussée qui est soumis à la Question préliminaire. Il y résiste avec succès quand, sur l'insistance de la belle-sœur de la marquise, on le place dans le « brodequin », un instrument de bois dans lequel les jambes sont peu à peu broyées. Il avoue alors ses crimes, ce qui lui vaudra d'être écartelé. Dès lors s'ouvre le procès de la marquise. Il durera quatre mois. Briancourt est appelé à témoigner contre elle. Calmement, obstinément, en dépit des preuves qui s'accumulent, la marquise nie. Elle est néanmoins confondue et condamnée à mort.

Le prêtre chargé de l'administrer, un théologien renommé, le père Pirot, la presse de se confesser pour sauver son âme qui, lui dit-il, aurait dans doute à passer un certain temps au Purgatoire. « Comment saurai-je si je suis en Purgatoire ou en Enfer ? » lui demande-t-elle en toute simplicité. Finalement, de deux maux choisissant le moindre, elle avoue sa culpabilité. On ne la soumet pas moins au supplice de l'eau (un entonnoir placé entre les dents que l'on remplit jusqu'à éclatement de l'appareil digestif) mais elle refuse de donner le nom de ses complices. Au milieu d'une foule immense, Madeleine de Brinvilliers parcourt en tombereau le chemin jusqu'au lieu de l'exécution. Elle ne manifeste aucune crainte et se montre même coopérative avec le bourreau pendant la longue demi-heure qu'il prend pour lui couper les cheveux et la lier sur l'échafaud. Il lui trancha la tête d'un seul coup de hache.

Après avoir quitté Albine de Montholon, Napoléon et Gourgaud évoquent l'affaire de la Brinvilliers. Napoléon conçoit qu'une femme en arrive à empoisonner son mari, mais son père jamais. Et Gourgaud rétorque : « Ni l'un ni l'autre. Le poison est l'arme des lâches. »

Sten Forshufvud vient de téléphoner à Henri Griffon, le chef du laboratoire de toxicologie de la Préfecture de Police de Paris, pour lui demander s'il a fait procéder à l'analyse des cheveux de Napoléon, qu'il lui avait remis quatre semaines auparavant.

Non seulement Griffon n'a pas procédé aux examens, mais il ne possède même plus les cheveux. A la consternation de Forshufvud, il explique qu'ils lui ont été repris par celui-là même qui les lui avait confiés : le commandant Lachouque.

Selon Griffon, Lachouque a déclaré avoir besoin de ces cheveux pour une « exposition ». Quelques cheveux pour une exposition, alors que Lachouque en possède encore toute une boucle dans son musée privé ? Difficile à croire. Cette histoire ne tient pas debout. Le Suédois a la sensation désagréable que pour une raison inconnue, les portes de Paris sont en train de se refermer devant lui. Cela signifie que tout son travail des derniers mois va être perdu. Il va être difficile, sinon impossible, de réparer les dégâts.

Il faut faire le point. Forshufvud s'installe dans son fauteuil préféré sous les portraits et bustes de Napoléon qui décorent son salon. Il est déçu et irrité mais ne s'avoue pas encore battu. Il bourre sa pipe, et à sa façon méthodique recense les événements qui ont eu lieu à Paris un mois auparavant.

Son voyage avait été bien préparé. A l'automne, après son voyage à Glasgow, il avait écrit au commandant Lachouque pour lui exposer la nouvelle technique mise au point par Hamilton Smith permettant de calculer les dosages et la cadence d'administration de l'arsenic. Il avait demandé à l'historien français quelques autres cheveux de la même mèche, celle qui avait été rasée sur la tête de Napoléon au lendemain de sa mort et que Louis Marchand avait rapportée de Sainte-Hélène. Forshufvud avait également proposé de confier les analyses à un laboratoire français. Le commandant Lachouque avait répondu fort aimablement et même proposé d'organiser plusieurs rencontres entre Forshufvud et différents spécialistes de la question dans la capitale française.

Rendez-vous avait donc été pris pour le 10 avril, à dix heures trente du matin, au bureau des Services historiques du ministère de la Guerre. Le lieu était parfaitement choisi : l'hôtel de Brienne, à deux pas de la rue Las-Cases, non loin du tombeau de l'Empereur. L'hôtel de Brienne, qui abrite le ministère de la Guerre, renferme un grand nombre de souvenirs de l'époque napoléonienne. Construit au xviiie siècle pour les princes de Conti, il était ensuite devenu la demeure d'Etienne Charles de Brienne, archevêque de Toulouse, athée convaincu et ministre des Finances de Louis XVI, juste avant la Révolution. Sous l'Empire, « Madame Mère » en avait fait sa résidence parisienne et l'un des frères de Napoléon, Lucien, avait coutume d'y recevoir ses maîtresses.

La pièce dans laquelle se tenait la réunion était sombre et froide. Hormis le commandant Lachouque, Forshufvud ne connaissait aucune des huit personnes présentes. Il y avait là notamment un médecin de l'hôpital militaire du Val-de-Grâce, un autre médecin militaire et le pharmacien-chef des Armées, le colonel Kiger. En dépit de l'importance de cette réunion, Forshufvud ne se sentait nullement intimidé : après plusieurs années d'études à la faculté de Bordeaux, il maîtrisait parfaitement le français. Le groupe l'avait écouté en silence pendant près d'une heure. Lorsque à leur tour ils avaient pris la parole, ils avaient semblé à la fois conquis par la personnalité de leur interlocuteur et très intéressés par sa thèse. D'après eux, l'enquête devait se poursuivre dans la direction que proposait Forshufvud. Sans bien sûr prendre le moindre engagement, on avait même évoqué la possibilité de faire exhumer le corps de l'Empereur. La réunion s'était donc bien mieux déroulée que ne l'avait d'abord craint le Suédois.

Deux jours plus tard, le commandant Lachouque avait accompagné Forshufvud chez Henri Griffon, directeur du laboratoire de toxicologie de la Préfecture de Police, un expert en matière d'empoisonnement à l'arsenic. L'entretien avait eu lieu dans son laboratoire proche de la gare de Lyon. Griffon et Forshufvud se mirent d'emblée à parler toxicologie et l'endroit même, le matériel familier, les odeurs rappelaient à Forshufvud tous les laboratoires où il avait travaillé pendant des années. Griffon avait rapidement manifesté un grand intérêt pour les recherches du Suédois. Il avait d'ailleurs mis au point sa propre méthode d'analyse capillaire et proposait de l'appliquer aux cheveux de l'Empereur. Selon lui, il était « clair » que Napoléon avait été empoisonné. Devant Forshufvud, le commandant Lachouque avait donc remis à Griffon plusieurs cheveux provenant de la précieuse mèche rapportée par Marchand.

En sortant du laboratoire de Griffon, Forshufvud était parti marcher seul le long de la Seine ; il était normal que le mystère de la mort de l'Empereur fût résolu ici, dans cette ville où son souvenir demeurait tellement présent. En cet instant, le Suédois ne doutait pas que l'enquête trouvât sa solution à Paris, dans le laboratoire d'Henri Griffon. Quelques mois plus tôt, il n'aurait même pas osé espérer que le premier toxicologue français se chargeât lui-même des analyses. Forshufvud connaissait suffisamment les Français pour savoir qu'ils trouveraient toujours suspects des résultats provenant d'un laboratoire étranger, et surtout britannique.

Forshufvud croyait alors toucher au terme de son enquête. De retour à Göteborg, il avait échangé quelques lettres cordiales avec Lachouque et Griffon. Le commandant Lachouque confirmait son identité de vues avec Forshufvud et lui avait envoyé une coupure de presse qui portait en gros titre une phrase de Griffon : « Il faut exhumer Napoléon. » Tout semblait donc bien se passer... quand il avait reçu ce coup de téléphone catastrophique de Griffon. Que s'était-il passé ? Pourquoi le commandant Lachouque était-il soudain venu reprendre les cheveux de l'Empereur qu'il avait lui-même confiés au laboratoire de la Préfecture de Police ?

Lors de son séjour à Paris, Forshufvud avait toujours éludé la question de l'identité de l'assassin, mais les spécialistes français avaient dû s'interroger et finalement arriver à la même conclusion que lui : l'assassin appartenait forcément à l'entourage immédiat de Napoléon. Impossible dès lors d'accuser les Anglais tant haïs. Voilà qui est intolérable pour un Français.

En outre, si la théorie de Forshufvud se révèle exacte, les spécialistes français se couvriront de ridicule, eux qui depuis six ans, depuis la publication en 1952 des *Mémoires* de Marchand avaient tous les indices sous les yeux mais ne les voyaient pas. Sans compter que ce Forshufvud est étranger et qu'il n'est même pas historien ! A défaut de réduire à néant ses hypothèses, on cherchera donc à l'empêcher de mener à bien ses recherches. Le commandant Lachouque a dû subir des pressions l'obligeant à aller reprendre les cheveux confiés à Griffon.

Forshufvud n'est pas homme à renoncer. Il continuera envers et contre tout d'avancer ses pions. A Glasgow, Hamilton

Smith demeure disposé à procéder à une analyse par segments. Des dizaines de mèches ont été recueillies au cours de la vie de Napoléon et après sa mort. Nombre d'entre elles ont dû se transmettre de génération en génération. Certaines familles accepteraient certainement de se défaire de quelques cheveux dans l'intérêt de la Science et de l'Histoire. Mais retrouver la trace ne serait-ce que d'une seule mèche depuis son premier propriétaire jusqu'à son actuel détenteur représente une formidable et fastidieuse entreprise.

Evidemment, il existe un moyen plus rapide : révéler sa théorie au public en expliquant comment il compte aboutir à la preuve définitive, dans l'espoir que certains possesseurs de ces mèches se manifesteront. C'est là une façon de procéder assez hasardeuse et qui, surtout, cadre mal avec l'éthique de Forshufvud. Il connaît peu la grande presse populaire et — comme la plupart des savants — la tient en piètre estime. Le chercheur qu'il est répugne à l'idée de rendre l'affaire publique avant de pouvoir présenter des preuves irréfutables. L'année précédente, il a pourtant été tenté de publier ses premières découvertes et avait commencé à rédiger des notes qui, depuis, dorment au fond d'un tiroir. Mais Forshufvud ne peut plus attendre. Il présentera son travail sous la forme incomplète qu'il revêt actuellement.

Jamestown, Sainte-Hélène
octobre 1816

Cipriani attend, avec son panier, qu'il y ait au moins une dizaine de clients dans le magasin de Balcombe, Cole & Compagnie sur le quai du port de Jamestown : pour ce qu'il va faire, il a besoin de témoins. Le groupe qui arrive enfin dans le magasin est parfait : ce sont des officiers de marine anglais d'une frégate actuellement en rade et qui doit repartir tout à l'heure pour l'Angleterre. Posément, le majordome de Napoléon ouvre son panier, en sort le contenu et demande au commis de le peser. Les spectateurs sidérés contemplent une pile de plats et d'assiettes en argent, brisés, martelés, dont les aigles impériales ont été arrachées. Evidemment, le fait d'en retirer les marques et d'avoir martelé l'argenterie en a fortement diminué la valeur, mais tant pis. Ce qui importe, c'est que des témoins assistent à la transaction et en rapportent le récit à Londres.

— Comment va l'Empereur ? demande l'un des officiers à Cipriani.

— Assez bien, répond le majordome. Assez bien pour quelqu'un obligé de vendre son argenterie pour vivre...

L'argenterie pèse 952 onces et est estimée à 240 livres sterling. Le crédit en est porté au compte de Longwood House. La transaction terminée, Cipriani remonte dignement sur son cheval et repart pour Longwood. Il a rempli sa délicate mission.

125

Une fois de plus, le Corse fidèle a justifié la confiance que Napoléon place en lui. Il raconte à l'Empereur que les officiers anglais ayant assisté à la scène lui ont paru honteux et indignés. Napoléon lui dit : « Chaque fois que vous aurez besoin d'argent, vendez autant d'argenterie qu'il le faut jusqu'à ce que tout soit parti. »

Cette vente, effectuée intentionnellement en public, est l'une des manœuvres auxquelles se livre Napoléon dans la petite guerre qu'il mène contre le nouveau gouverneur anglais, sir Hudson Lowe, à propos du budget de Longwood. Agissant sur l'ordre de lord Bathurst, ministre des Colonies, Hudson Lowe a déclaré aux exilés français que les sommes dépensées annuellement à Longwood devaient diminuer et passer de 12 000 à 8 000 livres. Décision étrangement mesquine : la dépense de Longwood est presque négligeable par rapport aux deux cent cinquante mille livres que consacrent les Anglais à l'entretien des effectifs et des navires stationnés à Sainte-Hélène. Et la somme considérée aujourd'hui comme excessive pour la subsistance des cinquante malheureux prisonniers de Longwood appelle la comparaison avec le traitement personnel du gouverneur, qui est précisément de 12 000 livres !

Napoléon, qui possède en réalité une grosse fortune déposée en Europe, cherche surtout à mettre les autorités anglaises dans l'embarras. Il dit à Montholon : « Faites briser toute mon argenterie à coups de hache par Noverraz. » Cipriani fait marteler les pièces par le domestique suisse dans une cour bien en vue de la garnison anglaise. On arrache les aigles qui pourraient servir de « souvenirs » aux Anglais. Marchand les met à l'abri. Au fond, Napoléon se soucie peu de son argenterie et du budget lui-même. Il s'en préoccupe si peu qu'il a confié les finances de Longwood à Montholon, et non au grand maréchal Bertrand, le gestionnaire des Tuileries. Et pourtant, le passé de Montholon ne le prédispose guère à manipuler de grosses sommes d'argent. A vingt ans, Montholon a dilapidé l'héritage de son père. Général sous les Bourbons, tandis que Napoléon était exilé à l'île d'Elbe, il a été accusé d'avoir détourné la solde de ses propres soldats. Aux Anglais qui se plaignent de la forte consommation de vin à Longwood, Montholon répond qu'il fait du mieux qu'il peut. Il fait pour la table de l'Empereur ce qu'il n'a jamais fait chez lui, en France, c'est-à-dire ordonner que l'on rebouche les bouteilles de vin entamées pour les resservir le lendemain.

Quoi qu'il pense des capacités de gestionnaire de Montholon, Napoléon utilise cette question des finances de Longwood pour s'attirer la sympathie du public anglais. Il cherche en effet à persuader le gouvernement de Londres de le laisser revenir en Europe, n'importe où, mais loin de cette île sinistre où il se meurt d'ennui. Napoléon vient d'avoir quarante-sept ans. Le monde n'est pas près de l'oublier. Le nouveau gouverneur, par sa mesquinerie, offre à l'Empereur une excellente occasion d'attirer l'attention sur sa vie à Sainte-Hélène.

D'emblée, les deux hommes éprouvent de l'aversion l'un pour l'autre. Le lieutenant-général sir Hudson Lowe est arrivé à Sainte-Hélène cinq mois auparavant. Au cours de sa carrière, médiocre au demeurant, il a surtout occupé des postes mi-diplomatiques, mi-militaires. Pendant plusieurs années il a commandé un régiment de Corses ralliés aux Anglais pendant la Révolution. Napoléon estime que les Anglais l'ont bassement insulté en désignant pour lui servir de geôlier un homme ayant commandé des « déserteurs » de son île natale. Il ressent même une véritable répulsion pour l'apparence physique du nouveau gouverneur : Une tête en forme d'œuf, un front démesuré en hauteur, un long nez au-dessus d'une bouche mince, de petits yeux fuyants — des yeux de hyène —, un teint dévoré de larges plaques d'eczéma... « Quelle figure sinistre que celle de ce gouverneur ! » s'écrie Napoléon devant Las Cases après leur première entrevue.

Les contemporains de Hudson Lowe le tiennent en piètre estime. Le duc de Wellington, sous les ordres de qui il avait servi, dit de lui : « Il ne connaissait rien du monde et comme tous les hommes de sa sorte, il était jaloux et soupçonneux. » Le choix de Hudson Lowe comme geôlier de Napoléon lui paraît particulièrement malencontreux et il en parle un jour comme d'un « crétin ». Le comte de Balmain, commissaire russe à Sainte-Hélène écrit, lui, à son gouvernement « que la responsabilité dont il est chargé le fait trembler, qu'il s'alarme de la moindre chose, s'alambique la cervelle avec des riens et fait avec peine, en s'agitant beaucoup, ce qu'un autre eût fait presque sans remuer. »

En 1808, alors qu'il commandait la garnison anglaise de l'île de Capri, dans la baie de Naples, Hudson Lowe a eu affaire, dans des circonstances assez humiliantes pour lui, à un homme qui se trouve à présent aux côtés de Napoléon. Pour espionner les Français stationnés sur le continent, Hudson Lowe avait recours à deux agents qu'il connaissait sous les noms de Suzzarelli et de Franceschi. Le second était en réalité un agent secret de Napoléon et avait réussi à convaincre Suzzarelli de travailler pour les Français. Les deux agents doubles communiquèrent une foule de faux renseignements à l'officier britannique. C'est ainsi qu'une petite troupe française put s'emparer sans coup férir de l'île de Capri, pourtant puissamment fortifiée. Le dénommé Franceschi se nommait en fait Cipriani, mais cela, Hudson Lowe ne l'a jamais su.

Le gouverneur est écrasé sous le poids de sa responsabilité. La fuite de l'île d'Elbe le hante comme un cauchemar. A l'époque, Napoléon avait profité, pour s'évader, de l'absence de l'officier anglais chargé de sa surveillance, qui s'était rendu à Gênes voir sa maîtresse ! A Londres, on a fait clairement comprendre à Hudson Lowe que de tels faits ne devaient se reproduire sous aucun prétexte. Ayant appris que deux mutineries s'étaient jadis produites à Sainte-Hélène, Hudson Lowe en déduit que Napoléon va fomenter une révolte parmi la garnison et la population.

Dès les premiers mois, Hudson Lowe met en application certains règlements particulièrement mesquins qu'avait intentionnellement négligés son prédécesseur, l'amiral Cockburn, et il promulgue de nouveaux règlements de son cru. Il se rend notamment à cheval au cottage de Bertrand, sur le plateau de Longwood et annonce au grand maréchal que tous les exilés, officiers et serviteurs, doivent signer une déclaration stipulant qu'ils demeureraient à Sainte-Hélène pendant toute la captivité de Napoléon ; s'ils refusaient, ils seraient immédiatement déportés. Cette demande jette un grand trouble parmi les Français. Fanny Bertrand, en particulier, qui sur le *Northumberland* avait déjà tenté de se jeter par-dessus bord, espérait toujours regagner l'Angleterre rapidement pour y élever ses enfants. Jeune encore, elle ne peut se résoudre à perdre en exil ses plus belles années. Elle pleure des jours entiers, fait des scènes violentes à son mari et brise la vaisselle dans des accès de fureur. Les officiers signent finalement tous une déclaration ambiguë qu'ils ont rédigée eux-mêmes. Bertrand écrit : « Je déclare qu'il est de mon désir de rester à Sainte-Hélène. » Les domestiques signent une déclaration rédigée par Napoléon, promettant de « rester ici ». Ce n'est pas exactement ce que Londres a demandé, mais le gouverneur, aussi irrésolu que vindicatif, est obligé de s'en contenter.

La plupart des « règlements » que Hudson Lowe fait parvenir à Longwood, généralement sous la forme d'une lettre qu'un de ses aides de camp va remettre à Bertrand, ont pour but de réduire les communications de Napoléon avec les habitants de l'île et, partant, avec le monde extérieur. Sachant que les exilés réussissent régulièrement à déjouer la censure, le gouverneur interdit aux habitants de Sainte-Hélène tout contact avec Longwood sans son autorisation. Cette précaution n'empêche d'ailleurs nullement les lettres de continuer à passer. Lorsque Hudson Lowe fait déporter un domestique du nom de Santini, Napoléon rédige une note de protestation sur un morceau de satin blanc que Santini emporte cousu dans la doublure de sa veste. La lettre sera publiée en Angleterre sous le titre : « La protestation de Sainte-Hélène. » Hudson Lowe réduit les limites dans lesquelles Napoléon peut se déplacer sans être accompagné par une escorte anglaise. Il remet en vigueur la règle, édictée par Londres mais que Cockburn n'a jamais appliquée, selon laquelle un officier anglais doit voir Napoléon au moins deux fois par jour.

Napoléon tente de retourner ces vexations contre les Anglais. Quand on réduit son espace, il cesse de monter à cheval et déclare à son médecin, Barry O'Meara, qu'en le privant d'exercice, les Anglais vont le tuer et que l'opprobre rejaillira sur eux. Pour éviter d'avoir à prouver sa présence deux fois par jour, il s'enferme des journées entières dans sa petite chambre. En juin, pendant l'hiver austral, lorsque le plateau de Longwood est enveloppé de brouillard et battu par la pluie, aucun Anglais ne verra Napoléon pendant huit jours consécutifs.

Hudson Lowe devient fou d'inquiétude. Un mois auparavant Londres l'a mis en garde contre des risques d'évasion. Le bruit court qu'une expédition va partir du Brésil, qu'un agent bonapartiste a réussi à s'infiltrer à Sainte-Hélène, qu'un Américain du nom de Carpenter arme un bateau dans l'Hudson pour enlever Napoléon. Et voici qu'à présent son prisonnier a disparu ! Est-il seulement encore à Longwood ? Aurait-il réussi à s'échapper à la faveur du brouillard et ne serait-il pas déjà en route vers l'Europe ? Rongé d'angoisse, le gouverneur envoie des émissaires à Longwood menacer de briser sa porte si Napoléon ne se montre pas.

En effet, un officier anglais frappe à la porte qui, du jardin, donne sur la chambre de l'Empereur et crie : « Sortez, Bonaparte ! » Pas de réponse.

Napoléon convoque O'Meara. Il se tient dans sa chambre, une paire de pistolets chargés à portée de la main : « Je tuerai toute personne qui tentera de pénétrer par la force dans mon appartement, dit-il à son médecin. Il ne mangera plus jamais de pain ni de viande ou je ne m'appelle pas Napoléon ! » Il ajoute : « J'y suis absolument résolu. Je sais qu'ensuite on me tuera, mais que puis-je faire seul contre un camp militaire ? J'ai trop souvent fait face à la mort pour la craindre. » Hudson Lowe ne peut prendre le risque que Napoléon soit abattu par un soldat anglais et il finit par céder.

Mais, dans sa querelle avec Hudson Lowe, Napoléon voit le cercle étroit de sa captivité se rétrécir. Les visiteurs se font plus rares, et donc, également, les occasions de communiquer avec le monde extérieur. Les jours, à Longwood, s'étirent, de plus en plus mornes.

C'est alors qu'arrivent les commissaires. En juin 1816, des représentants de trois des puissances alliées, France, Autriche et Russie, débarquent dans l'île. Napoléon croit d'abord pouvoir se servir de Balmain (le Russe) et de Sturmer (l'Autrichien). Le tsar Alexandre a été son ami jadis : peut-être pourrait-on le fléchir et obtenir la fin de l'exil. De même pour l'Autriche : l'Empereur François est le beau-père de Napoléon ; peut-être lui envoie-t-on des nouvelles de Marie-Louise et du Roi de Rome. Mais les commissaires russe et autrichien n'apportent pas de message. Le seul message concernant la famille de l'Empereur lui parvient indirectement : un jeune botaniste qui accompagne le baron Sturmer remet à Marchand une lettre de sa mère, qui est au service de Marie-Louise à

131

Vienne, avec une boucle de cheveu du petit Roi de Rome. Les envoyés des Puissances alliées ont pour seule mission de s'assurer que Napoléon est toujours présent à Sainte-Hélène. L'Empereur refuse de les recevoir « ès qualités » car, dit-il, ce serait reconnaître le droit des Alliés à le maintenir prisonnier. Il accepte en revanche de les recevoir à titre privé, ce que refusent les commissaires. Il ne les rencontrera jamais.

Quant au commissaire français, c'est une autre affaire. Le marquis de Montchenu est un aristocrate de vieille souche, vaniteux, qui n'a guère d'autre mérite que son nom. Son jeune secrétaire fait tout son travail et envoie des rapports personnels à Paris. Montchenu arrive porteur de lettres pour, entre autres, Fanny Bertrand, Las Cases et Montholon, mais rien pour Napoléon, qui d'ailleurs n'attend rien de lui ni de son maître. « Louis ne me doit rien », fait observer l'Empereur. Napoléon méprise les prétentions d'un Montchenu : « Aux yeux de ces benêts, seule compte la naissance. Ce sont les gens de son espèce qui ont été la cause principale de la Révolution. Dieu préserve la nation qui se trouve dirigée par de tels hommes ! » En apprenant que Montchenu a rapporté en Europe ses espiègleries avec Betsy Balcombe, il envoie O'Meara aux Briars porteur, notera Betsy, « d'un message m'indiquant comment me venger de cet homme. Et c'est ce qui faillit arriver. Le marquis était très fier de sa perruque à laquelle était attachée une longue queue. Napoléon me conseilla de brûler cet " ornement " avec un produit caustique. J'étais toujours prête à quelque gaminerie et en l'occurrence j'avais un double motif, puisque Napoléon avait promis de m'offrir le plus bel éventail de la boutique de M. Salomon, si je réussissais à lui envoyer la queue de la perruque. Heureusement, je fus empêchée de me livrer à cette plaisanterie de mauvais goût par les remontrances de ma mère. »

Napoléon sait que l'inaction qu'il s'impose est nuisible à sa santé. Au temps de sa puissance, il passait des jours entiers en selle, crevant ses chevaux sous lui, demeurait plusieurs nuits sans dormir aux cours de ses campagnes, et, aux Tuileries, travaillait jusqu'à vingt heures de suite ; à présent, il peut rester de longues heures assis devant un feu de bois, sans rien faire. Depuis un an, sa santé a beaucoup décliné. En mai, il envoie Marchand quérir le docteur O'Meara, qu'il ne voit habituellement que pour le plaisir de la conversation. Il se plaint d'avoir la goutte et déclare à Las Cases : « Mes jambes refusent de me porter. » Il a constamment froid et le soleil lui donne des maux de tête. Ses gencives le font souffrir ; O'Meara les trouve « spongieuses, pâles et saignant au moindre contact. » Le médecin attribue ses symptômes, que présente aussi parfois Gourgaud, « aux maladies dues au climat », un diagnostic passe-partout. Comme toujours, l'Empereur refuse les remèdes que lui propose O'Meara : « Les médicaments sont bons pour les vieillards. » Le manque d'exercice est mauvais pour sa santé, il en convient, mais cela vaux mieux encore que de concéder au gouverneur le droit de le traiter comme un prisonnier, puisqu'il ne peut se promener seul à cheval.

Le 18 août, un violent incident éclate entre Napoléon et Hudson Lowe. Quelques jours auparavant, le gouverneur a eu un accrochage avec Bertrand et a fait entourer la maison du grand maréchal par un cordon de sentinelles ; personne ne pouvait ni entrer ni sortir. Un soldat anglais envoyé chercher le Dr O'Meara pour un domestique de Bertrand a été mis aux arrêts. Accompagné de l'amiral Malcolm, Hudson Lowe se rend à Longwood afin de se plaindre de l'attitude de Bertrand. Furieux, Napoléon ne lui répond pas et s'adresse ostensiblement à l'amiral : « Bertrand est un homme qui a commandé des armées et il le traite comme un caporal ! Il nous traite comme si nous étions des déserteurs corses ! Les gouvernements emploient deux sortes de gens, ceux qu'ils estiment et ceux

QUI A TUÉ NAPOLÉON ?

qu'ils méprisent. Il est de ces derniers. La place qu'on lui a donnée est celle d'un bourreau. »

Hudson Lowe est blanc de rage. « J'obéis aux ordres, balbutie-t-il.

— Alors, si on vous donnait l'ordre de m'assassiner, vous obéiriez ?

— Non. Les Anglais ne sont pas des assassins.

Hors de lui Napoléon agite les bras et crie : « Je ne puis écrire une lettre sans qu'il la voie, je ne peux recevoir une femme sans sa permission, il a retenu un livre que m'avait envoyé un membre du parlement et il s'en est vanté ! »

L'amiral Malcolm tente de défendre le gouverneur : « Sir Hudson Lowe a conservé ces volumes parce qu'ils portaient en dédicace le titre d'empereur. Il lui était donc interdit de vous les remettre. »

Napoléon bondit : « Et qui vous a donné le droit de me disputer ce titre ? Dans peu d'années votre Lord Castlereagh, votre Lord Bathurst et tous les autres, vous qui me parlez, vous serez ensevelis dans la poussière de l'oubli ; ou si l'on vous connaît encore ce sera par les indignités que vous avez exercées contre moi. »

C'en est trop. Le gouverneur s'en va brusquement. Plus tard, Napoléon se reprochera d'avoir perdu ce sang-froid qu'il gardait en toutes circonstances au temps de sa puissance. Les colères qu'il manifestait alors étaient toujours soigneusement calculées. A Las Cases, il dit : « Je ne dois plus recevoir cet homme : il fait que je m'emporte, c'est au-dessous de ma dignité. Il m'échappe vis-à-vis de lui des paroles qui eussent été impardonnables aux Tuileries. Si elles peuvent avoir une excuse ici, c'est de me trouver entre ses mains et sous son pouvoir. »

A dater de ce jour, Napoléon ne reverra jamais Hudson Lowe. Leur guérilla se poursuivra par personnes interposées.

134

Assis dans son bureau de Plantation House, Hudson Lowe peine pendant de longues heures sur le texte des lettres qu'il envoie à Longwood. Les réponses officielles de Napoléon, lorsqu'il y a une réponse, sont dictées par lui mais signées de Montholon ou de Bertrand. Lorsqu'il désire lancer une accusation qui ne ferait pas bon effet sur le papier, Napoléon se sert de O'Meara comme intermédiaire. Il le reçoit en général dans son jardin ou à l'heure du bain, et accumule les épithètes vengeresses à propos du gouverneur, le traitant fréquemment de « sbire sicilien ». « Quand il entoure ma maison avec son état-major, il me fait songer aux sauvages des mers du sud en train d'exécuter une danse autour des prisonniers qu'ils s'apprêtent à dévorer. Dites-lui tout ce que je pense de sa conduite. » O'Meara ajoute : « Par crainte que j'oublie ce qu'il m'a dit, il répète ses expressions à propos des sauvages et me demande de les redire après lui. » Napoléon prie en outre son médecin de lui rapporter les réactions du gouverneur.

La tactique de Napoléon consistant à envoyer Cipriani à Jamestown pour y vendre son argenterie se révèle efficace. Le jour de Noël 1816, Cipriani descend une nouvelle fois au port avec quatre paniers contenant 290 livres d'argenterie brisée. Dès qu'il apprend cette nouvelle transaction, Hudson Lowe convoque Cipriani : « Quel besoin avez-vous de tant d'argent ? demande-t-il.

— Pour acheter de quoi manger, Excellence, répond Cipriani.

— Pourquoi achetez-vous tant de beurre, tant de volailles ?

— Parce que l'allocation accordée par votre Excellence n'est pas suffisante pour notre nourriture.

Le gouverneur n'a pas reconnu l'homme que huit ans auparavant il employait à Capri sous le nom de Franceschi. A Londres, les autorités anglaises, embarrassées par l'affaire de l'argenterie, cessent leurs tracasseries au sujet du budget de Longwood. C'est là un médiocre succès pour le vainqueur d'Austerlitz. Mais à Sainte-Hélène, Napoléon n'a plus d'autres batailles à mener.

Hambourg
octobre 1961

Dans l'avion qui le ramène de Hambourg à Göteborg, Sten Forshufvud ne cache pas sa satisfaction. Un pas décisif vient d'être franchi.

Le jour même, à la suite d'un coup de téléphone, il a sauté dans le premier avion pour Hambourg. L'interlocuteur de Froshufvud s'était présenté sous le nom de Clifford Frey, tisserand à Muchwilen, en Suisse. Il avait en sa possession une mèche de cheveux de Napoléon, ayant appartenu à Abram Noverraz, le valet suisse de l'Empereur. Il avait lu l'article de Forshufvud sur l'empoisonnement de Napoléon et serait heureux de lui céder quelques cheveux pour lui permettre de poursuivre ses analyses. Rendez-vous est pris au restaurant de l'aéroport de Hambourg, le jour même à six heures et demie.

Les cheveux qu'a rapportés Noverraz conviennent parfaitement à l'analyse segment par segment : le valet suisse les a rasés sur le crâne de l'Empereur au lendemain de sa mort.

Forshufvud s'aperçoit alors qu'ils n'ont pas convenu de la manière de se reconnaître. Qu'importe ! A l'heure dite, le Suédois se trouve au restaurant de l'aéroport. Autour de lui, il ne voit qu'une grosse dame allemande accompagnée de son époux fortement imbibé de bière, et une bande de Danois qui se préparent à regagner leur pays après une journée en galante

137

compagnie dans Reeperbahn, la rue des plaisirs de Hambourg. Il s'assied à une petite table d'où il peut surveiller l'entrée du restaurant. En attendant, Forshufvud songe à Abram Noverraz, que Napoléon n'appelait plus que son « ours suisse » depuis qu'en 1814, sur le chemin de l'île d'Elbe, il avait repoussé d'une seule main un royaliste fanatique qui s'était rué sur sa voiture.

Mais bientôt, un homme pénètre dans le restaurant et semble chercher quelqu'un : c'est bien Clifford Frey. L'homme est pressé et décline l'invitation à dîner de Forshufvud.

Frey prend une enveloppe dans son porte-documents et la tend à Forshufvud. Sur l'enveloppe, le nom de l'expéditeur : Abram Noverraz, la Violette près Lausanne, 8 septembre 1838. Elle est adressée à Monsieur Mons Riss, Saint-Gall, Suisse. A l'intérieur, Forshufvud trouve une lettre et une enveloppe plus petite. La lettre, de la même écriture que la suscription, est signée J. Abram Noverraz et dit entre autres : « C'est un plaisir que de vous envoyer, Monsieur Mons, quelques cheveux de l'Empereur Napoléon que j'ai pris sur sa tête après sa mort, le 6 mai 1821. » La petite enveloppe porte une inscription de la même écriture : « Cheveux de l'immortel Empereur Napoléon. » Les cheveux eux-mêmes sont attachés à un petit morceau de carton au moyen d'une ficelle nouée de façon compliquée et dont le nœud est scellé à la cire.

A la demande du Suédois, Frey explique comment il est entré en possession de la mèche. Il y a de cela longtemps, une certaine madame Mons-in-Hoff, veuve du petit-fils du « Monsieur Mons » à qui Noverraz avait envoyé la lettre, a vendu la relique au père de M. Frey, officier de l'armée suisse, lequel l'a ensuite léguée à son fils.

« Je vous cède ces cheveux pour mille dollars, dit Frey. »

Forshufvud est abasourdi. Son enquête lui coûte décidément de plus en plus de temps, mais aussi d'argent. Après un moment de réflexion, il fait observer que si lui-même et Hamilton Smith pouvaient se servir de deux ou trois cheveux aux fins de prouver l'assassinat de Napoléon, la valeur vénale de la mèche en serait fortement augmentée. Frey finit par accepter, mais pose soigneusement ses conditions : Sur les quelque cinquante cheveux de la mèche, il ne pourra en prélever que vingt au maximum pour l'analyse. En aucun cas le nœud ne devra être défait. Les cheveux devront glisser librement hors du nœud ou, si c'est impossible, être coupés de chaque côté. Clifford Frey devra recevoir le résultat des tests et les cheveux restants lui être retournés avec les enveloppes et la lettre de Noverraz. Enfin, les résultats des analyses devront être publiés rapidement dans une revue scientifique de premier plan. Forshufvud ne peut s'empêcher de sourire : voilà bien l'attitude d'un homme d'affaires, et Suisse de surcroît. Mais après tout, qu'importent les motivations de M. Clifford Frey ! Il accepte.

Dans l'avion qui le ramène à Göteborg, Forshufvud songe avec satisfaction que la publication de leur article n'aura pas été vaine. Paru dans le numéro du 14 octobre de la revue scientifique britannique *Nature*, cet article rédigé par Hamilton Smith, Anders Wassen, un toxicologue suédois, et lui-même, décrivait les premiers résultats de leurs travaux. Les réactions ne s'étaient pas fait attendre : les spécialistes français de l'histoire napoléonienne, notamment, avaient rétorqué que l'analyse d'un seul cheveu était insuffisante, que l'arsenic pouvait provenir de l'environnement, que le cheveu n'appartenait peut-être même pas à l'Empereur, etc.

Heureusement, il y avait eu ce coup de téléphone de Clifford Frey. Le « blocus français » se révélait inopérant.

Longwood, Sainte-Hélène
novembre 1816

Napoléon est assis sur un tronc d'arbre dans le jardin de Longwood, en compagnie de trois de ses officiers : Las Cases, Montholon et Gourgaud. C'est un bel après-midi de printemps, le soleil brille et Napoléon est de bonne humeur. Saint-Denis apporte une assiette avec cinq belles oranges d'Afrique du Sud — don de l'amiral Malcolm — du sucre et un couteau. L'Empereur donne un fruit à Las Cases pour son fils et coupe les autres en tranches qu'il mange ou distribue à ses officiers. « J'ai fait, avec Bertrand, de la fortification toute la journée, aussi m'a-t-elle paru très courte. »

Un vent froid se lève et Napoléon rentre dans la maison avec Las Cases. Par la fenêtre du salon de billard, il voit apparaître un groupe de cavaliers anglais. Il s'agit d'Hudson Lowe accompagné d'aides de camp et de dragons. Un domestique vient alors annoncer que l'adjoint du gouverneur, Thomas Reade, désire parler à Las Cases. « Allez voir, mon cher, ce que vous veut cet animal », dit Napoléon. Un quart d'heure plus tard, Marchand fait irruption dans la pièce, visiblement bouleversé : les Anglais viennent d'arrêter Las Cases et son fils dans leur chambre et ont saisi tous leurs papiers.

O'Meara arrive dans la soirée, porteur d'autres nouvelles. Il a rencontré Hudson Lowe qui lui a dit : « Vous pouvez aller voir votre ami Las Cases en prison. » On accuse Las Cases de correspondance clandestine. Le gouverneur entend par « clandestine » toute communication écrite ou verbale qui ne lui est pas préalablement soumise. Un jeune mulâtre nommé James Scott, esclave affranchi qui était jusqu'à une date récente domestique de Las Cases à Longwood, a avoué avoir accepté de porter des lettres en Angleterre où il doit partir avec un nouveau maître. Les missives, écrites sur du satin blanc et cousues dans les vêtements de Scott, étaient destinées l'une à Lucien Bonaparte à Rome, l'autre à Lady Clavering à Londres. Las Cases demandait à cette dernière d'insérer dans un journal londonien une phrase préalablement convenue qui lui indiquerait, à Longwood, que sa lettre était bien arrivée. Ayant appris la chose, le père de James Scott n'avait pas hésité à dénoncer son fils. Las Cases et son fils sont détenus dans un cottage tout au bout du plateau de Longwood, et le gouverneur a en sa possession tous les papiers de l'officier, notamment les centaines de pages dictées par l'Empereur.

Napoléon est furieux. L'un des secrets de Longwood a été découvert, et son travail, si important pour sa gloire future, est tombée entre les mains de l'ennemi. Ses officiers qui détestent Las Cases (ils l'appellent « le jésuite »), estiment que le petit homme s'est plus ou moins délibérément fait arrêter, afin de quitter Sainte-Hélène. Les circonstances entourant son arrestation sont en effet assez troublantes. Il avait proposé, quelques jours plus tôt, d'envoyer des lettres par l'entremise de Scott ; « Folie ! » s'était alors exclamé Napoléon. Las Cases n'y avait néanmoins pas renoncé. Or, deux semaines auparavant, on l'avait surpris, qui tentait de confier un message clandestin à ce même James Scott. Hudson Lowe s'était alors contenté de lui adresser un avertissement et d'éloigner le jeune mulâtre. Cette missive était destinée à la jeune épouse française du baron Sturmer, le commissaire autrichien.

Depuis l'arrivée de la baronne à Sainte-Hélène, Las Cases s'efforçait d'entrer en contact avec elle. Il l'avait connue à Paris deux ans plus tôt, alors qu'elle ne s'appelait encore que Mlle Boutet, et lui avait rendu divers services. Il pensait donc qu'elle aurait à cœur d'employer sa nouvelle situation à aider les exilés. Napoléon avait dissipé les espérances de Las Cases : « Comme vous connaissez peu le cœur humain ! Quoi, son père a été précepteur de votre fils, votre femme l'a protégée dans sa nullité et elle est devenue baronne autrichienne ? Mais mon cher, vous êtes la personne qu'elle redoute le plus de rencontrer ici, celle dont la présence est pour elle la plus embarrassante ! » Et en effet, la baronne fit répondre à Longwood qu'elle ne connaissait personne du nom de Las Cases, et son mari rapporta l'incident au gouverneur.

Etrangement, pour seule punition, on s'était contenté de renvoyer Scott de Longwood, alors que les esclaves prenaient habituellement le fouet pour bien moins que cela. Plus étrange encore : Scott était retourné à Longwood, au prix de risques insensés, rampant entre les sentinelles pendant la nuit, pour y prendre le second message ; puis il laissa une partie de la lettre sous un rocher et alla raconter toute l'histoire à son père. Las Cases, dans une lettre écrite de sa prison, admet être tombé dans un piège tendu par Hudson Lowe qui n'a qu'un désir : réduire l'entourage de Napoléon ; le gouverneur, de surcroît, le déteste tout particulièrement.

En réalité, Las Cases n'est pas fâché à l'idée d'être déporté. Il fait la sourde oreille à une proposition de Hudson Lowe, qui lui permettrait de rester. Il déclare à Bertrand venu lui rendre visite dans sa cellule, que sa destinée se trouve désormais ailleurs. En effet, son grand ouvrage historique est pour l'essentiel terminé. La vie à Longwood est rude pour le fragile aristocrate, qui doit en plus faire face à l'hostilité des autres compagnons de l'Empereur. Son appartement est misérable, sa santé et celle de son fils se dégradent de jour en jour, sa vue ne cesse de baisser et il a beaucoup de peine à écrire sous la dictée de Napoléon. Las Cases et son fils manifestent les mêmes symptômes étranges que l'Empereur et, peu de jour avant son arrestation, le jeune Emmanuel est tombé gravement malade.

Un mois après leur arrestation, Las Cases et son fils partent pour le Cap de Bonne Espérance, où ils attendront huit mois l'autorisation d'embarquer pour l'Europe. Pendant son séjour au Cap, Las Cases fait parvenir à Napoléon une provision de son vin favori, le « vin de Constance » sud-africain, et note avec fierté que les habitants de cette pointe extrême de l'Afrique donnent le nom de « Napoléon » à leurs meilleurs coqs de combat, à leurs chevaux les plus rapides et à leurs taureaux les plus redoutables. A Sainte-Hélène, Hudson Lowe a mis les manuscrits de Las Cases sous scellés. Il les enverra à Londres où l'auteur ne les récupérera qu'en 1821, après la mort de Napoléon. En quittant l'île, Las Cases a emporté un souvenir : une boucle ramassée sur le plancher alors que le valet de pied de l'Empereur, Santini, coupait les cheveux de son maître.

Jaloux des faveurs que lui prodiguait l'Empereur, les compagnons de Las Cases sont heureux de le voir partir ; lorsqu'un bref moment on pense que le petit courtisan pourrait peut-être rester, Montholon entre même dans une rage inhabituelle chez lui. Napoléon, lui, est attristé par ce départ. Las Cases lui a été d'une grande utilité comme secrétaire et comme interprète ; et il goûtait tout particulièrement la conversation du vieil aristocrate plus ouvert et plus cultivé que les autres officiers. Inquiet de savoir le manuscrit aux mains de Hudson Lowe, Napoléon convoque un jour Saint-Denis qui l'a retranscrit sur 925 pages de sa petite écriture précise, et l'interroge sur les paragraphes qui, au dire même de Las Cases, n'ont pas été dictés par l'Empereur.

— Il ne dit rien du gouverneur ?

Saint-Denis ne peut s'empêcher de sourire :

— Il en parle beaucoup, sire.

— Répète-t-il que j'ai dit : c'est un homme ignoble, et que sa figure est la plus basse que j'aie jamais vue ?

— Oui, mais souvent les expressions sont plus modérées.

— Dit-il que je l'ai appelé « sbire sicilien » ?

— Oui, sire.

— C'est bien son nom, ajoute l'Empereur.

Peu avant le départ de Las Cases, Napoléon rédige un brouillon de lettre d'adieu et, durant le dîner, qui ne se déroule plus qu'en présence de Gourgaud et des Montholon, il demande à Gourgaud de la lire à haute voix. Puis il l'invite à la commenter. Jaloux, Gourgaud la trouve trop prodigue d'éloges pour un homme qui n'a servi l'Empereur que dix-huit mois.

— Je vois bien que dans ce monde il ne faut jamais dire la vérité aux souverains et que les intrigants et les flatteurs sont ceux qui réussissent le mieux !

Napoléon l'interrompt :

— Mon vœu est qu'un jour Las Cases soit votre meilleur ami.

— Jamais, répond Gourgaud, je le déteste... C'est un tartuffe. Un jour votre Majesté elle-même le reconnaîtra !

Napoléon hausse les épaules et dit amèrement :

— Eh, qu'attendez-vous ? Qu'il me trahisse ? Qu'il dise du mal de moi ? Eh mon Dieu, Berthier, Marmont, des hommes que j'avais comblés d'honneurs et de faveurs, comment se sont-ils conduits ? Je défie aucun individu de m'attraper. Il faudrait que les hommes fussent bien scélérats pour l'être autant que je le suppose !

Longwood, Sainte-Hélène
juillet 1817

Ce soir-là, Napoléon invite O'Meara à un dîner en tête à tête, non dans la salle à manger, mais dans la petite pièce jouxtant la chambre où il passe la plus grande partie de ses journées. Le repas est servi sur une petite table ronde, sans protocole. Napoléon prend un fauteuil, O'Meara une chaise.

A présent, Napoléon dîne plus rarement avec ses officiers. Lorsqu'il le fait ce n'est généralement plus qu'avec Gourgaud et les époux Montholon. Il arrive parfois qu'il dîne seul avec Albine de Montholon. Les Bertrand, quant à eux, viennent rarement à Longwood le soir. Leurs relations avec l'Empereur se sont un peu refroidies. Le grand maréchal a peu de talent pour l'intrigue et son épouse envie la place qu'Albine de Montholon occupe désormais auprès de Napoléon. Gourgaud et les Montholon ne cessent de se quereller. Napoléon, qui regrette ses longues conversations avec Las Cases, s'ennuie à mourir en leur compagnie.

En revanche, il prend grand plaisir à la compagnie de O'Meara. Il n'a pas pleine confiance en ce jeune médecin qui, après tout, est officier anglais ; d'ailleurs, il n'a confiance en personne, mais O'Meara qui circule librement dans l'île, peut rapporter des nouvelles du monde extérieur. Le médecin, de son côté, conscient de l'occasion qui s'offre à lui, encourage

145

Napoléon à lui parler. Il se retire ensuite dans sa chambre et consigne les paroles de l'Empereur dans son journal. Les deux hommes discutent fréquemment du caractère national anglais. Napoléon pense que l'intérêt économique guide toujours la politique anglaise et cite le nationaliste corse Paoli : « Sono mercanti » (ce sont des marchands). Lors de ces entretiens, il arrive que Napoléon jette sur lui-même un regard plus objectif qu'il ne l'a fait dans ses panégyriques dictés à Las Cases : « Personne ne m'a jamais causé de tort. Je puis dire que j'ai été mon seul ennemi. Mes propres projets, cette expédition de Moscou et les accidents qui s'y produisirent, ont été les causes de ma chute. Je peux toutefois dire que ceux qui ne se sont pas opposés à moi, qui s'empressaient d'être d'accord avec moi, entraient dans toutes mes vues et se soumettaient avec facilité, ceux-là m'ont causé les plus grandes blessures et étaient mes plus grands ennemis, parce qu'avec la facilité de conquêtes qu'ils me fournissaient, m'encourageaient à aller trop loin... J'étais alors trop puissant pour qu'aucun homme, sauf moi-même, puisse me nuire. »

Napoléon fait très peu appel aux services de O'Meara, car en dépit de quelques jours de maladie occasionnels, sa santé est encore relativement bonne en ce premier semestre de 1817. A différentes reprises toutefois il se plaint de gonflement des jambes, de maux de tête et de ses gencives douloureuses. Il est deux fois victime de diarrhées. O'Meara diagnostiquera une dysenterie. Il dit se sentir mieux que l'année précédente. Comme à son habitude, il plaisante O'Meara sur sa profession : « Vous autres, médecins, vous avez plus de trépas à votre actif que nous, les généraux... Lorsque par ignorance ou erreur vous expédiez des gens dans l'autre monde, vous êtes aussi froids qu'un général de ma connaissance qui a perdu trois mille hommes en prenant d'assaut une colline. Ayant fini par s'en emparer, il déclara avec un incroyable sang-froid : " Oh, ce n'est pas la colline que je voulais prendre, c'était une autre, celle-ci ne m'est d'aucune utilité ", et il retourna à sa position initiale. »

Napoléon est de bonne humeur et, après dîner, il déclare à O'Meara que cela l'amuserait de le voir ivre. L'Empereur, qui ne boit jamais plus d'un ou deux verres de vin, prend un malin plaisir à traiter les Anglais d'ivrognes. Il raille la coutume anglaise de séparer les sexes après le dîner : « Si j'étais une Anglaise, je serais très mécontente d'être ainsi mise à la porte par des hommes et de devoir attendre deux ou trois heures qu'ils lampent leur vin. » Sur quoi, il prie Marchand d'apporter une bouteille de champagne, en boit un verre lui-même et insiste pour que O'Meara boive tout le reste : « Doctor, drink, drink... »

Les deux hommes parlent de l'amiral et de Lady Malcolm sur le point de quitter Sainte-Hélène, dont l'officier anglais a commandé la flotte pendant une année. C'est un homme attrayant, aux cheveux déjà grisonnants à quarante-cinq ans. Napoléon l'apprécie autant qu'il déteste Hudson Lowe. Sans se permettre de le critiquer ouvertement, l'amiral désapprouve les manières du gouverneur à l'égard de l'Empereur. Son épouse est une grande femme maigre, très maquillée et qui souffre d'une déviation de la colonne vertébrale. Elle affiche ouvertement sa sympathie pour l'Empereur déchu. Son frère, le capitaine Elphinstone, doit la vie à Napoléon ; grièvement blessé la veille de Waterloo, il a été soigné sur ordre de l'Empereur par son chirurgien personnel. Lors de la visite d'adieu des Malcolm à Longwood, il leur a montré avec fierté un buste du Roi de Rome (en réalité c'est un faux) arrivé la semaine précédente et trônant à présent sur la cheminée. Napoléon a profité de l'occasion pour renouveler ses doléances, mais en ajoutant : « J'ai porté la couronne impériale de France et la couronne de fer d'Italie. L'Angleterre m'en donne maintenant une plus glorieuse : une couronne d'épines. L'oppression et l'insulte ajoutent à ma renommée. C'est à l'Angleterre que je devrai le rayonnement de ma gloire. »

La famille de Lady Malcolm sera cause d'un incident supplémentaire entre Napoléon et Hudson Lowe. Un voyageur anglais arrive à Sainte-Hélène avec des cadeaux pour Napoléon de la part d'un autre frère de Lady Malcolm, John Elphistone, représentant en Chine de la Compagnie des Indes orientales. Le coffre est préalablement envoyé à Plantation House pour examen ; il ne contient pas de messages clandestins, mais, parmi d'autres cadeaux, un magnifique jeu d'échecs en ivoire sculpté, dont les pièces sont ornées de la lettre « N » surmontée d'une couronne impériale. Hudson Lowe hésite pendant plusieurs jours : doit-il laisser passer ces pièces, au risque de laisser croire que lui-même et son gouvernement reconnaissent à Napoléon le titre d'Empereur ?

Le problème est délicat. Le gouverneur consulte l'amiral Robert Plampin, le successeur de Malcolm : « Si le " N " couronné vous gêne, lance Plampin, ne le regardez pas ! » L'histoire fera rapidement le tour de Sainte-Hélène. Hudson Lowe finit par envoyer le jeu d'échecs à Longwood, accompagné d'une lettre pour Bertrand expliquant qu'il consent à cet envoi, bien que la stricte interprétation des règlements interdise un tel cadeau. Napoléon répond par l'intermédiaire de Bertrand que les cartes à jouer, le linge et « le peu d'argenterie restante » portent des couronnes. Sont-ils également interdits ? Le gouverneur rédige alors une lettre de 1 200 mots dans laquelle il explique qu'une couronne fabriquée après que l'Empereur eut abdiqué, et par un Anglais de surcroît, n'a rien à voir avec une couronne faite par un Français lorsque Napoléon était encore sur le trône. Sainte-Hélène s'amusera beaucoup de l'anecdote et le comte Balmain écrit à Saint-Pétersbourg que « la conduite d'Hudson Lowe envers eux était un peu saugrenue et que même les Anglais commençaient à le dire. »

Napoléon prie O'Meara d'inviter à Longwood le voyageur anglais qui a apporté le coffre et dont on dit qu'il a vu le Grand Lama du Tibet. « Je n'ai jamais lu de récits crédibles à son sujet, dit Napoléon à O'Meara, au point que j'ai parfois douté de son existence. » Le voyageur, un certain Manning remercie d'abord Napoléon de l'avoir fait libérer alors qu'il avait été arrêté quelques années plus tôt au cours d'un voyage à travers la France. Napoléon prend l'Atlas de Las Cases et demande à Manning de lui indiquer son itinéraire au Tibet. Un feu roulant de questions à propos du Grand Lama s'abat bientôt sur Manning. L'Anglais le lui décrit « comme un garçon de sept ans très intelligent ». Napoléon pose encore des questions sur la langue chinoise et veut savoir si les Russes ont pénétré au Tibet.

Lorsque des problèmes de jeu d'échecs n'accaparent pas son attention, Hudson Lowe ne songe qu'à une possible évasion de son prisonnier. En mars il vient lui-même à Longwood annoncer la nouvelle : il va faire poser autour de la maison une clôture qui sera verrouillée la nuit et dont il gardera les clefs jusqu'à l'aube. Mais Napoléon ne projette pas de s'évader. A deux reprises il refuse l'offre d'un capitaine anglais qui se proposait de lui faire quitter l'île.

Néanmoins la deuxième fois, Napoléon se penche en compagnie de Gourgaud et de Montholon sur une carte de l'île : « Par la ville, en plein jour, ce serait le mieux. En marchant le long de la côte avec nos fusils de chasse nous pourrions facilement maîtriser un poste de dix hommes. Je pourrais être censé garder la chambre. Le gouverneur est accoutumé à ce que je sois plusieurs jours sans sortir. Nous enverrions une de nos dames, ou même les deux, faire visite à Plantation House. O'Meara irait en ville, et pendant que dans son salon Lady Lowe ferait la belle conversation sur moi, nous quitterions ce

149

maudit pays. Seul Marchand saurait que je ne suis pas ici... »
Mais tout à coup Napoléon secoue la tête : « Tout cela est bien
séduisant, hélas ! c'est une folie. Il faut que je meure ici ou que
la France vienne m'y chercher. » On raconte que, sur le point
de se révolter, les colonies espagnoles d'Amérique auraient
demandé à Joseph, qui vit à Philadelphie, d'être leur roi.
Joseph pourrait alors négocier la libération de son frère.
Certains exilés se voient déjà à Buenos Aires. Mais Napoléon
reste sceptique. Il a placé son frère sur le trône deux fois,
d'abord à Naples, puis en Espagne, et en a toujours été déçu :
« Il est trop bon pour être grand », dit-il à O'Meara.

Napoléon parle de moins en moins d'un retour au pouvoir.
Lorsque après sa chute il évoquait la France, c'était souvent
pour parler des problèmes de ses successeurs. « Les Bourbons,
disait-il à Gourgaud, ne peuvent se maintenir au pouvoir que
par la terreur, s'ils faiblissent, ils sont perdus. » A O'Meara, il
dit : « Lorsque vingt ans auront passé, lorsque je serai mort et
enterré, vous serez le témoin d'une nouvelle révolution en
France. » Les Anglais craignent qu'il veuille encore récupérer
son trône, lui déclare un jour O'Meara, et Napoléon répond :
« Bah ! Si j'étais à présent en Angleterre et qu'une députation
vienne de France pour m'offrir le trône, je refuserais, si ce
n'était pas le souhait unanime de toute la nation. Autrement, je
serais obligé de devenir un bourreau et de couper les têtes de
milliers d'hommes pour conserver ce trône. Il faudrait des flots
de sang pour me conserver au pouvoir. J'ai fait assez de bruit
jusqu'à ce jour dans le monde — peut-être trop —, je me sens
vieux, je souhaite la retraite. »

Après deux années d'exil, Napoléon compte surtout sur un
changement de gouvernement à Londres. Il sait, par les
journaux qui parviennent à Longwood, ou par les informations
de O'Meara, que la vente de son argenterie, et le message
transmis par le domestique Santini ont fait tant de bruit en

150

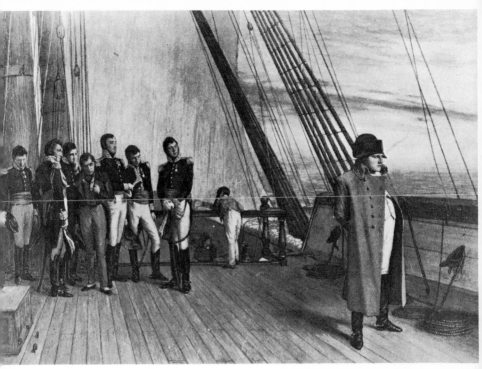

Napoléon à bord du *Bellerophon,* en juillet 1815. *(The Mansell Collection.)*

...dson Lowe, gouverneur britannique de Sainte-Hélène. *(Arch. E.R.L.)*

Le comte d'Artois, frère de Louis XVIII et futur Charles X. *(Collection Viollet.)*

Vue générale de Sainte-Hélène et du port de Jamestown. *(The Mansell Collection.)*

Albine de Montholon.
(Ph. Bibl. Nat. Paris.)

Le comte de Montholon.
(Ph. Bibl. Nat. Paris.)

La maréchale Bertrand. *(Mary Evans Picture Library.)*

Le général Gourgaud.
(Ph. Bibl. Nat. Paris.)

Le maréchal Bertrand.
(Ph. Bibl. Nat. Paris.)

Le comte de Las Cases. *(Ph. Bibl. Nat. Paris.)*

Longwood House, résidence de Na
à Sainte-Hélène. *(The Mansell Colle*

Marchand, valet de chambre de l'Empereur.
(Ph. Bibl. Nat. Paris.)

...eara (à g.) et son successeur Antommarchi (à dr.) qui furent les médecins de l'Empereur. *(Archive E.T. et collection Viollet.)*

Napoléon Bonaparte dans sa jeunesse (en haut) et au début de son âge adulte (en bas). *(Bibl. Nat. Paris - Arch. E.R.L. et Bibl. Nat. Paris.)*

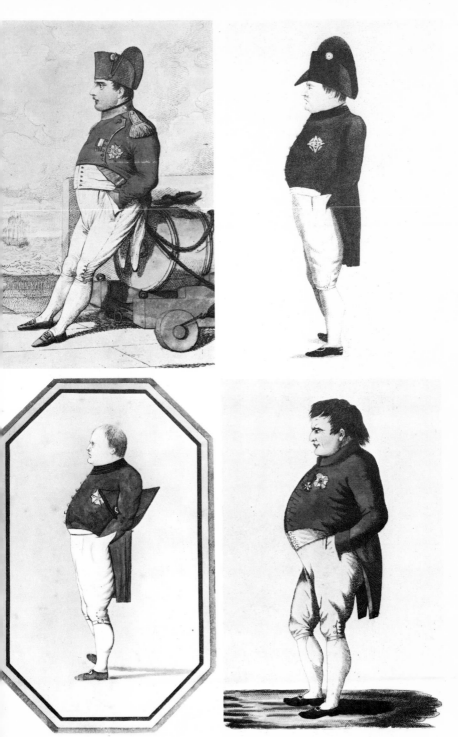

érie de dessins mettant en évidence les progrès de la maladie de l'Empereur. Les deux essins du haut ont été faits à bord du *Northumberland* qui amenait Napoléon à Sainte-lélène. Les deux dessins du bas ont été faits à Sainte-Hélène, celui de droite deux mois vant sa mort. *(Bibl. Nat. Paris - Arch. E.R.L.; Ph. Musées nationaux; Mary Evans Picture Library; Bibl. Nat. Paris - Arch. E.R.L.)*

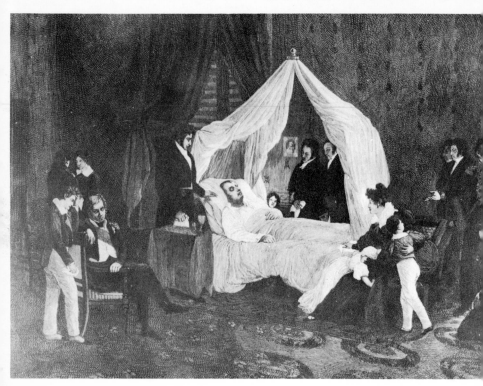

Mort de Napoléon, en mai 1821. *(The Mansell Collection.)*

Le Dr Forshufvud qui soupçonna que Napoléon avait été empoisonné. *(Ph. L. Forshufvud.)*

Le Dr Hamilton Smith dont riences confirmèrent l'hypot Forshufvud. *(Ph. Keyst*

Angleterre qu'ils ont provoqué un débat au Parlement. L'opposition libérale (Whig), menée par Lord Holland, dont la femme est une admiratrice de Napoléon, a vivement critiqué l'attitude du gouvernement. Mais Lord Bathurst, ministre des Colonies, ne modifiera sa politique sous aucun prétexte. En juin, Napoléon dit à Gourgaud : « A la mort de Louis XVIII il pourra y avoir de grands événements. Si Lord Holland entrait au ministère, peut-être me rappellerait-on en Angleterre, mais sur quoi il faut le plus espérer, c'est sur la mort du prince régent, qui mettra sur le trône la petite princesse Charlotte. Elle me rappellera. »

Le 4 juillet, le lendemain du dîner au champagne avec O'Meara, les Malcolm partent pour l'Angleterre. Chacun d'eux emporte un souvenir de leur dernière visite à Longwood. Lady Malcolm une tasse et une soucoupe en porcelaine de Sèvres représentant l'obélisque de Cléopâtre. L'amiral, une boucle de cheveux de Napoléon.

Forshufvud attendra deux mois les résultats des analyses de Hamilton Smith. Il a eu quelques difficultés à faire parvenir la précieuse mèche de cheveux à l'université de Glasgow. L'envoi par la poste présentant des risques, il a demandé à une compagnie d'assurances suédoise d'assurer la relique pour 25 000 dollars. L'agent d'assurances lui a ri au nez. Même la Lloyds de Londres a refusé. Finalement, Clifford Frey est venu à Göteborg et les a portés lui-même à Glasgow.

En attendant les résultats, Forshufvud se plonge à nouveau dans le petit monde clos de Longwood qui vit au rythme de la maladie de l'Empereur. Le dévoué Marchand est là presque en permanence. Antommarchi, le médecin, ne passe que quelques instants au chevet de son illustre malade : Napoléon ne cache pas son aversion pour lui. Le comte de Montholon, lui, affirme de jour en jour sa présence. Plus aucun visiteur.

Forshufvud retrace les symptômes manifestés par Napoléon, tels que les décrivent les témoins oculaires des sept derniers mois, soit de septembre 1820 jusqu'à sa mort, le 5 mai 1821. Forshufvud a depuis longtemps établi que durant ces derniers mois le malade a manifesté la grande majorité des symptômes d'un empoisonnement tant chronique qu'aigu : le témoignage des Mémoires est éclatant à cet égard. La prochaine

152

étape consiste à tracer un graphique reflétant l'évolution de ces symptômes pendant la période donnée, afin de vérifier s'il coïncide avec les résultats que fournira Hamilton Smith.

La dernière phase de la maladie, telle que l'ont décrite les témoins, ne correspond pas à une descente graduelle vers la mort. Il y a des crises aiguës et des périodes de rémission durant lesquelles Napoléon se lève pour faire quelques pas. Mais pas plus, car ainsi qu'il s'en plaint à Marchand, « mes Jambes ne me portent plus ». Or la faiblesse du bas des jambes est l'un des symptômes de l'empoisonnement par l'arsenic.

Forshufvud agrafe plusieurs feuilles de papier bout à bout et trace une longue ligne figurant les sept derniers mois. Sur cette ligne il inscrit chaque symptôme que manifeste Napoléon à la date indiquée par Antommarchi, Marchand et les autres témoins. Cette figure une fois terminée mesure plusieurs mètres de long et, pour en avoir une vue d'ensemble, Forshufvud est obligé de l'étaler sur le plancher de son bureau ; l'image de la dernière maladie de Napoléon y apparaît clairement avec ses moments de crise et ses périodes de rémission : durant ces sept mois, Napoléon a souffert de six crises d'empoisonnement aigu, du 18 au 21 septembre, du 10 au 18 octobre, du 25 octobre au 1er novembre, du 28 au 30 décembre, du 26 au 29 janvier et du 26 au 27 février. Dans les intervalles entre ces attaques aiguës, il continue de montrer les symptômes d'un empoisonnement chronique. Après février, la nature des symptômes semble se modifier. Il se remet un peu vers la mi-avril et rédige son testament. Puis vient la crise finale qui dure environ deux semaines, c'est-à-dire jusqu'à la mort.

Au cours de ces mois d'étude « passés dans la chambre du malade de Longwood », Forshufvud acquiert une vision entièrement nouvelle de Napoléon : il ne connaissait auparavant que l'Empereur tout-puissant, le conquérant qui régnait sur l'Europe. Ce Napoléon-là n'appelait pas la sympathie. Il n'en avait

153

pas besoin. Il était, comme peu de personnages l'ont été dans l'Histoire, le maître de son destin. Mais l'homme qui gît à présent, sur ce lit de camp de Longwood, en proie à la souffrance, trahi par un de ses proches... cet homme-là a désespérément besoin d'aide. Napoléon voulait que l'on découvre la cause de sa mort. Forshufvud a le sentiment d'accomplir une mission. Cent cinquante ans après, il lui semble répondre aux derniers vœux de l'Empereur. Rien ni personne ne pourra l'en empêcher. Il ne trahira pas.

Le rapport de Hamilton Smith arrive au début du mois de décembre. L'écriture de l'Ecossais est presque aussi difficile à déchiffrer que l'impatient gribouillis de Napoléon ! Mais au premier coup d'œil, Forshufvud comprend que son attente n'a pas été vaine.

Dans sa lettre, Hamilton Smith relate avec précision toutes les étapes suivies. Conformément aux instructions de Clifford Frey, il a extrait de la mèche vingt cheveux sans défaire le nœud de la ficelle scellée. Il a pu constater que, comme Louis Marchand l'a raconté dans ses *Mémoires*, les cheveux de l'Empereur ont été rasés et non taillés aux ciseaux. Les cheveux morts deviennent secs et cassants avec le temps, et plusieurs se sont brisés lorsqu'il a fallu les extraire du nœud. A ces fragments, Hamilton Smith a appliqué la première méthode qui révèle la teneur totale en arsenic. Deux jeux de ces fragments, testés séparément, donnent une proportion d'arsenic de 3,27 et 3,75 pour un million : une proportion inférieure à celle du premier cheveu analysé mais néanmoins quatre et cinq fois supérieure à la teneur normale (0,8 pour un million).

Un cheveu de treize centimètres et un autre de neuf centimètres, donc assez longs pour être soumis à la nouvelle méthode d'analyse « par segments », ont été placés dans des tubes de silicone pur et envoyés à l'Institut de Recherches sur l'Energie Atomique de Harwell où ils ont été placés dans un réacteur nucléaire et irradiés pendant vingt-quatre heures par neutrons thermiques. Ayant subi ce traitement, ils ont été retournés au laboratoire de Smith à Glasgow. Smith les a alors fixés sur un papier et coupés en segments de cinq millimètres, de façon à pouvoir mesurer au compteur Geiger leur teneur en arsenic. Le graphique des résultats ainsi obtenus forme une ligne brisée allant de 2,8 à 51,2. Pour le cheveu le plus court les proportions varient de 1,06 (c'est-à-dire guère plus que la normale) à 11. Sur cet échantillon de cheveux, Smith a procédé au total à cent quarante tests.

Le graphique en ligne brisée prouve que l'arsenic qui a tué Napoléon ne provenait pas de l'environnement. Il est à présent certain que l'on a administré des doses périodiques importantes.

Forshufvud étale son propre diagramme sur le plancher. Sachant que chaque segment de cinq millimètres représente environ quinze jours de pousse de cheveu, il compare les hauts et les bas du graphique de Smith avec les moments de crise et les périodes de répit inscrits sur le sien. Tout coïncide. Parfaitement.

Il a sous les yeux le résultat de plusieurs années de recherche ; six ans se sont en effet écoulés depuis ce jour où, en lisant les *Mémoires* de Marchand, l'idée de l'empoisonnement par l'arsenic avait germé dans son esprit.

Mais sa mission est loin d'être achevée. Il a prouvé que Napoléon a été empoisonné durant les derniers mois de son existence, mais ce seul fait soulève bien d'autres interrogations. L'empoisonnement a-t-il commencé seulement à cette époque ou dès les premiers temps de l'exil ? Et surtout, qui est l'assassin ? D'autres preuves existent certainement. Au printemps, il doit rencontrer à Londres Lady Mabel Balcombe-Brooks, petite-fille du plus jeune frère de Betsy Balcombe. Cela pourrait se révéler intéressant.

Monsieur est inquiet. Hier soir, au cours de la réunion au Pavillon de Marsan, ses agents lui ont apporté de bien mauvaises nouvelles. Deux années ont passé, pourtant, mais l'ombre de l'Usurpateur plane toujours sur la France. Dans le Sud-Ouest, on vient de découvrir une vaste conspiration. D'Amérique arrivent des rumeurs de complot. Que se passe-t-il à Sainte-Hélène ?

Le comte d'Artois, dit « Monsieur », est le frère cadet de Louis XVIII. Le roi étant malade et sans enfants, Monsieur peut espérer monter prochainement sur le trône. A condition que les Bourbons restent au pouvoir. Monsieur a soixante ans ; le nez bourbonien, la bouche lippue, son visage allongé s'auréole de cheveux blancs. Courtois avec tous, il ne se montre généreux qu'avec ses partisans. Une haine farouche de la Révolution l'anime, mais ce qu'il hait par-dessus tout, c'est l'enfant monstrueux de la République : Bonaparte, l'Usurpateur.

En 1789, le comte d'Artois avait trente-deux ans et la Révolution allait l'envoyer en exil pour un quart de siècle. Au château d'Holyrood, à Edimbourg, où il a vécu des subsides du gouvernement anglais, Monsieur a monté, sans jamais y participer, plusieurs expéditions contre la République, qui toutes ont échoué. Lorsque le général Bonaparte est devenu

156

Premier Consul, Monsieur lui a fait parvenir un message par l'intermédiaire de Joséphine : il offrait de lui ériger une statue dans Paris s'il réussissait à faire monter son frère sur le trône. Napoléon répondit à Joséphine : « As-tu répondu que cette statue aurait pour piédestal le cadavre du Premier Consul ? » Après cet incident, Monsieur n'a plus qu'une pensée : se débarrasser de Bonaparte. Sans en tenir son frère informé, il organise plusieurs tentatives d'assassinat contre Napoléon. Mais le réseau que le comte d'Artois entretenait en France était infiltré par les agents de Napoléon et tous les complots échouèrent. Un seul faillit réussir : celui dit de « la machine infernale ». Une bombe devait exploser sur le passage de la voiture de Napoléon un soir où il se rendait à l'Opéra. Par chance, le cocher qui était ivre avait roulé plus vite que de coutume et la machine avait explosé après le passage de la voiture. Plus récemment, on avait imputé au comte d'Artois une tentative d'assassinat perpétrée à l'île d'Elbe.

Pour conserver son trône, Louis XVIII a dû accepter un certain nombre de changements introduits par la Révolution et l'Empire. Mais les Ultras, avec à leur tête le comte d'Artois, entendent bien retourner intégralement à l'Ancien Régime. Pour parvenir à ses fins, Monsieur a mis en place une sorte de gouvernement parallèle connu sous le nom de « petit bureau ». Ce « petit bureau » possède un réseau d'espions, d'informateurs, de provocateurs et d'hommes de main, qui couvre tout le pays et s'est même infiltré jusqu'au gouvernement. Monsieur possède des agents dans la police et à l'étranger. Dans l'armée, corps suspect entre tous, il entretient trois espions dans chaque régiment, l'un parmi les officiers, un autre parmi les sous-officiers, un dernier parmi les hommes. Les Ultras murmurent que la monarchie ne sera pas en sécurité tant qu'il restera dans l'armée un seul officier ayant servi l'Usurpateur. Dans les cafés, les agents de Monsieur essaient de provoquer les soldats en manifestant des sympathies bonapartistes. Il en résulte une vague de désertions. Pour y parer, un officier va jusqu'à proposer de retirer aux hommes de troupe leurs pantalons chaque nuit !

Les agents de Monsieur passent le pays au peigne fin à la recherche de conspirateurs. Lors des premiers mois de la Restauration, les Verdets, une armée privée de malandrins portant la livrée verte de Monsieur, font régner la terreur dans certaines provinces. Cela n'empêche pas le Pavillon de Marsan de découvrir une multitude de complots (réels ou imaginaires) attribués en général aux anciens combattants de la Grande Armée, les demi-solde. Des fables circulent : on a vu l'Usurpateur dans la campagne ; une poule a pondu un œuf à son effigie ! la poule et son propriétaire sont jetés en prison ; la poule y mourra.

L'année précédente, l' « affaire Didier » a causé un grand émoi au Pavillon de Marsan. Etrange personnage que ce Jean-Paul Didier ! Ancien doyen de la faculté de droit de Grenoble, il avait fait faillite dans une entreprise d'assèchement de marais et n'avait cessé tout au long de sa vie de manifester une activité politique brouillonne, tour à tour royaliste, révolutionnaire puis bonapartiste. En 1816, le rapport d'un agent secret révèle qu'à Grenoble, Didier a commencé à recruter des demi-solde, leur promettant que l'Empereur les rejoindrait bientôt à la tête d'une armée de six cent mille Noirs. Le 4 mai, soixante hommes environ, conduits par un sergent rescapé de l'armée d'Egypte et battant le tambour, campent sur la route qu'a jadis empruntée Napoléon à son retour de l'île d'Elbe et recrutent quelque deux cents paysans parmi les spectateurs de ce début d'épopée. L'endroit est bien choisi, c'est un lieu particulièrement cruel au souvenir des Bourbons ; c'est ici que lors de son retour d'exil Napoléon a réussi à retourner leur armée sans tirer un coup de feu. Napoléon s'était avancé seul devant les soldats, solitaire et sans arme, il avait ouvert son manteau et crié : « Est-il un seul parmi vous qui veuille tuer son général, son Empereur ? Qu'il le fasse à présent ! » Mais sans Napoléon, la petite bande organisée par Didier avait été aisément désarmée et le vétéran de l'armée d'Egypte était mort en criant : « Vive l'Empereur ! »

A Paris, les deux cents paysans étaient devenus six à sept mille rebelles. Les chefs, notamment Didier, avaient été guillotinés. Presque au même moment la police découvrait un autre complot à Paris. Trois de ses chefs furent condamnés à mort sous l'inculpation de parricide. Chacun fut conduit à la guillotine pieds nus et tête recouverte d'une cagoule noire. Le bourreau leur trancha d'abord le poignet, puis la tête. Plus récemment, en mai de cette année 1817, la presse royaliste avait annoncé la découverte d'une « vaste conspiration » destinée à remettre le pouvoir dans les mains de l'Usurpateur ou de son fils. Ce complot avait été mis sur pied par un indicateur de police nommé Randon qui fut, lui aussi, arrêté et exécuté.

Si les nouvelles de France sont alarmantes, les rapports provenant d'Amérique ne le sont pas moins. Vingt-cinq mille Français vivent aux Etats-Unis, et parmi eux Joseph, le frère de Napoléon, installé à Bordentown, dans le New Jersey. On le sait riche ; il pourrait financer l'évasion de son frère. Il y a là également le célèbre Grouchy dont les lenteurs ont causé la perte de Napoléon à Waterloo. Le chargé d'affaires français aux Etats-Unis, Hyde de Neuville, observe tout ce qui se passe au sein de la colonie française et envoie régulièrement des rapports à Paris. Il raconte un jour que seize ou dix-sept vaisseaux ont appareillé de Baltimore pour une destination inconnue, mais qui pourrait être Sainte-Hélène. Une autre fois, Hyde de Neuville signale que des bateaux pirates américains se dirigent vers les côtes africaines et que de là ils devraient faire voile vers Sainte-Hélène. Joseph Bonaparte et Grouchy s'apprêteraient à partir pour Mexico où Joseph serait couronné roi. En mai, au moment de la « vaste conspiration » en France, deux des domestiques de Napoléon, expulsés de Longwood, arrivent en Amérique où — écrit encore Hyde de Neuville — ils vont trouver « dans tous les ports de l'Union des auxiliaires intrépides, des armes, de l'argent, sans qu'il soit au pouvoir du gouvernement américain d'y mettre obstacle. » Pire encore : un vieil officier bonapartiste du nom de Charles Lallemand prévoit de s'emparer d'une île au large de la côte du Brésil, et de s'en servir comme base pour aller délivrer le captif de Sainte-Hélène.

A présent, en cet automne 1817, Monsieur reçoit des rapports inquiétants sur une étrange entreprise nommée « le Champ d'Asile ». Deux officiers bonapartistes seraient en train de fonder une sorte de colonie au Texas, près de Galveston Bay. Tous les colons sont recrutés parmi des anciens combattants de la Grande Armée et même de la redoutable Garde Impériale. Théoriquement, le Champ d'Asile n'est qu'une pacifique communauté rurale, un refuge utopique pour ces soldats de l'Empereur que leur propre pays a rejetés. Mais de là, ne pourront-ils pas aisément passer au Mexique pour soutenir Joseph qui rêve d'y devenir roi ? Ou bien, de la Nouvelle-Orléans toute proche, où sont réfugiés maints bonapartistes, affréter un vaisseau pour Sainte-Hélène ? Rien n'empêcherait dès lors l'Usurpateur de reconquérir l'Europe à la tête de sa Garde invincible !

Tous ces rapports d'Amérique, mélanges de faits réels et de rumeurs incontrôlables, ne terrorisent pas seulement Monsieur, mais également le premier ministre du roi, le duc de Richelieu. Il demande à ses collègues de ne pas oublier « ce rocher au milieu de l'Atlantique. On a beau dire que Napoléon a perdu tout crédit en France, je veux bien le croire, mais je ne serais pas bien aise que nous en fissions l'épreuve. » Richelieu craint que les Anglais ne soient pas assez vigilants. « Il pourrait s'être évadé, tandis que les Anglais le croiraient encore à Longwood. En Angleterre, un nouveau gouvernement pourrait même lui accorder la liberté ! » Richelieu écrit à son ambassadeur à Londres : « Sainte-Hélène, pour Dieu, qu'on ne la perde pas de vue. Que surveillance et garnison soient fréquemment relevées, car ce diable d'homme exerce une séduction étonnante sur tous ceux qui l'approchent, témoin l'équipage du *Northumberland*... Si les mêmes soldats restaient longtemps attachés à sa garde, il finirait par trouver des partisans parmi eux... »

Oui, en cet automne 1817, les nouvelles sont plus alarmantes que jamais. Même enchaîné sur son rocher lointain, Bonaparte projette encore son ombre gigantesque sur les deux rives de l'Atlantique. Pour le vieil aristocrate à cheveux blancs et pour ses conseillers du Pavillon de Marsan, la cause est entendue : tant que l'Usurpateur vivra, le trône des Bourbons sera en danger.

Longwood, Sainte-Hélène
mars 1818

Betsy Balcombe fait quelques pas avec Napoléon dans le jardin de Longwood. Napoléon contemple l'océan gris que l'on aperçoit entre les sombres pitons rocheux hérissés de canons, et dit, avec un sourire amer : « Bientôt vous partirez pour l'Angleterre, me laissant mourir seul sur ce misérable rocher. Regardez ces horribles montagnes : ce sont les murs de ma prison. Bientôt, vous entendrez dire : l'Empereur Napoléon est mort. » Betsy fond en larmes. Elle cherche son mouchoir, mais elle l'a laissé dans la poche de sa selle. Napoléon prend le sien, essuie les larmes de la jeune fille et lui dit de le garder en souvenir de leurs rencontres. Plus tard, après le dîner, les Balcombe font leurs adieux :

« Il me demanda ce que j'aimerais avoir en souvenir de lui. Je répondis que je préférerais à tout autre cadeau une boucle de ses cheveux. Il appela alors monsieur Marchand, lui dit d'apporter une paire de ciseaux et de lui couper quatre mèches, pour mon père, ma mère, ma sœur et moi. Je possède toujours cette boucle de cheveux. C'est d'ailleurs tout ce qu'il me reste des nombreux souvenirs du grand Empereur. »

Officiellement, les Balcombe quittent Sainte-Hélène à cause de la mauvaise santé de Mme Balcombe, mais en réalité leur amitié avec Napoléon a déplu au gouverneur. Hudson

Lowe soupçonne Balcombe de profiter de ses fonctions de fournisseur de Longwood pour faire parvenir en fraude des lettres jusqu'en Europe. Le gouverneur saisit tous les prétextes pour manifester son autorité. Le jour de l'An, Napoléon envoya un domestique aux Briars, avec des gâteaux destinés à Betsy et à sa sœur Jane. Une sentinelle intercepta le domestique et Hudson Lowe fit renvoyer le cadeau à Longwood. En septembre, Napoléon demanda au docteur O'Meara de prêter à Betsy Balcombe un cheval de Longwood nommé Mameluk, pour qu'elle pût participer à une course au camp militaire de Deadwood. Betsy remporta la course. Lorsque la nouvelle parvint au gouverneur, il convoqua Balcombe et O'Meara à son bureau et leur fit de violents reproches. A son tour, Betsy se rendit chez Hudson Lowe ; le gouverneur l'écouta en silence puis sortit en claquant la porte sans dire un mot. A la suite de cet incident, William Balcombe jugea préférable de regagner l'Angleterre en prenant pour prétexte la mauvaise santé de sa femme.

En la personne de William Balcombe, Napoléon perd un lien précieux avec le monde extérieur ; en outre, cette famille était ses seuls amis parmi la colonie anglaise de l'île. A ce jour, Betsy n'est plus l'adolescente dont les fredaines le réjouissaient aux Briars. C'est maintenant une ravissante jeune fille de dix-sept ans à qui les officiers de la garnison font une cour assidue. Ses relations avec Napoléon ne peuvent plus être celles d'une enfant et d'un oncle affectueux. Pourtant, ils restent amis et se souviennent avec émotion des moments heureux aux Briars. A l'époque, Napoléon lui avait montré une machine pneumatique qui fabriquait la première glace que l'on ait jamais vue sur cette île : « Il nous avait expliqué le mécanisme et tentait de me faire comprendre le principe de la pompe à air. Il m'avait conseillé de me procurer un livre de chimie élémentaire, pour ma distraction autant que pour mon éducation, et avait fini — comme d'habitude — par se tourner vers mon père en lui recommandant de m'obliger à prendre une leçon chaque jour. » Un soir, ils s'assoient sur les marches de la maison de Longwood ; Betsy prend la guitare que Pauline Bonaparte a envoyée à son frère, tandis que, d'une voix de fausset, Napoléon fredonne la chanson « Vive Henri IV ». Comme l'on pouvait s'y attendre la scène est aussitôt rapportée au gouverneur.

Les premiers mois de l'année 1818 ont été très durs pour Napoléon. Le 1ᵉʳ janvier, les exilés s'étaient rassemblés dans la salle de billard ; Napoléon distribuait des bonbons aux enfants de Bertrand et de Montholon, lorsqu'un domestique vint annoncer qu'un vaisseau arrivait d'Angleterre porteur de nouvelles importantes. O'Meara partit immédiatement pour le port. Napoléon était assez excité. Peut-être y avait-il un nouveau ministre à Londres. « Si seulement ce pouvait être l'annonce de la mort du prince régent ! » Comme on lui signalait que O'Meara était sur le chemin du retour, Napoléon guetta son approche à la longue-vue : « Il vient au grand galop ! C'est une bonne nouvelle ! Le gouverneur est sûrement rappelé ! Cela regarde bien O'Meara. S'il en était autrement, il serait sûrement resté en ville. L'intérêt avant tout. »

Mais il n'était question ni de Hudson Lowe ni du gouvernement anglais. La nouvelle d'un décès dans la famille royale d'Angleterre ne devait venir qu'un mois plus tard, et ce n'était pas celui du prince régent. La princesse Charlotte, la jeune femme en qui Napoléon plaçait tant d'espoirs, était morte en couches.

En février, Gourgaud quitte Napoléon. Ses querelles avec Montholon empoisonnaient l'atmosphère de Longwood ; il était allé jusqu'à le provoquer en duel. « Un vrai Corse ! » s'écrie Napoléon. Le tempérament bouillant de Gourgaud contraste violemment avec les manières raffinées de Montholon qui se montre attentif aux moindres désirs de son maître. Napoléon sait parfaitement à quoi s'en tenir sur les motivations de Montholon, mais cela ne l'empêche pas de dire à Gourgaud : « Après tout, je n'aime que les gens qui me sont utiles et tant qu'ils le sont. Peu m'importe ce qu'on en pense ! Je ne fais attention qu'à ce qu'on me dit : s'ils me trahissent, ils feront comme tant d'autres. »

Quand Gourgaud se plaint de n'avoir pas de compagne, alors que Bertrand et Montholon ont leur femme, Napoléon réplique : « Bah, les femmes ! Quand on n'y pense pas, on n'en a pas besoin. Faites comme moi ! » Mais Gourgaud ne croit pas que l'Empereur soit réellement sans femme. Il pense qu'Albine de Montholon est sa maîtresse, et il ne s'en cache pas. Un jour Gourgaud a surpris la belle Albine rendant visite à Napoléon dans sa chambre alors que l'Empereur n'était pas habillé. Quand il raconte le fait à Montholon, ce dernier balbutie évasivement : « Je ne sais pas. Je ne dis pas non. » Une autre fois, Montholon est prié de sortir alors que Napoléon reçoit Albine tandis qu'il est dans son bain ; Gourgaud lance au mari : « Félicitations, on vous chasse tandis qu'elle entre. » En fait, les relations de Napoléon avec la jolie et facile Albine rendaient furieux le jaloux Gourgaud : « Que Sa Majesté ait des maîtresses si Elle veut, mais je ne m'humilierai pas devant elles. » Et, toujours dans son journal, parlant du mari d'Albine, Gourgaud écrira : « Pauvre Montholon ! Quel rôle êtes-vous en train de jouer ! »

Le dénouement intervient le 2 février au cours d'une scène violente. Napoléon envoie chercher Gourgaud. Il le reçoit dans le salon de billard, où il est en train de jouer aux échecs avec Bertrand. Napoléon lui demande : « Mais que voulez-vous donc après tout ? » Gourgaud répond une fois de plus qu'il se sent maltraité et désire s'en aller. Il demande à Bertrand de le soutenir, mais le grand maréchal reste silencieux, appuyé au mur ; comme d'habitude il ne prend pas parti. Napoléon déclare qu'il entend traiter les Montholon comme il lui plaît et ajoute : « Et quand bien même je coucherais avec elle, quel mal y a-t-il ? » Et Gourgaud de lui répondre : « Aucun, sire, mais je n'ai jamais rien dit à Votre Majesté de cela. Je ne suppose pas que votre Majesté ait un goût aussi dépravé. » Napoléon, fort en colère, lui dit de s'en aller. On invoquera sa mauvaise santé. Gourgaud quittera Sainte-Hélène le mois suivant, après avoir déclaré aux commissaires étrangers à Jamestown que Napoléon pourrait s'évader quand il le voudrait, mais préférait la captivité à Sainte-Hélène à la liberté en Amérique !

Fin février, Napoléon subit une autre perte, plus grave encore. Un soir, pendant le dîner, le maître d'hôtel Cipriani s'effondre sur le plancher en hurlant de douleur. Quatre jours plus tard, il meurt « d'une inflammation intestinale » (diagnostic de O'Meara). Sur la liste des exilés, Cipriani était porté comme domestique. On ne fait pas d'autopsie. Personne ne s'interroge sur cette mort subite. Avec Cipriani, Napoléon perd un véritable agent secret ; la perte est irréparable. Napoléon le connaissait depuis l'enfance, en Corse. Pendant l'exil à l'île d'Elbe, Cipriani était son agent sur le continent ; c'est lui qui l'avait prévenu que les Alliés envisageaient de le déporter à Sainte-Hélène. A Sainte-Hélène, Cipriani recueillait des informations auprès des commerçants de Jamestown chez qui il allait faire des emplettes. Il se chargeait également de faire passer des lettres en fraude. Gourgaud l'appelait « notre ministre des Affaires étrangères » ou « notre ministre de la Police », et déclara un jour à Napoléon : « Vous nous sacrifieriez bien tous pour Cipriani. » Ni Napoléon ni Cipriani n'ont jamais dévoilé leurs secrets. Son ami O'Meara dira de lui : « Cipriani était un homme qui possédait de très grands talents non cultivés. Bien que très astucieux, il donnait une apparence de franchise et de candeur. Napoléon avait toute confiance en lui. » La mort de

Cipriani affecte beaucoup l'Empereur qui demeurera très abattu les jours suivants.

Depuis l'automne précédent, la santé de Napoléon s'est dégradée. En août, le voyageur anglais Basil Hall l'avait trouvé en bonne santé physique et morale, bien que son visage fût pâle comme le marbre. (Hall parla à Napoléon d'une île d'Extrême-Orient dont les habitants ne possédaient aucune arme car ils ne savaient pas ce qu'était la guerre. Au comble de l'étonnement, Napoléon se récria : « Pas de guerre ? ») Mais en septembre, l'Empereur tombe malade. En octobre il se plaint à O'Meara « d'une vive douleur dans la région hypocondriaque droite, immédiatement sous les cartilages des côtes, » et dit l'avoir éprouvée pour la première fois la veille au matin. « Je ressens quelque chose au côté droit que je n'ai jamais ressenti auparavant. » O'Meara pense qu'il peut s'agir là d'un symptôme d'hépatite. Quinze jours plus tard, O'Meara signale que « Napoléon éprouve en permanence une vive douleur ou une sensation désagréable au côté droit, que son appétit diminue, que ses jambes sont enflées, particulièrement la nuit. Vomissements occasionnels. Grand désir de dormir. » Lorsque les Balcombe viennent le voir à peu près à la même époque, Betsy notera : « Les ravages et les changements causés par sa maladie font que son aspect est bien triste. Son visage est jaune comme de la cire, ses joues sont devenues flasques. Ses chevilles sont si gonflées qu'elles semblent déborder de ses souliers. Il est si faible que s'il ne s'appuyait pas d'une main sur la table et de l'autre sur l'épaule d'un serviteur, il ne pourrait pas se tenir debout... Ma mère remarqua, lorsqu'il fut parti, que la mort semblait marquer ses traits. »

Napoléon imagine que le gouvernement anglais cherche à le faire mourir lentement. Il dira à O'Meara que les restrictions qui lui sont imposées ont été calculées « pour (le) rendre malade petit à petit : avec la réclusion, le sang se décompose, cela aboutira à ma mort, après une agonie prolongée, et tout cela aura l'apparence d'une mort due à des causes naturelles. » Tel est le plan : « C'est une façon sûre de m'assassiner, infiniment plus cruelle et criminelle que l'épée ou le pistolet. »

A d'autres moments, ses maladies répétées ravivent en lui sa crainte du poison. Ses soupçons se portent alors sur le vin. En juin, Gourgaud trouve un goût étrange à une bouteille du vin de Napoléon. C'est l'une des rares fois où l'Empereur partage le vin réservé à son usage exclusif. Il dit : « Ce coquin de Reade (l'adjoint du gouverneur) est bien capable de chercher à m'empoisonner. Il a la clef de la cave, il peut changer les bouchons ! » Gourgaud lui conseille de ne pas être seul à boire son vin : personne n'oserait empoisonner tous les habitants de Longwood, cela ferait trop de bruit. Napoléon hoche la tête : « Le fait est que je serais bien mort ! » Mais quand Cipriani lui annonce que Hudson Lowe a fait porter un chargement de vin récemment arrivé, Napoléon refuse de le boire. Un an auparavant, on a demandé à O'Meara d'analyser le vin pour voir s'il ne contenait pas de plomb. Le résultat n'a jamais été communiqué.

Quant au gouverneur, sa terreur permanente d'une évasion trouve un nouvel aliment dans les rapports signalant qu'un complot a été organisé à Pernambouc, au Brésil. En janvier, le marquis de Montchenu, le commissaire français, a reçu une communication du chargé d'affaires français à Rio de Janeiro concernant ce complot. Le mois suivant, le commissaire russe, le comte Balmain annonce : « Les complots bonapartistes de Pernambouc ont grandement excité le gouverneur. Il fait élever sans cesse des fortifications, placer de nouveaux postes de télégraphe et des batteries en différents lieux. Il a doublé la garde de Longwood. Je peux le voir tout le temps sur son cheval, entouré d'ingénieurs, et galopant dans toutes les directions. »

La princesse Charlotte et Cipriani sont morts, Gourgaud et

les Balcombe partis ; l'un après l'autre les amis et alliés de Napoléon ont disparu. Le pire est à craindre. Hudson Lowe a toujours cherché à éloigner de Sainte-Hélène les gens trop proches de Napoléon. Un an auparavant, il était question de déporter Montholon. L'Empereur dit alors à O'Meara : « Je ressentirais plus fortement que tout la perte de Montholon. Il est le plus utile et s'efforce d'anticiper tous mes désirs. » Il ajouta : « Le comte n'a rien à craindre en France... étant de famille noble, il peut immédiatement rentrer en faveur auprès des Bourbons s'il le choisit. » Le gouverneur ne fait rien contre Montholon ; mais à présent, en ce début d'année 1818, il essaye de faire rappeler O'Meara en Angleterre.

Grosvenor House, Londres
mai 1962

Mabel Brookes est une vieille dame élégante de soixante-quinze ans, aux yeux bleus et aux manières exquises. C'est dans le salon de la suite qu'elle occupe à Grosvenor House, l'un des meilleurs hôtels de la capitale anglaise, qu'elle a donné rendez-vous à Forshufvud.

Lady Mabel, épouse du célèbre champion de tennis sir Norman Brookes, vit en Australie. Elle a écrit plusieurs livres et se consacre infatigablement à des œuvres sociales (sa dernière réalisation a été un hôpital pour femmes). Mais elle est aussi l'arrière-petite-fille de William Balcombe, et c'est ce qui l'a amenée à s'intéresser aux travaux de Forshufvud. Quelques mois plus tôt, à Melbourne, où elle réside habituellement, elle avait lu un article du *Medical Journal of Australia* où il était question des thèses de Forshufvud. Elle avait donc écrit au Suédois, aux bons soins de la revue britannique *Nature* où avait paru l'article original. Dans sa lettre, elle expliquait qu'elle possédait deux mèches de cheveux de l'Empereur ; l'une venait de Betsy Balcombe, à qui Napoléon l'avait offerte lors de sa visite d'adieu à Longwood, l'autre était celle que Fanny Bertrand avait donnée au commandant John Theed en janvier 1816, et qu'elle avait achetée aux descendants de cet officier. Lady Mabel ajoutait qu'elle était disposée à envoyer des échantillons de ces deux boucles à Hamilton Smith à Glasgow.

Lady Mabel annonçait en outre son passage à Londres au printemps et proposait au Suédois de l'y rencontrer. Aujourd'hui, les échantillons ont été analysés à Glasgow et Forshufvud est en mesure de lui communiquer les résultats.

— Je suis enchantée que vous apportiez la preuve de l'empoisonnement de l'Empereur, dit Lady Mabel en servant une tasse de thé à son interlocuteur. Vous savez, mon arrière-grand-père l'avait toujours pensé et cette tradition est restée dans la famille. Quand j'étais enfant, je l'ai souvent entendu dire. En tant que descendante de William Balcombe, je ne peux que vous remercier pour la façon dont vous avez révélé le crime. Et maintenant, dites-moi, les cheveux que j'ai envoyés au docteur Smith, ont-ils été de quelque utilité ?

— Bien sûr, chère madame, et je vous en remercie.

Forshufvud lui explique ensuite brièvement la méthode inventée par Hamilton Smith et les résultats des premiers tests. Les cheveux utilisés lors de ces deux essais avaient tous été rasés le lendemain de la mort de Napoléon. A présent, pour la première fois, il dispose de cheveux appartenant à des périodes antérieures, et ces deux échantillons ont apporté la preuve que le poison avait été administré durant ces périodes également.

Deux cheveux de la mèche donnée à Betsy ont été analysés en trois segments d'un centimètre chacun ; leur teneur en arsenic était de 6,7 à 26 pour un million, c'est-à-dire très supérieure à la normale qui se situe aux alentours de 0,8. Sur la mèche du commandant Theed, trois cheveux ont été analysés ; coupés en segments d'un centimètre, ils ont révélé une proportion de 3,5 à 76,6 pour un million, tandis que certains débris analysés en même temps indiquaient une teneur de 37,6. Les variations importantes constatées d'un segment à l'autre prouvent une nouvelle fois qu'il y a eu empoisonnement délibéré et non contamination lente à partir de l'environnement.

— Les échantillons les plus intéressants pour nous, ajoute Forshufvud, sont ceux transmis par Mlle Betsy.

Lady Mabel ne peut s'empêcher de rire en entendant le Suédois reprendre les termes qu'employait jadis Napoléon pour appeler Betsy Balcombe...

Forshufvud précise alors que grâce aux *Mémoires* de Betsy, on connaît le jour exact où ces cheveux ont été coupés, soit le 16 mars 1818. Leur période de pousse s'étendait donc de la fin de l'année 1817 jusqu'aux premiers mois de 1818.

— Par O'Meara et Marchand nous savons également que durant cette période Napoléon a été plusieurs fois malade.

— C'est vrai, renchérit Lady Mabel, ma grand-tante avait aussi noté que l'Empereur était souffrant à ce moment-là.

Forshufvud met un certain temps à s'habituer à l'idée que cette charmante vieille dame est la petite-nièce de l'espiègle gamine des Briars !

Mais Lady Mabel continue de l'interroger :

— Et qu'ont montré les cheveux donnés au commandant Theed ?

— Cette mèche pose un certain nombre de problèmes, lui explique Forshufvud. On sait que Fanny Bertrand l'a donnée au commandant Theed le 14 janvier 1816, mais on ne sait pas quand elle a été coupée ni à quelle distance de la racine. Si les cheveux ont été coupés juste avant d'être remis à Theed et au ras du cuir chevelu, leur analyse prouverait que l'empoisonnement date des premiers jours de l'arrivée à Sainte-Hélène. Dans le cas contraire, Napoléon pourrait avoir déjà absorbé du poison en France même, au cours des Cent Jours.

— Les cheveux de Napoléon étaient tout à fait remarquables, fait observer Lady Mabel. Ma grand-tante a écrit qu'ils étaient doux et soyeux comme des cheveux d'enfant.

172

— Votre grand-tante avait raison, répond Forshufvud. Il y a deux ans, à Paris, lorsque les spécialistes français m'apportaient encore leur soutien, le commandant Lachouque m'avait recommandé à la princesse Clotilde Mathilde Bonaparte, sœur du prince Napoléon, qui devait elle aussi détenir des cheveux de son ancêtre. Je dois dire que cette dame était tout à fait charmante et spirituelle. Elle possédait bien une mèche, en effet, mais scellée dans un médaillon, et elle m'avait dit : « Je ne pense pas qu'ils puissent vous être utiles, car ils ont été coupés sur la tête de Napoléon encore enfant. » Mais à présent que j'ai souvent l'occasion de voir des cheveux de l'Empereur, je pense que cette mèche a pu être prise à l'âge adulte. Quoi qu'il en soit elle n'avait aucune idée de l'époque où ils avaient été coupés, ils ne m'auraient donc rien apporté.

— Est-ce que les mèches que je vous ai fournies vous ont aidé à découvrir l'empoisonneur ?

— Il serait plus juste de dire qu'ils nous ont permis d'écarter certains suspects. Ayant la preuve que Napoléon absorbait déjà de l'arsenic en 1818, nous pouvons écarter ceux qui sont arrivés après cette date ; je pense notamment au docteur Antommarchi arrivé en 1819. Nous pouvons aussi éliminer ceux qui ont quitté l'île avant les derniers jours.

Forshufvud marque une pause, comme pour donner plus de poids à ses paroles, et ajoute :

— Cela veut dire que l'on ne peut absolument pas suspecter William Balcombe.

— Quoi ! s'exclama Lady Mabel. Vous voulez dire que vous le soupçonniez ? Mais William Balcombe était un grand ami de l'Empereur, et c'était un homme fort honorable qui n'aurait jamais commis une chose pareille !

Forshufvud se met à rire.

— Non, en vérité je n'ai jamais soupçonné votre arrière-grand-père, et je vais vous dire pourquoi. Profitant de sa fonction de pourvoyeur de Longwood, il aurait pu empoisonner les aliments, mais comme il ne savait pas ce que l'Empereur lui-même allait manger, c'est toute la maisonnée qui serait morte ou tombée malade en même temps. On aurait immédiatement songé à un empoisonnement et accusé les Anglais. Imaginez le scandale ! Non, l'assassin vivait forcément à Longwood. On ne peut soupçonner ni William Balcombe ni Hudson Lowe.

— Quel homme horrible, cet Hudson Lowe ! Mon arrière-grand-père le tenait pour responsable de la mort de l'Empereur !

Forshufvud pense à part lui que les historiens français ont quelque peu exagéré la nature diabolique du gouverneur, mais il garde prudemment le silence.

— Horrible ou pas, ce n'était pas un assassin. Il n'avait pas la possibilité de le devenir.

— Et Cipriani ? demande alors Lady Mabel. Mon arrière-grand-père a toujours trouvé sa mort suspecte. Lorsque je me suis rendue à Sainte-Hélène, j'y ai appris un fait étrange : la tombe de Cipriani, dans le cimetière protestant, avait disparu, ainsi que la pierre tombale et le registre d'état civil mentionnant sa mort. Qu'en pensez-vous, monsieur Forshufvud ? Cipriani aurait-il lui aussi été empoisonné ?

Forshufvud hoche la tête. C'est fort probable, en effet. Avec Cipriani, l'assassin n'avait pas besoin de prendre les mêmes précautions qu'avec Napoléon : on n'autopsie pas le corps d'un valet. Les symptômes manifestés par Cipriani avant sa mort sont ceux d'un empoisonnement aigu à l'arsenic. Le mobile du crime ? L'assassin avait toutes les raisons de se débarrasser de Cipriani. N'oublions pas que le Corse remplissait auprès de l'Empereur la fonction d'espion, d'agent secret. Peut-être avait-il commencé à avoir des doutes, et dans ce cas, c'est certainement lui que Napoléon aurait chargé de le protéger et de démasquer l'empoisonneur.

— Et le général Gourgaud ? sa conduite m'a toujours paru bizarre.

— Un personnage difficile à cerner, c'est vrai. Mais ce jeune homme au tempérament bouillant était incapable de tenir sa langue ; je le vois mal agent secret. De toute façon, il a quitté l'île le même mois que la famille Balcombe.

Forshufvud va plus loin : Gourgaud pourrait lui-même avoir été victime de l'empoisonneur. Il est tombé malade plusieurs fois, avec des symptômes semblables à ceux que montrait Napoléon ; on sait aussi qu'il se méfiait du vin servi à Longwood. En 1816, il avait demandé à O'Meara d'analyser le vin pour y rechercher la présence éventuelle de plomb et avait évoqué le problème avec Napoléon.

— L'Empereur lui-même craignait-il le poison ?

— Au cours de sa vie, on a plusieurs fois tenté de l'assassiner ; il devait certainement songer au poison. Il en a parlé plusieurs fois, à Sainte-Hélène, mais il ne soupçonnait que les Anglais.

Puis, en réponse aux questions de la vieille dame, Forshufvud évoque certains détails. On sait par exemple, grâce à Marchand et à O'Meara, que pour éliminer les rats à Longwood, on avait envisagé d'utiliser l'arsenic. On pouvait donc s'en procurer à Sainte-Hélène. On sait aussi que le livre sur la marquise de Brinvilliers constitue un véritable manuel de l'empoisonneur. De toute façon, ces techniques étaient parfaitement connues à l'époque. Et Forshufvud ajoute : « L'histoire de la marquise de Brinvilliers a été très importante pour moi. En 1922, à l'âge de dix-neuf ans, je vivais dans une pension de famille de Stockholm. Un jour, je tombai malade et, pour me distraire, la propriétaire me donna des livres, parmi lesquels un ouvrage sur la marquise de Brinvilliers. Lorsque, trente-trois ans plus tard, je lus les *Mémoires* de Marchand, je fus frappé par la similitude de certains détails. Enfin, à la lecture du journal de

175

Gourgaud, je compris l'importance que revêtait la présence à Longwood de ce livre sur la marquise. »

Forshufvud précise ensuite que la quantité de poison nécessaire était très faible : la totalité de l'arsenic utilisé pendant six ans aurait pu tenir dans une petite enveloppe.

Mabel Brookes verse une autre tasse de thé et la conversation revient sur la famille Balcombe. Lady Mabel a été en quelque sorte l'historienne de la famille, la gardienne de la tradition orale qu'elle tient de son grand-père, Alexandre, que Napoléon avait fait sauter sur ses genoux lorsqu'il avait quatre ans. Elle a d'ailleurs écrit un ouvrage sur cette période : *Saint-Helena Story*.

— Napoléon a fortement marqué la vie de notre famille, explique-t-elle. C'est à lui que je dois d'être Australienne et non Anglaise. Hudson Lowe s'opposa toujours au retour de William Balcombe à Sainte-Hélène. En 1824, il fut nommé trésorier colonial en Australie, et toute la famille partit pour Sydney, sauf Betsy qui, entre-temps, s'était mariée.

— Quelle a été la vie de « mademoiselle Betsy » après Sainte-Hélène ? demande Forshufvud.

— Je ne pense pas qu'elle ait été très heureuse. Il semble que son mariage ait mal tourné, encore que nous sachions peu de chose à ce sujet. J'ai retrouvé une lettre de 1826 dans laquelle un jeune enseigne de vaisseau en poste à Sainte-Hélène, George Heatchcote, écrit à Betsy : « Où est ce mari dont j'ai entendu dire qu'il vous traitait si cruellement ? » Plus tard, Betsy dut donner des cours de musique pour pouvoir élever sa fille. Mais elle resta toujours en relation avec les Bonaparte. En 1830, à Londres, Joseph demanda à la voir, et il lui remit une bague ornée d'un camée, que je possède à présent. Bien des années plus tard, Napoléon III lui fit don d'une propriété en Algérie. Il gardait un exemplaire de ses *Mémoires* dans sa bibliothèque ; cet exemplaire est maintenant chez moi. Betsy mourut à Londres en 1873.

Lady Mabel s'interrompt un instant...

— Pauvre Betsy ! reprend-elle, j'imagine qu'elle songeait souvent à Sainte-Hélène et aux mois que l'Empereur avait passés aux Briars. C'étaient les plus beaux moments de sa vie. Elle était née trop tôt. Les qualités que Napoléon admirait en elle : son courage, son intelligence, sa volonté, n'étaient guère de mise chez les femmes en ce temps-là.

Galamment, Forshufvud remarque :

— Apparemment, elle partage ces qualités avec sa petite-nièce.

Lady Mabel sourit, visiblement ravie de la comparaison.

— Vous savez, monsieur Forshufvud, lorsque j'ai visité Sainte-Hélène, j'avais souvent l'impression de marcher la main dans la main avec Betsy. Tant de chemins et d'endroits m'étaient devenus familiers à force d'en lire les descriptions qu'elle en avait faites. Longwood, les Briars, le carrefour où est enterré le vieux Huff...

Lady Mabel avait racheté les Briars et en avait fait don à la France en souvenir des liens qui avaient uni l'Empereur et sa famille.

— J'espère moi aussi aller un jour à Sainte-Hélène, dit pensivement Forshufvud. Mais seulement lorsque mon œuvre sera achevée.

— Et quand le sera-t-elle ?

— Quand je serai en mesure de prouver qui a tué Napoléon.

Longwood, Sainte-Hélène
août 1819

Le 15 août, c'est l'anniversaire de Napoléon. Il a cinquante ans aujourd'hui. « Il y a peu d'années encore, constate Montholon, les ambassadeurs des rois de l'Europe étaient aux pieds de l'Empereur, offrant les hommages de leurs maîtres. Aujourd'hui on l'outrage et l'on veut violer son domicile. »

Redoutant plus que jamais une évasion, Hudson Lowe menace en effet de faire forcer sa porte si l'on ne peut constater la présence du captif deux fois par jour. Napoléon réplique en usant du seul moyen à sa disposition : il se cloître dans la maison de Longwood et fait savoir qu'il brûlera la cervelle du premier qui osera franchir sa porte.

Aucune cérémonie particulière à Longwood pour ce 15 août, qui se déroule comme un jour ordinaire. A cinquante ans, Napoléon n'est plus l'homme qu'il était aux Tuileries. Après trois années d'inaction et de maladie, il a beaucoup grossi et il se sent faible.

A Longwood, les jours étirent leur ennui. Le bâtiment tout en longueur est à présent à moitié vide. Le silence y règne depuis que les enfants de Montholon sont partis ; au moins leurs jeux rompaient-ils la monotonie des lieux. Parfois, Napoléon erre parmi les pièces silencieuses, frappant les meubles avec fureur d'une queue de billard. A Marchand et à Bertrand, il confie qu'il s'attend à mourir bientôt.

Les espoirs de Napoléon se sont évanouis. Il ne parle plus d'un éventuel retour au pouvoir et les nouvelles venues d'Europe ont mis fin à son espérance de vivre un jour libre en simple citoyen.

En mars, il a appris que les souverains alliés, réunis au mois de novembre à Aix-la-Chapelle, avaient voté à l'unanimité son maintien en exil pour le reste de sa vie. Un an plus tôt, Napoléon avait tenté d'envoyer un message au tsar Alexandre par l'intermédiaire du commissaire russe à Sainte-Hélène ; mais à Aix-la-Chapelle, c'est le délégué russe qui a rédigé la motion confirmant l'exil. C'est aussi le Russe qui a évoqué à son propos « la Révolution concentrée en un seul homme ». On ne pouvait en attendre moins de la part des souverains de la Sainte-Alliance qui, en tenant Napoléon enchaîné sur son île, tenaient du même coup éloigné le spectre de la Révolution française. Pour faire bonne mesure, les souverains ont approuvé le traitement que l'Angleterre lui fait subir et rejeté les plaintes du captif de Sainte-Hélène.

Dans les jours qui ont suivi la réception des nouvelles d'Aix-la-Chapelle, Napoléon s'est enfermé dans ses deux petites chambres et n'a vu personne sauf Marchand à qui il a d'ailleurs peu parlé. Il garde pourtant l'espoir que les Anglais changeront son lieu d'exil. On avait parlé de Malte. S'il ne peut vivre en Angleterre, du moins cette île serait-elle plus près de sa patrie, et en tout cas plus agréable que Sainte-Hélène. Napoléon hait Sainte-Hélène. Il rend tout à la fois l'île et son gouverneur responsables de son état de santé. « Le climat malsain est cause de sa maladie », dira O'Meara ; mais il faut également accuser l'inaction et le manque d'exercice que lui impose la mesquinerie de Hudson Lowe. Le gouverneur tente une timide ouverture :

si Napoléon voulait bien se montrer deux fois par jour, il serait possible de lui accorder une plus grande liberté.

Mais Napoléon ne peut accepter de payer un tel prix. Accepter les conditions du gouverneur, ce serait admettre implicitement son statut de prisonnier. Et cela, il n'en est pas question. Il est toujours l'Empereur des Français. Il a peut-être perdu son trône mais il ne relève que du jugement de l'Histoire.

D'autres motifs, moins glorieux, le poussent à refuser les propositions de Hudson Lowe. En acceptant les conditions du gouverneur, il ne pourrait plus se plaindre du traitement qu'on lui fait subir et perdrait toute chance de convaincre les Anglais de lui faire quitter cette île abhorrée. La petite guerre entre Longwood et Plantation House se poursuivra donc.

Le 2 avril, Napoléon a reçu son premier visiteur depuis près de deux années : Charles Milner Ricketts, un fonctionnaire anglais venant de Calcutta et dont le navire fait escale à Sainte-Hélène. Napoléon désirait le voir car Ricketts est un cousin du premier ministre Lord Liverpool. Il ne le reçut pas selon le protocole impérial, debout et en grand uniforme : il préférait désormais donner l'image non de l'Empereur, mais d'un grand malade. Ricketts a laissé le récit de son entrevue : « On me fit entrer dans une toute petite pièce où Napoléon était étendu sur un lit de camp, vêtu seulement de sa chemise, avec un foulard de couleur autour de la tête et une barbe de trois ou quatre jours. La chambre était si obscure que je ne pus d'abord distinguer ses traits jusqu'à ce qu'on eût apporté des bougies qui l'éclairèrent suffisamment... Il ressemblait à l'un de ses portraits que j'avais vu exposé sur le cabestan du *Northumberland* et à un autre portrait français qui le représentait la tête laurée. Il me parut atteint d'une certaine surdité. Dans la mesure où je pus le juger, il est beaucoup plus gros qu'on ne le représente généralement. Sa tête et ses joues sont enfoncées dans ses épaules, ses mains potelées. Dans l'ensemble il me

180

parut appelé à devenir très corpulent. Il s'assit sur son lit et ayant remué deux ou trois fois, il sembla éprouver une certaine douleur. J'avais très peu d'observations à faire, et il me posa peu de questions, disant fréquemment : « Comprenez-vous ? » Pendant l'entrevue qui dura près de quatre heures, Napoléon reprit sa thèse habituelle : on le tuait lentement. Mais Ricketts crut à une mise en scène et n'eut pas le sentiment que Napoléon était gravement malade ; il en fit part à Londres à son retour. Le secrétaire aux Colonies écrivit à Hudson Lowe : « Rien de plus favorable que cette visite de Mr. Ricketts à Sainte-Hélène ! » C'était une défaite supplémentaire pour Napoléon.

En réalité, Ricketts ne se trompait pas de beaucoup. Napoléon est à ce moment en assez bonne forme. Il souffre bien sûr de temps à autre de ces maladies inexpliquées qui le frappent depuis son arrivée à Longwood ; il réclame des serviettes chaudes pour envelopper ses jambes qui sont toujours froides, et parfois déclare à Marchand éprouver des douleurs au côté droit, comme si on le tailladait avec un rasoir. Mais malgré ces symptômes, Napoléon est en meilleure santé à présent — et cela bien qu'il soit sans médecin depuis un an — que dix-huit mois auparavant, lorsque M. Balcombe pensait qu'il allait mourir. Il convient cependant de dissimuler cette amélioration, et Napoléon ordonne à Bertrand et à Montholon de saisir chaque occasion de faire savoir au monde combien il est malade.

Son entourage se réduit. Albine de Montholon a quitté Sainte-Hélène voici un mois, en emmenant avec elle ses trois enfants. A-t-elle été ou non la maîtresse de l'Empereur ? Sa fille, Napoléone, née dans l'île, est-elle la fille de Napoléon ? Basil Jackson, le jeune officier anglais qui lui rendait si souvent visite à Longwood et la retrouvera par la suite à Bruxelles, était-il son amant, un espion d'Hudson Lowe, les deux à la fois, rien de cela ?

En tout cas, à Sainte-Hélène, les rumeurs vont bon train.

Le commissaire autrichien, le baron Sturmer rapporte que :
« Mme de Montholon a finalement triomphé de ses rivales et
s'est glissée dans le lit impérial. » Le capitaine George Nicholls,
l'officier anglais résidant à Longwood, signale régulièrement
des visites d'Albine à la chambre de Napoléon et remarque
qu'une fois, Napoléon a envoyé son valet Saint-Denis la
chercher à deux heures du matin. Fanny Bertrand, qui déteste
Albine, déclare au docteur James Roche Verling que la petite
Napoléone ne ressemble pas du tout à Montholon. Fanny
attribue les faveurs dont sont entourés les Montholon à la
complaisance du comte.

Qu'Albine ait été ou non la maîtresse de Napoléon, il est
certain que son départ et celui de ses enfants rendent plus vides
encore les mornes journées de Longwood. A la différence de la
mélancolique et hautaine Fanny Bertrand, Albine de Montholon était toujours de bonne humeur et facile à vivre, et si, avec la
trentaine, sa beauté menaçait de se ternir, elle apportait à
Longwood une grâce féminine qui manque à présent cruellement. Mais elle savait aussi mener ses affaires. Invoquant son
mauvais état de santé, elle avait extorqué avant son départ une
grosse somme d'argent à Napoléon. L'Empereur lui avait
également offert le jeu d'échecs en ivoire dont les armoiries
impériales avaient causé tant de tracas à Hudson Lowe.

Napoléon a assisté à son départ à travers un volet, et, en se
retournant, il a presque trébuché sur un rat. Un peu plus tard,
il dira à Bertrand qu'Albine était une « intrigante », qui « ne
donnait son cœur que contre de bonnes lettres de change ».
Lorsque le départ d'Albine était devenu une certitude, Napoléon avait dit à son mari qu'il pouvait bien partir avec elle, mais
Montholon avait refusé. Et à présent, même Bertrand, le loyal
Bertrand, parle de s'en aller. Les domestiques partent aussi :
rien que dans l'année écoulée une demi-douzaine d'entre eux, y
compris le cuisinier Lepage, sont repartis sous un prétexte ou

sous un autre ; la plupart de ceux qui restent encore partiraient sans aucun doute s'ils le pouvaient.

La plupart, sauf Louis Marchand qui continue de servir son maître avec dévotion. Marchand ne se plaint même pas lorsque l'Empereur lui refuse l'autorisation d'épouser une jeune femme de l'île qui vient d'avoir un enfant de lui (ou peut-être de Napoléon lui-même). Pourtant, Napoléon a permis à d'autres de ses domestiques de se marier.

L'univers de l'Empereur se réduit de plus en plus à Montholon et à Marchand. Ses journées, il les passe seul ou avec l'un d'entre eux. Le matin il lui arrive de sortir dans les jardins en compagnie de Montholon, et, l'après-midi, il dicte à Marchand. Le soir, ou en plein milieu de ses nuits d'insomnie, il prie l'un d'eux de venir lui faire la lecture. Il n'y a plus jamais de dîners impériaux dans la bâtisse à demi déserte. Napoléon prend ses repas seul ou avec Montholon. Bertrand vient chaque jour à Longwood House, mais comme il vit en dehors de l'enceinte et qu'il s'occupe également de sa femme, il n'est pas toujours là quand Napoléon voudrait le voir ; c'est ainsi que s'installe une certaine distance entre Napoléon et son plus ancien compagnon.

Depuis le mois de juillet 1818, lorsque Hudson Lowe a enfin obtenu le rappel de O'Meara, il n'y a plus de médecin à Longwood. Le gouverneur estimait que O'Meara montrait plus de loyauté à l'égard de Napoléon que de son supérieur, et jugeait intolérable le diagnostic d'hépatite établi à propos de Napoléon ; il avait d'ailleurs entendu Montholon émettre des avis opposés à ceux de O'Meara concernant l'état de santé de l'Empereur ; et quelqu'un, dont il se refusa à révéler le nom, lui avait dit que le médecin empoisonnait Napoléon au mercure.

Le départ du jeune médecin irlandais a profondément affecté Napoléon. Après la mort de Cipriani et le départ de Balcombe, O'Meara était son seul lien avec le monde extérieur.

Lorsque le médecin vint prendre congé, Napoléon lui serra la main — geste extrêmement rare de sa part — et lui dit : « Adieu, O'Meara. Nous ne nous reverrons jamais. Puissiez-vous être heureux ». Une fois à Londres, O'Meara se vengera de Hudson Lowe. « Le gouverneur, dit-il, a évoqué les avantages qui résulteraient pour l'Europe de la mort de Napoléon Bonaparte, et cela, d'une manière qui, étant donné sa situation et la mienne, me mettait dans une situation horriblement embarrassante. » O'Meara insinuait ainsi que Hudson aurait aimé le voir empoisonner Napoléon ; cette déclaration lui valut d'être radié des cadres de la Marine. On n'a jamais mené d'enquête sur les accusations proférées par le jeune médecin. Après le départ de O'Meara, Marchand trouva une certaine quantité d'onguents et de médicaments qu'il avait préparés pour son patient. Napoléon accepta d'utiliser les onguents, mais dit à Marchand : « Quant à tout ce qui doit entrer dans mon estomac, tu peux le jeter au feu. »

Pour remplacer O'Meara, Hudson Lowe proposa deux médecins anglais que Napoléon refusa pour la seule raison qu'ils avaient été proposés par lui. Napoléon, comme le gouverneur, exigeait un médecin qui lui fût entièrement dévoué. Un autre médecin anglais, John Stokoe, chirurgien du vaisseau le *Conqueror* se trouva jeté dans la bataille qui opposait les deux hommes. Il avait rencontré Napoléon une fois lors d'une visite à O'Meara, à Longwood. Quand, en janvier, Napoléon s'évanouit pendant qu'il dictait à Montholon, Bertrand fit porter en toute hâte un message à Stokoe. Avec l'autorisation du gouverneur, Stokoe se rendit ainsi deux ou trois fois à Longwood et Montholon lui transmit l'offre de l'Empereur de s'établir comme médecin personnel résident.

Mais Hudson Lowe s'interposa. Comme O'Meara, Stokoe avait eu le tort de diagnostiquer une hépatite. Pire, la censure du gouverneur avait intercepté une lettre de l'homme d'affaires de O'Meara, en provenance de Londres, adressée à Stokoe, mais contenant un pli cacheté pour le grand maréchal Bertrand. Stokoe sentit le vent du boulet et demanda son rapatriement pour raison de santé. Il s'embarqua sur le premier vaisseau en partance pour l'Angleterre, mais il ignorait qu'une lettre demandant sa comparution en cour martiale voyageait sur le même navire. En cette mi-août 1819, Stokoe est à nouveau en route pour Sainte-Hélène ; il doit passer en cour martiale à la fin du mois. On l'accuse « d'avoir, à propos de la santé du général Bonaparte, mis en avant des faits qu'il n'avait pu observer. » (Il a déclaré que Napoléon souffrait d'hépatite depuis seize mois.) On lui reproche également d'utiliser le terme « le patient » au lieu de « général Buonaparte ».

La fonction de médecin de Napoléon est décidément dangereuse pour les Anglais soumis à la discipline militaire et au bon vouloir de Hudson Lowe. Mais tout sceptique qu'il soit à l'égard de la médecine, Napoléon veut avoir un médecin à Longwood en cas de crise. D'ailleurs il en attend un. Plus d'un an auparavant, en effet, Bertrand a écrit (avec l'autorisation des Anglais) à la famille Bonaparte réfugiée à Rome, pour lui demander d'envoyer un majordome susceptible de remplacer Cipriani qui venait de mourir, un cuisinier et un prêtre catholique (il n'y en a aucun à Sainte-Hélène). Napoléon, qui est agnostique, n'a aucun besoin d'un prêtre, mais il aime discuter théologie. En outre, certains de ses domestiques sont croyants et, ainsi qu'il l'a dit un jour à Las Cases, s'il y avait une messe le dimanche, cela les aiderait au moins à passer le temps. Ultérieurement, Bertrand avait ajouté un médecin à la liste.

En ce mois d'août 1819, Montholon écrit à Hudson Lowe pour lui rappeler combien il est urgent qu'un médecin vienne s'installer à Longwood. Au même moment, le petit groupe venant de Rome et dont personne ne sait rien fait voile vers Sainte-Hélène.

Forshufvud vient de prendre connaissance du dernier rapport de Hamilton Smith. Le style du savant écossais est tout empreint de rigueur scientifique. Rien qui évoque les heures sombres de Longwood. Forshufvud souhaiterait que son collègue se laisse aller de temps à autre à un point d'exclamation. Mais apparemment, il n'en est pas question.

Le rapport de Hamilton Smith concerne l'analyse d'un nouvel échantillon de cheveux. Ceux-ci ont été envoyés directement à Glasgow par un certain colonel Duncan Macauley, descendant de l'amiral Pultney Malcolm. Comme Clifford Frey et Mabel Brookes, le colonel a lu les articles consacrés à la théorie de Forshufvud et aux découvertes de Hamilton Smith et il a aussitôt proposé à ce dernier de lui envoyer quelques cheveux provenant de la mèche que Napoléon avait donnée à l'amiral lors de sa visite d'adieu le 3 juillet 1817.

L'analyse de ces cheveux, segment par segment, révèle une teneur en arsenic qui varie de 1,75 à 4,94 pour un million. Ces chiffres sont inférieurs aux précédents, mais les hauts et les bas du graphique indiquent comme auparavant un empoisonnement délibéré.

Le Suédois regrette cependant que l'on ne puisse situer les périodes d'empoisonnement avec précision : parmi les personnes présentes à Longwood le 3 juillet 1817, aucune n'a noté dans quelles conditions la boucle offerte avait été coupée.

Si l'Empereur avait demandé qu'on lui coupât une mèche séance tenante pour la donner à l'amiral — comme il avait prié Marchand de le faire lors des adieux de Betsy Balcombe — et si elle avait été coupée près de la racine, nous aurions alors la preuve que Napoléon avait absorbé de l'arsenic fin 1816 et début 1817. Mais peut-être Marchand avait-il gardé quelques mèches la dernière fois qu'il avait coupé les cheveux de son maître. D'ailleurs, à quel rythme Napoléon se faisait-il couper les cheveux ? Pas très souvent, à en juger par leur longueur sur les portraits de cette époque. A supposer qu'ils l'aient été quatre mois environ avant la visite de Malcolm, cela situerait l'administration d'arsenic début 1816 ou même fin 1815. Mais de toute manière, cette dernière analyse comble une faille importante dans la chronologie qu'a établie Forshufvud. Si l'on excepte la boucle donnée au commandant Theed en janvier 1816, et sur laquelle on est insuffisamment renseigné, les cheveux de l'amiral Malcolm sont les seuls que l'on puisse dater avec certitude du début du séjour à Sainte-Hélène. Forshufvud détient donc maintenant la preuve que Napoléon a absorbé du poison au cours de ses deux premières années d'exil.

En ce qui concerne la santé de l'Empereur, les récits des témoins concordent pour dire que pendant l'année 1816 et durant les premiers mois de 1817, Napoléon a été parfois malade, montrant plusieurs symptômes d'empoisonnement à l'arsenic. Pas de crises graves, toutefois, et ce point coïncide avec la teneur relativement faible de poison (mais supérieure à la normale) décelée dans les cheveux donnés à l'amiral Malcolm.

Forshufvud ne peut donc donner de date précise, mais l'analyse par segment coïncide avec le mauvais état de santé de Napoléon tel qu'il est rapporté dans les mémoires du temps.

Depuis que lui-même et ses collègues ont rendu publique sa théorie, les choses ont bien avancé. Au cheveu unique provenant du reliquaire de Marchand, sont venus s'ajouter quatre échantillons qui sont venus corroborer les résultats des premières analyses. Ces résultats lui ont permis de rendre coup sur coup et de répliquer au tir de barrage et à la dérision que le petit cercle des spécialistes français opposait à la théorie de l'empoisonnement.

Peut-être est-il temps maintenant de faire connaître plus largement encore les résultats de leurs travaux. Peut-être y trouveront-ils, comme la première fois, une aide ou un encouragement. Au moins aura-t-il la satisfaction de répondre aux critiques venues de France. La décision est prise : il faut passer à l'offensive. Et de sa plus belle plume, il a écrit à Hamilton Smith.

Paris
février 1820

Monsieur est bouleversé par la nouvelle qui vient de parvenir à son bureau de Pavillon de Marsan : son fils, le duc de Berry, a été poignardé il y a quelques instants, alors qu'il se rendait à l'Opéra.

Le duc de Berry, ce vieux jeune homme de quarante-deux ans qui a longtemps cru bon de jouer au militaire, est bien davantage que le fils cadet du comte d'Artois. En lui réside le dernier espoir de la dynastie des Bourbons. Après Monsieur, sa famille n'a d'autre héritier que lui. En effet, le vieux Louis XVIII n'a pas eu d'enfant, et ni le comte d'Artois, à présent sexagénaire, ni l'autre fils de Monsieur, le duc d'Angoulême, n'auront vraisemblablement de descendance. Seul le duc de Berry paraissait susceptible de perpétuer la dynastie.

Résumons ce drame de la succession : à la mort de Louis XVIII, Monsieur accédera au trône, puis après lui le duc d'Angoulême et après lui le duc de Berry. Mais si le duc de Berry disparaît avant d'avoir un enfant, il n'y a plus personne. La lignée des Bourbons va s'éteindre.

Tandis que le duc agonise sur un canapé du foyer de l'Opéra, l'assassin est capturé à moins de cent mètres de là. Il passe immédiatement aux aveux. C'est un certain Pierre-Louis Louvel, trente-sept ans, ouvrier sellier aux écuries du roi. On apprend qu'il a reçu la Légion d'honneur des mains mêmes de Napoléon pendant les Cent Jours. Il déclare avoir projeté cet assassinat depuis quatre ans, mais avoir manqué de courage jusqu'à ce soir. Il ajoute fièrement : « Je ne peux oublier que si la bataille de Waterloo a été fatale à la France, c'est parce qu'il y avait, à Bruxelles et à Gand (où se trouvait le quartier général des Bourbons pendant leur second exil), des Français qui ont semé la trahison dans nos armées et apporté leur aide à l'Etranger ! » Louvel sera guillotiné après avoir une nouvelle fois proclamé sa totale dévotion à l'Empereur en exil.

Le Pavillon de Marsan pleure la mort du duc de Berry, et surtout, avec celle-ci, la perte du dernier espoir de la branche dite « légitime ». C'est encore un coup de Bonaparte. Bonaparte, encore lui, toujours lui ! L'ombre de l'Usurpateur planera donc éternellement sur Monsieur et son illustre famille, eux les monarques de droit divin de la France éternelle ?

Longwood, Sainte-Hélène
mars 1820

Cinq heures du matin. Napoléon est levé ; vêtu d'une robe de chambre, chaussé de pantoufles de cuir rouge et arborant un grand chapeau de planteur à larges bords, il attend avec impatience que le soleil se lève... Mais le mieux n'est-il pas de laisser parler Saint-Denis, dit « Ali », son valet ?

« L'Empereur était de bonne humeur. Il se levait sur les cinq heures, cinq heures et demie et attendait très impatiemment que les factionnaires fussent retirés pour aller au jardin. Il faisait ouvrir les fenêtres de ses appartements et allait se promener dans le bosquet en causant avec le valet de chambre de service. Aussitôt que le soleil se montrait à l'horizon il envoyait éveiller tout son monde. Lorsque je n'étais pas de service, il m'appelait en jetant quelques petites mottes de terre dans les vitres de la fenêtre de ma chambre :

— Ali ! Ali ! tu dors ?

et en chantant :

— Tu dormiras plus à ton aise quand tu seras rentré chez toi.

Il continuait l'ariette. Au même moment j'ouvrais la fenêtre.

— Allons donc, paresseux, criait-il en m'apercevant, ne vois-tu pas le soleil ?

Une autre fois, il disait plus simplement :

— Ali ! Ali ! Oh ! Oh ! Allah, il fait jour.

Marchand avait son tour, mais moins souvent, parce que le côté où il logeait était moins fréquenté par l'Empereur.

— Marchand, Mamzelle Marchand, disait-il en l'appelant, levez-vous, il fait jour.

Quand Marchand était arrivé, il le regardait en riant et lui disait :

— Avez-vous assez dormi cette nuit ? Votre sommeil a-t-il été interrompu ? Vous allez être malade toute la journée de vous être levé si matin.

Et prenant le ton ordinaire :

— Allons, prends cette bêche, cette pioche, fais-moi un trou pour mettre tel arbre.

Pendant que Marchand creusait le trou, l'Empereur allait plus loin, et voyant un arbre nouvellement planté :

— Marchand, apporte-moi un peu d'eau, arrose-moi cet arbre.

A un autre, auprès duquel il arrivait :

— Va dire à Archambault qu'il apporte du fumier et aux Chinois qu'ils coupent du gazon, on n'en a plus...

Puis, passant à moi qui tenais une pelle pour charger de terre une brouette :

— Comment, tu n'as pas encore fini d'ôter cette terre ?

— Non, Sire, cependant je ne me suis pas amusé.

— A propos, coquin, as-tu fait le chapitre que je t'ai donné hier ?

— Non, Sire.

— Tu as mieux aimé dormir, n'est-ce pas ?

— Mais, Sire, Votre Majesté ne me l'a donné qu'hier soir.

— Tâche de le finir aujourd'hui, j'en ai un autre à te donner.

L'Empereur, passant à Pierron qui plaçait du gazon :

192

— Comment, tu n'as pas encore terminé ce mur ? As-tu assez de gazon pour le finir ?

— Oui, Sire.

Puis, revenant de mon côté :

— Quelle heure était-il quand je t'ai réveillé cette nuit ?

— Sire, il était deux heures.

— Ah !

Et peu après il me demandait :

— Montholon est-il éveillé ?

— Je n'en sais rien, Sire.

— Va voir. Surtout ne le réveille pas, laisse-le dormir.

Se dirigeant ensuite vers Noverraz qui piochait :

— Allons, ferme ! (en appuyant sur ce mot) Ah, paresseux, qu'as-tu fait depuis ce matin ?

— Hier, votre Majesté m'avait dit de faire goudronner la baignoire. N'ayant trouvé personne de bonne volonté, j'ai fait moi-même la besogne.

— Sire, voici monsieur de Montholon...

— Ah ! Bonjour, Montholon.

M. de Montholon, s'inclinant respectueusement :

— Comment se porte Votre Majesté ?

— Assez bien, est-ce qu'on vous a dérangé ?

— Non, Sire, j'étais déjà hors du lit lorsqu'on est venu chez moi...

— Avez-vous des nouvelles à me donner ? On dit qu'il y a un bâtiment en vue.

— Je ne sais pas, Sire, je n'ai encore vu personne.

— Prenez ma lunette, allez voir si on l'aperçoit. »

Maintenant, Napoléon fait appeler son médecin, François Antommarchi et lui dit :

— Bonjour docteur, êtes-vous content de votre patient ? Est-il assez obéissant ?

Laissons le soin à Antommarchi de raconter lui-même la scène :

« Napoléon tenait sa bêche en l'air, riait, me regardait, secouait la tête, montrait du regard ce qu'il avait fait dans le jardin : " Voilà qui vaut mieux que vos pilules, *dottoraccio !* vous ne me droguerez plus. " Il se remit à bêcher, continua mais cessa au bout de quelques instants : " Le métier est trop rude. Je n'en puis plus. Mes mains sont d'accord avec mes forces, elles me font mal. A la prochaine fois. " Et il jeta la bêche. « Vous riez, me dit-il, je vois ce qui vous égaie, mes belles mains, n'est-ce pas ? Laissez. J'ai toujours fait de mon corps ce que j'ai voulu. Je le plierai encore à cet exercice. " En effet, il s'y habitua et y prit goût. Pour la première fois depuis cinq ans il faisait travailler son corps, charriait, faisait transporter la terre, mettait tout Longwood à contribution. Il n'y eut que les dames qui échappèrent aux corvées, encore avait-il peine à s'empêcher de les mettre à l'œuvre. »

Certes, toute cette activité subite et nouvelle ne ressemble guère à celles qui lui avaient fait parcourir l'Europe : il ne s'agit là que de quelques pieds d'un sol à demi stérile situé au bout du monde. Au lieu des six cent mille hommes de la Grande Armée, il n'a plus sous ses ordres qu'une poignée de domestiques et quatre ouvriers chinois. Qu'importe, Napoléon est dans son élément : il travaille. Chacun s'accorde à constater qu'il est plus vif, moins abattu, pour la première fois depuis son arrivée à Longwood.

Le docteur Antommarchi semble avoir réussi là où son prédécesseur Barry O'Meara a échoué. Depuis son arrivée en septembre il a poussé Napoléon à sortir de sa demeure et à prendre de l'exercice. Napoléon, comme d'habitude, s'est refusé à se soumettre à la surveillance des sentinelles anglaises. « Du mouvement, où ? — Au jardin, dans la campagne, en plein air. — Au milieu des habits rouges ? Jamais ! — Il faudrait que vous bêchiez la terre, échappiez à l'insulte et à l'inaction. — Bêcher la terre ? Oui, docteur, vous avez raison. Je vais bêcher la terre. » C'est ainsi que dès le lendemain il est à l'œuvre. Il prend la direction des travaux de jardinage, et nomme Noverraz chef jardinier. Il décide de creuser de petits étangs alimentés par les canalisations que les Anglais ont récemment fait poser. Un jour, lui et Montholon se déshabillent et plongent dans l'un des étangs. Il reprend ses sorties à cheval et va visiter le chantier de la nouvelle maison que l'on est en train de lui construire. Encore une fois, il profite de l'occasion pour se moquer des Anglais. Lorsqu'il sort, désormais, il laisse un de ses domestiques vêtu exactement comme lui — robe de chambre, pantoufles rouges, chapeau de planteur — dans le jardin, pour dérouter l'officier anglais chargé de s'assurer de sa présence.

Antommarchi est arrivé à Sainte-Hélène en même temps que « la petite caravane » : deux prêtres et deux domestiques, que l'oncle de Napoléon, le cardinal Fesch, a envoyés de Rome à la demande de Bertrand. On sait que Rome est le refuge de la famille Bonaparte qui a quitté la France après Waterloo. Madame Mère partage un palais de la Via Giulia avec son frère, le cardinal Fesch, au milieu d'une admirable collection de tableaux italiens et flamands. Pauline, la coquette Pauline, vit aussi à Rome. Mariée officiellement avec le prince Borghèse, elle collectionne surtout les amants. Louis et Lucien y font de rapides séjours entre deux voyages. Madame Mère correspond régulièrement avec ses autres fils et filles, où qu'ils soient en exil.

Les choix du cardinal Fesch sont assez surprenants. Foreau de Beauregard, médecin personnel de Napoléon à l'île d'Elbe et pendant les Cent Jours, s'est proposé pour aller à Sainte-Hélène, mais le cardinal le récuse parce que, dit-il, il demande trop d'argent et voudrait emmener sa femme avec lui ; il est vrai que lorsqu'il ne s'agit pas de tableaux, l'avarice du cardinal est légendaire. Au lieu de Beauregard, Fesch choisit un Corse de trente ans, Antommarchi, attaché à un hôpital de Florence, plus pathologiste que praticien, et qui n'a jamais été en relation avec la famille Bonaparte. Le choix des prêtres est particulièrement étrange. Le cardinal sait que son neveu n'aime guère l'Eglise. Napoléon ne lui a jamais caché son mépris pour les prêtres et surtout les moines. A la suite d'un conflit avec Rome, il a même fait emprisonner le Pape. Il n'avait autorisé les activités de l'Eglise que soumises au régime du Concordat qui en limitait grandement les pouvoirs pour tout ce qui touchait à la vie civile. Dans sa lettre, Bertrand avait demandé « qu'on fasse le choix d'un homme instruit, ayant moins de quarante ans, surtout d'un caractère doux et qui ne soit pas entêté des principes gallicans. » Or le choix de Fesch ne correspond à aucun de ces souhaits. Au lieu de cela, le cardinal a dépêché Antonio Buonavita, un vieillard malade de soixante-dix-sept ans, qui a fait presque toute sa carrière au Mexique et dont la conversation est presque inintelligible en raison d'une récente attaque d'apoplexie. En outre, sous prétexte que les lois de l'Eglise exigent que les prêtres aillent toujours par deux afin que l'un puisse confesser l'autre, il a envoyé un second prêtre, un Corse à demi illettré du nom d'Angelo Vignali. Le choix des deux domestiques n'est pas meilleur. Le majordome, Jacques Coursot, est plein de bonne volonté mais ne sait même pas faire le café ; le cuisinier, Jacques Chandellier, est compétent mais en très mauvaise santé.

« Ma famille ne m'envoie que des brutes, il est impossible de faire de plus mauvais choix que les cinq personnes qu'elle m'a envoyées », dit Napoléon à Montholon, qui s'empresse de le transcrire dans son journal. C'est que le cardinal tout comme Madame Mère pensent que ce choix est sans objet car ils savent que Napoléon « n'est pas à Sainte-Hélène ». La mère et l'oncle de l'Empereur sont en effet tombés depuis quelque temps sous

196

la coupe d'une illuminée allemande qui leur a dit tenir le fait de la Vierge elle-même... Ainsi que Pauline l'écrit à l'un de ses amis : « Sa Majesté a été enlevée par des anges qui l'ont transportée dans un autre pays où sa santé est très bonne. » Lorsque les cinq hommes finalement choisis quittent Rome, Fesch écrit à Las Cases, qui vit près de Francfort : « La petite caravane est partie de Rome au moment où nous-mêmes croyons qu'ils n'arriveront pas à Sainte-Hélène parce qu'il y a quelqu'un qui nous assure que trois ou quatre jours avant le 19 janvier, l'Empereur a reçu la permission de sortir de Sainte-Hélène et qu'en effet les Anglais le portent ailleurs. Que vous dirai-je ? Tout est miraculeux dans sa vie et je suis très porté à croire ce miracle. » Plus tard, il écrira à Las Cases : « Il n'y a pas de doute que le geôlier de Sainte-Hélène oblige le comte Bertrand à vous écrire comme si Napoléon était encore dans ses fers. » Pauline se moque de l'invraisemblable crédulité de sa mère et de son oncle, mais finalement se rend à leur raison pour éviter les dissensions.

Fesch a mis une année pour fixer son choix ; la « petite caravane » quitte Rome le 19 février et met deux mois à gagner Londres ! Dans la capitale anglaise, le Colonial Office la retarde pendant encore trois mois sous prétexte que les fonctionnaires ne savent pas quand appareillera le prochain bâtiment pour Sainte-Hélène. Les Anglais affirment que Napoléon est en excellente santé et laissent entendre que les cinq hommes pourraient abandonner leur mission en toute bonne conscience. Antommarchi profite de ce séjour à Londres pour consulter deux de ses collègues qui ont déjà traité son futur patient : O'Meara et John Sotkoe (ce dernier vient d'arriver de Sainte-Hélène et doit y retourner pour y être traduit en justice), ainsi que des spécialistes anglais en médecine tropicale. Il en profite aussi pour signer le contrat d'une édition anglaise du livre de

Paolo Mascagni, le célèbre anatomiste, qu'il a terminé après la mort de l'auteur.

Au cours de leur long voyage vers Sainte-Hélène, les membres de la « petite caravane » sont témoins d'une scène extraordinaire. Leur navire, le *Snipe* fait une dernière escale sur la côte occidentale de l'Afrique avant de s'engager dans l'Atlantique Sud. Antommarchi est sur le pont et contemple des Noirs qui dirigent leurs pirogues vers le *Snipe* afin d'y apporter des vivres. Les cinq membres de la « petite caravane » sont heureux de voir ces vivres frais arriver à bord, car le commandant conserve jalousement la meilleure nourriture pour la livrer à Sainte-Hélène. Antommarchi entend alors une conversation échangée entre une pirogue et le pont :

« — Où allez-vous ? demande l'un des Africains.

— A Sainte-Hélène...

— A Sainte-Hélène ? Est-il vrai qu'il y soit ?

— Qui ? demande le capitaine.

L'Africain lui jette un regard dédaigneux, vient à nous et répète la question. Nous répondons qu'il y est. Il nous fixe, secoue la tête et laisse enfin échapper le mot : " impossible ". Nous nous regardons les uns les autres. Nous ne savons qui est ce sauvage qui parle anglais et français et a une si haute idée de Napoléon.

— Vous le connaissez ?

— Depuis longtemps.

— Vous l'avez vu ?

— Dans toute sa gloire.

— Souvent ?

— Dans la " bien gardée " (Le Caire), au désert, sur le champ de bataille.

— Vous avez servi ?

— Dans la 21e, j'étais à Bir-am-bar, à Samanhout, à

198

Cosseir, à Cophtos, partout où s'est trouvée cette vaillante demi-brigade.

— Vous vous souvenez du général Desaix ?

— Aucun de ceux qui ont fait l'expédition de la Haute Egypte ne l'oubliera. Il était brave, ardent, généreux, je l'ai servi longtemps.

— En tant que soldat ?

— Je ne le fus pas d'abord. J'étais esclave, j'appartenais à l'un des fils du roi de Darfour. Je fus conduit en Egypte, maltraité, vendu. Je tombai entre les mains d'un aide du camp du " Juste " (nom que les Egyptiens donnaient au général Desaix). On m'habilla à l'européenne, on me chargea de quelques soins domestiques, je m'en acquittais bien ; le sultan fut content de mon zèle, m'attacha à sa personne. Soldat, grenadier, j'eusse épuisé mon sang pour Napoléon. Un mot nous payait nos fatigues. Nos vœux étaient satisfaits, nous ne craignions rien dès que nous l'apercevions.

— Avez-vous combattu sous lui ?

— J'avais été blessé à Cophtos, je fus évacué sur la basse Egypte. J'étais au Caire quand Mustapha parut. L'armée s'ébranla, je suivis le mouvement, je me trouvai à Aboukir. Quelle précision, quel coup d'œil, quelles charges ! Il est impossible que Napoléon ait été vaincu, qu'il soit à Sainte-Hélène. »

Arrivé à Sainte-Hélène, Autommarchi étouffe dans les limites étroites de Longwood House. Quant à Napoléon, bien qu'il suive son avis en prenant enfin quelque exercice, il se met souvent en colère contre son nouveau médecin. Ce jeune Corse au caractère indépendant n'est pas fait pour le monde confiné des exilés. Après quatre ans, la vie quotidienne de Longwood s'est installée dans une lugubre monotonie, dans un sinistre isolement. Ceux qui n'ont pu s'y adapter sont partis. Les officiers comme les domestiques sortent de plus en plus rarement et n'ont presque plus aucun contact avec l'extérieur. La routine quotidienne continue d'être dominée par la silencieuse présence de leur maître. Dans ses périodes d'isolement Napoléon peut rester des semaines sans leur adresser la parole, mais ils doivent être à sa disposition jour et nuit, à toute heure. Une telle existence n'est pas faite pour Antommarchi. Il a trente ans ; c'est un homme élégant et vif qui, s'il est venu volontiers « pour se consacrer à l'Homme du Siècle » n'en désire pas moins mener sa propre vie. Il passe la matinée au service de son illustre patient, mais l'après-midi, il fait seller son cheval et part à Jamestown chercher quelque improbable distraction, en sorte qu'il est très souvent absent lorsque Napoléon le fait quérir. Par nature, Antommarchi est assez rebelle à toute autorité et n'aime guère le strict protocole que chacun continue d'observer autour de l'Empereur. Les compagnons de Napoléon notent avec désapprobation qu'Antommarchi en vient fréquemment à dire « vous » à l'Empereur, au lieu d'employer la troisième personne, et de dire « Votre Majesté », ou « Sa Majesté ». Louis Marchand tente de conseiller le médecin : « Soyez plus sérieux devant l'Empereur lorsque vous répondez aux questions qui vous sont adressées et gardez-vous lorsque vous parlez du comte de Montholon et du grand maréchal de dire : Bertrand et Montholon. L'Empereur leur parle ainsi, mais vous, vous ne pouvez pas vous le permettre. »

Mais en dépit de ces griefs, Napoléon converse volontiers avec Antommarchi, un peu comme il le faisait avec O'Meara. Le médecin, tout comme son prédécesseur, dont il occupe la chambre à Longwood, consigne dans son journal intime ses entretiens avec l'Empereur ainsi que ses propres observations sur l'état de son patient. Napoléon l'interroge sur ses études de médecine et lui demande de lui montrer les planches anatomiques de l'ouvrage qu'il a publié. Après les avoir examinées, il s'écrie : « Deux heures d'anatomie pour un homme qui n'a

jamais pu supporter la vue d'un cadavre ! Ah, docteur, y
songez-vous ? Allez, on ne fait pas mieux, on ne dit pas mieux.
Vous êtes un séducteur. Vous me persuaderiez que des pilules
sont bonnes à prendre ! » Lors d'une des premières visites du
nouveau médecin, il remarque qu'Antommarchi regarde la
pendule. Il lui dit : « Vous examinez cette grande horloge ? Elle
servait de réveil-matin au grand Frédéric. Je l'ai prise à
Potsdam : c'est tout ce que valait la Prusse ». Alors il évoque
l'île où lui-même et Antommarchi ont vu le jour, la Corse, et où
il croyait aller lors de son premier exil. Il décrit ses plans pour la
gouverner si on le lui avait permis : « Les salines près d'Ajaccio
sont propres à la culture du café, de la canne à sucre ; c'est une
expérience faite. Je me proposais d'en tirer parti. Je voulais
encourager l'industrie, le commerce, l'agriculture, les sciences
et les arts. J'avais dessein d'accorder des facilités aux habitants,
d'appeler des familles étrangères, d'accroître la population ; en
un mot, de mettre l'île à même de se suffire, la rendre
indépendante des marchés du continent. J'avais tout un plan de
fortifications auquel j'avais pensé depuis longtemps et qui
aurait rendu la Corse imprenable. » Puis il passe à un autre sujet
et parle à Antommarchi de sa constipation chronique et de son
« remède héroïque », la soupe à la reine : « cette composition
de lait, de jaune d'œuf et de sucre produit sur moi l'effet d'un
purgatif doux et me soulage constamment. »

Si Antommarchi l'agace parfois, Napoléon se montre
franchement mécontent des deux prêtres que lui a dépêchés son
oncle le cardinal Fesch. Il avait espéré quelqu'un avec qui il pût
discuter de théologie, mais au lieu de cela, et selon ses propres
paroles, le cardinal « m'a envoyé des missionnaires, des propa-
gandistes, comme si j'étais un pénitent ! » Il ne supporte pas les
bredouillements inarticulés du plus âgé des deux prêtres qui
semble « n'être venu à Sainte-Hélène que pour y mourir. » Un
jour, le plus jeune prêtre, Vignali, a le malheur de dire que

selon lui, Alexandre a été le plus grand homme de la Rome antique. C'en est trop pour Napoléon qui lui donne l'ordre de lire deux cents pages par jour de l'Histoire Ancienne de Rollin et d'en prendre des notes qu'il lui montrera. Napoléon accorde aux deux abbés la permission de transformer sa salle à manger en chapelle les dimanches matin mais précise que l'office n'y sera célébré que dans les occasions reconnues dans le Concordat qu'il a jadis négocié avec le Pape. Dans sa colère contre le cardinal il raconte à Antommarchi un de ses souvenirs d'enfance : un vieux berger corse était très malade, et l'on fait appeler l'abbé Fesch. « Pris d'un saint zèle, l'abbé se met à débiter les homélies d'usage, mais l'agonisant l'interrompt et s'impatiente ; en voyant que Fesch veut continuer ses prières : « Eh laissez donc ! s'écrie le malade, je n'ai plus que quelques moments à vivre, je veux les consacrer à ma famille. »

Quand il se livre au jardinage, Napoléon fait une pause vers onze heures. On lui apporte alors un déjeuner solide au cours duquel il boit une demi-bouteille de son vin personnel. Après une courte sieste, il dicte souvent encore soit à Montholon, soit à Marchand. Mais il a terminé son grand ouvrage, dicté à Las Cases pendant les quinze premiers mois de l'exil. A présent il désire que l'on consigne tout ce qui lui passe par la tête, comme certaines critiques à propos de livres qu'il vient de lire. De *l'Enéide* il dira : « Le second livre de *l'Enéide* est considéré comme le chef-d'œuvre de ce poème épique. Il mérite cette réputation sous le point de vue du style, mais il est bien loin de la mériter pour le fond des choses. Le cheval de bois pouvait être une tradition populaire, mais cette tradition est ridicule et tout à fait indigne d'un poème épique ; on ne voit rien de pareil dans *l'Iliade* où tout est conforme à la vérité et aux pratiques de la guerre. » Il énumère les invraisemblances de l'œuvre de Virgile et conclut : « Ce n'est pas ainsi que doit marcher l'épopée, et ce n'est pas ainsi que marche Homère dans *l'Iliade.* » Un autre jour, Napoléon trouve que *Mahomet,* la tragédie de Voltaire, est une œuvre pleine d'imperfections et demande : « Serait-il bien difficile de faire disparaître des taches qui ne tiennent point à la nature de l'ouvrage ? » Et Napoléon de répondre à sa propre question en dictant à Marchand une longue proposition de révision de la pièce, scène par scène. Il propose entre autres modifications de supprimer les deux épisodes dans lesquels Mahomet empoisonne ses ennemis, car il les trouve indignes du protagoniste qu'il considère comme un grand homme. Si on révisait la pièce comme il le suggère, l'œuvre pourrait être lue « sans indignation aux yeux des hommes éclairés de Constantinople comme de Paris. »

La petite guerre que mène Napoléon contre le gouverneur continue, mais sur le mode mineur, comme si l'exilé ne s'intéressait plus à ce médiocre conflit. Lorsqu'il ne sort pas dans son jardin ni ne monte à cheval, Napoléon joue à cache-cache avec l'officier anglais chargé de « l'apercevoir deux fois par jour ». Comme le prêtre corse Vignali a à peu près la même taille et la même corpulence que l'Empereur, Napoléon s'amuse à le faire s'habiller comme lui et le prie de s'asseoir près de sa fenêtre. Lorsque l'officier s'approche de la fenêtre, Vignali a ordre de se retourner brusquement pour montrer à l'Anglais qu'on s'est moqué de lui.

Napoléon exprime parfois sa crainte d'être empoisonné. Hudson Lowe tient même une réunion à ce sujet avec les commissaires étrangers. Montchenu, le commissaire français, rapporte ces paroles de Montholon : « Nous ne croyons rien de tel, mais il n'est pas mauvais de laisser dire. » Montholon a fini par s'imposer comme la figure dominante au sein du petit groupe de fidèles. Le courtisan obséquieux a supplanté son rival, Bertrand, comme porte-parole de Longwood. Il descend fréquemment à Jamestown pour rendre visite à un autre

aristocrate, le marquis de Montchenu. Lorsqu'il se rétablit
d'une assez longue maladie — pendant laquelle, coïncidence
étrange, la santé de Napoléon a été particulièrement bonne —
Napoléon lui dit que dorénavant il aimerait prendre tous ses
repas avec lui. La famille de Montholon partie, ce dernier
consacre tout son temps à l'Empereur. Il ne s'en plaint jamais.
Bertrand, en revanche, aimerait s'éloigner de Longwood. Il
demande un congé de neuf mois pour accompagner sa femme et
ses enfants en Angleterre, après quoi il reviendrait à Sainte-
Hélène. Si Bertrand part, sur les quatre officiers qui avaient
demandé à partager l'exil de Napoléon, il ne restera que
Montholon, l'homme du ralliement tardif.

Gregory Troubetzkoy est un passionné de Napoléon. Mais sa passion porte plus précisément sur l'histoire de l'année 1812, ce qu'explique autant la tradition familiale que l'inclination personnelle.

La famille Troubetzkoy a été profondément impliquée dans les tragiques événements de l'époque. Dans *Guerre et Paix*, Tolstoï fait apparaître la famille Troubetzkoy sous le pseudonyme transparent de Drubetskoy. La mère de Tolstoï était elle-même une Troubetzkoy. Un autre membre de la famille, le prince Alexandre Troubetskoy, était aide de camp du tsar Alexandre Ier à Tilsit en 1807, lorsque Napoléon et le tsar signèrent leur alliance sur un radeau, alliance qui devait prendre fin cinq ans plus tard. Un autre membre de la famille, Serge, a été exilé en Sibérie en 1825 en raison de sa participation à la révolte des Décembristes contre le tsar Nicolas Ier.

Comme d'innombrables Russes, les parents de Gregory Troubetzkoy ont fui leur pays au moment de la Révolution d'Octobre. Né au Maroc en 1930, Gregory a vécu dans ce pays puis en France, et a gagné les Etats-Unis après la Seconde Guerre mondiale.

Gregory Troubetzkoy est animé de sentiments contradictoires à l'égard de l'Empereur Napoléon. Certes, Napoléon était

205

l'ennemi de la Russie, et sa Grande Armée semait la désolation et la mort sur son passage, mais Napoléon avait aussi apporté avec lui le vent du changement, celui de la grande Révolution française, et sa défaite fut une défaite par ces idéaux révolutionnaires comme elle le fut en France.

Un jour, Gregory découvre dans un quotidien de New York un article où l'on évoque l'empoisonnement de l'Empereur. Sans y attacher une importance particulière, il le découpe et le classe dans sa documentation.

Quelques années plus tard, dans une vente, Troubetzkoy achète un autographe de Napoléon. Il s'agit d'une page écrite à Sainte-Hélène, sur laquelle l'Empereur a griffonné un plan du deuxième chapitre de son récit de la campagne d'Italie. Or, à cette page manuscrite, le vendeur de l'autographe a ajouté une petite mèche de vingt cheveux de Napoléon. Il explique à Troubetzkoy qu'il a acheté l'autographe et les cheveux à Londres lors d'une vente aux enchères.

Troubetzkoy est d'abord intrigué par la couleur brun-roux des cheveux : il les avait toujours imaginés « noir italien ». Il se replonge dans un de ses auteurs favoris, le poète et partisan Denis Davidov (qui apparaît dans *Guerre et Paix* sous le nom de Denisoff, l'homme qui zézaie) et relit le récit de la rencontre de Tilsit où il vit Napoléon face à face : « Les cheveux de l'Empereur n'étaient pas noirs, mais blond foncé », écrit Davidov.

Troubetzkoy se souvient alors de l'article qu'il a lu et découpé quelques années auparavant. Après quelques recherches il finit par identifier l'auteur de la théorie de l'empoisonnement, un certain Sten Forshufvud qui vit à Göteborg, en Suède. Il lui écrit donc et lui propose de lui envoyer quelques cheveux de la mèche qu'il vient d'acquérir. Il connaît leur origine. En 1825, le comte de Las Cases vivait à Passy, et avait gagné une grande célébrité avec la publication du *Mémorial de Sainte-*

Hélène. Le 22 juillet de cette année-là il avait envoyé la page manuscrite de Napoléon et la petite mèche de cheveux à « W. Fraser, à Delhi ». Las Cases indiquait : « Les cheveux ont été recueillis par moi à Longwood dans les circonstances indiquées dans le *Mémorial.* » C'était le 16 octobre 1816 :

« A l'heure de sa toilette, l'Empereur se faisait couper les cheveux par Santini ; j'étais à son côté, un tant soit peu en arrière, une grosse touffe est tombée à mes pieds. L'Empereur me voyant me baisser a demandé ce que c'était. J'ai répondu que j'avais laissé tomber quelque chose que je ramassais. Il m'a pincé l'oreille en souriant. Il venait de deviner. »

Troubetzkoy ne sait pas, pas plus d'ailleurs que celui qui lui a vendu l'autographe et la mèche, qui pouvait être ce « W. Fraser », ni pourquoi Las Cases lui avait envoyé ce cadeau. Il ignore également où a pu séjourner la mèche entre son envoi à Delhi et son retour à Londres plus d'un siècle plus tard. A la demande de Forshufvud, Troubetzkoy envoie six cheveux — un long et cinq courts — directement à Hamilton Smith, à Glasgow.

Aujourd'hui, Troubetzkoy lit la lettre de Forshufvud dans laquelle celui-ci lui rapporte ce qu'ont donné les analyses de ces six cheveux. Le plus long, analysé par segments, montre une teneur en arsenic de 11,1 à 18,1 pour un million. Celle des cheveux courts oscille entre 9,2 et 30,4 :

« Naturellement, nous ne savons pas exactement à quelle distance du cuir chevelu Santini a coupé cette mèche. Il est très probable qu'elle provienne de la nuque et ait été coupée assez près de la racine. Si cela est, ils prouvent que Napoléon ingérait de fortes doses d'arsenic entre le 31 juillet et le 1er octobre 1816. Cela coïncide très bien avec ce que nous savons de son état de santé pendant cette période. Depuis la mi-avril 1816, Napoléon ne sortait plus à cheval pour de longues distances. Ses jambes le soutenaient mal. A la même époque son entourage le trouvait très changé. Des différents portraits contemporains nous pouvons constater comment, de 1816 à 1817 et 1818, Napoléon a commencé à ressembler à une sorte d'alcoolique prenant de l'embonpoint, bien qu'il bût très peu de vin et jamais d'alcool. Pendant quelques jours au mois d'août et du 9 au 13 septembre, son état s'aggrava.

« Cependant, il n'est pas impossible que les cheveux que vous nous avez confiés aient été coupés à 10 centimètres de la peau. Ils indiqueraient dans ce cas une ingestion d'arsenic du début janvier 1816 jusqu'au début mars de la même année. Bien que cela soit improbable, le résultat des analyses ne contredit pas ce que nous savons du développement de la maladie de Napoléon.

« En absorbant de l'arsenic, Napoléon se mit à grossir. Ce qui pourrait signifier qu'il était devenu, dans une certaine mesure, « arsénophagique », c'est-à-dire qu'il pouvait absorber une forte quantité d'arsenic sans tomber immédiatement malade. Après un certain temps, toutefois, les symptômes d'intoxication chronique apparaissaient. Les cheveux que vous nous avez envoyés ont vraisemblablement été coupés près de la racine, car Santini était seulement chargé de donner un aspect soigné à l'Empereur, et non de changer sa coiffure habituelle en lui raccourcissant les cheveux en couronne.

« La preuve définitive est ainsi apportée que dès 1816 quelqu'un empoisonnait Napoléon à l'arsenic. »

Sandy Bay, Sainte-Hélène
octobre 1820

Sir William Doveton se promène dans son jardin lorsque apparaissent au loin des visiteurs inattendus. Agé de soixante-sept ans, retraité de la Compagnie des Indes, membre du Conseil de Sainte-Hélène, Sir William est l'un des citoyens les plus honorables de l'île. Sa propriété se trouve à l'orée de Sandy Bay, vallée fertile qui descend jusqu'à la mer, du côté de l'île opposé à Jamestown. Le sinistre Pic de Diane domine cette vallée verdoyante. C'est le printemps ; la journée s'annonce belle et sans nuages.

Sir William aperçoit le petit groupe de cavaliers s'avançant sur la route de montagne qui serpente depuis sa demeure jusqu'au centre de l'île et à la plaine de Longwood. Dans ses jumelles, il reconnaît le petit homme en manteau vert portant bicorne qui chevauche au milieu du groupe : Napoléon. Un membre de la petite troupe, il s'agit du comte de Montholon, devance ses compagnons et vient jusqu'à Sir William pour lui expliquer qu'ils sont partis à l'aube de Longwood, le gouverneur ayant relâché les règlements draconiens qui restreignaient les libertés de mouvement de l'Empereur, et il lui demande si Napoléon ne pourrait pas entrer dans son jardin pour y prendre quelque repos.

Sir William invite le groupe à entrer. Accompagné de

Bertrand et de quatre domestiques, Napoléon descend de cheval. Tandis qu'il gravit les marches du perron, Sir William remarque que l'Empereur s'appuie lourdement sur le bras de Bertrand. Napoléon s'assied sur un sofa et avec Bertrand comme interprète, fait connaissance avec son hôte et la famille, composée de sa fille, Mme Greentree et de ses trois petits-enfants. Napoléon fait signe d'approcher à l'une des petites filles, âgée de sept ans, lui demande son nom et son âge et lui offre dans la boîte d'écaille qui ne le quitte jamais l'un de ses bonbons à la réglisse. Sir William les invite à partager leur petit déjeuner, mais ce sont les exilés qui, au contraire, proposent aux Doveton de partager le repas qu'ils ont emporté de Longwood dans des paniers.

Les domestiques de Napoléon servent le petit déjeuner dans le jardin, à l'ombre des cyprès et des cèdres. L'Empereur, à son habitude, pince l'oreille de Sir William et fait quelques pas avec lui en lui donnant le bras. Sir William est très impressionné par le somptueux repas que les Français ont apporté : « Pâtés, viandes froides, poulet froid, volaille au curry, jambon, café, dattes, amandes, oranges et une excellente salade », racontera plus tard Sir William qui n'en revient pas de ce luxe et de cette abondance. Napoléon fait verser du champagne et trinque avec toute la famille. En échange, Mme Greentree fait goûter de la liqueur d'orange qu'elle prépare elle-même. Après le repas, Napoléon interroge les Doveton sur ses sujets favoris : les coutumes des Anglais en matière de boisson.

— Vous enivrez-vous quelquefois ? demande-t-il à Sir William.

— Je bois un verre de vin de temps à autre, répond le vieux monsieur.

Napoléon se tourne vers Mme Greentree et lui demande :

210

— Combien de fois votre mari s'enivre-t-il ? Une fois par semaine ?

Mme Greentree s'indigne :

— Non, absolument pas.

— Alors une fois tous les quinze jours ?

— Non !

— Une fois par mois ?

— Non, il y a des années que je ne l'ai vu boire.

— Bah ! fait Napoléon, sceptique, et il change de sujet.

Le petit groupe quitte Sandy Bay peu après le repas. Sir William écrira plus tard : « Selon toute apparence, malgré sa pâleur, le général Bonaparte semblait en bonne santé. Il était aussi gras et rond qu'un cochon de la Chine. »

Quand les cavaliers atteignent Hutt's Gate, au bout de la plaine de Longwood, où la calèche les attend, Napoléon éprouve soudainement une grande fatigue. Il descend de cheval et a besoin d'aide pour monter dans la voiture. Quand il arrive à Longwood House, il est épuisé et éprouve un violent mal de tête. Quelques jours plus tard, il s'évanouit en sortant de son bain et les jours suivants tous les symptômes de sa maladie recommencent : les palpitations du cœur, le pouls faible et irrégulier, les douleurs et le froid dans les jambes, la douleur au côté, dans les épaules et dans le dos, la toux sèche, les dents qui se déchaussent et la langue chargée, la soif intense, les éruptions sur la peau et le teint jaune, les frissons, la surdité, la sensibilité à la lumière, la difficulté à respirer, les nausées...

Mont Gabriel, Canada
septembre 1974

Ben Weider a deux passions dans la vie. D'abord, l'usine qu'il a fondée à Montréal et qui fabrique des appareils de culturisme, et puis Napoléon, sa deuxième passion ; le personnage le fascine depuis l'enfance et il dévore dès leur sortie tous les ouvrages qui lui sont consacrés.

De par son métier, Ben Weider s'est longuement penché sur les problèmes médicaux et paramédicaux, et les circonstances qui ont abouti à la maladie et à la mort de Napoléon l'ont toujours intrigué. Avant son arrivée à Sainte-Hélène, Napoléon était doté d'une constitution robuste ; c'était un homme actif, sobre et frugal, qui avait l'intelligence d'éviter les médications souvent nocives prescrites par les médecins de son temps. Pourquoi sa santé s'est-elle dégradée ainsi pendant l'exil alors qu'il atteignait tout juste la cinquantaine ? Ni l'autopsie ni l'examen minutieux des derniers mois de sa vie n'ont permis de répondre à cette question de manière convaincante. Aucune des thèses qu'a pu lire Weider sur le sujet ne le satisfont pleinement. Mais ses obligations professionnelles ne lui laissent que peu de loisirs à consacrer à une étude approfondie des circonstances de la mort de l'Empereur, et c'est seulement après avoir fait la connaissance de Sten Forshufvud que cette question prendra une place prépondérante dans son existence.

212

Mont Gabriel, Canada, septembre 1974

Ben Weider est président du *Souvenir Napoléonien* canadien ; il y rencontre souvent un ami médecin qui connaît bien l'intérêt professionnel qu'il porte aux problèmes médicaux et paramédicaux. Un jour donc, ce médecin communique à Weider quelques pages extraites d'une revue médicale, développant la thèse de l'empoisonnement. Au bas de cet article, une signature : Sten Forshufvud. Cette thèse est la seule qui explique de manière crédible la mort prématurée du grand homme, et Weider décide de prendre contact avec le chercheur suédois.

Forshufvud et Weider correspondent pendant plusieurs années avant de se rencontrer. Le Canadien, qui voyage beaucoup, a pu entre-temps constater combien les avis concernant l'empoisonnement de l'Empereur sont divers, le plus souvent mitigés, au sein des sociétés napoléoniennes d'Europe et d'Amérique du Nord. Il a eu l'occasion de visiter le site de Waterloo en compagnie du professeur David G. Chandler de l'Académie militaire royale de Sandhurst ; ce dernier, une sommité mondiale en matière d'Histoire napoléonienne, s'est montré très favorablement impressionné par les travaux de Forshufvud. A Paris, en revanche, les spécialistes de la question sont sur la défensive. Même si le ton peut être modéré, voire conciliant, en privé, on présente à l'extérieur un front uni face à ce Suédois qui vient déranger les idées établies. C'est, Weider l'apprendra plus tard, ce que Forshufvud se plaît à nommer le « blocus français ». Le docteur Guy Godlewski, membre du *Souvenir Napoléonien* français que le Canadien à longtemps fréquenté, lui affirme même un jour avec une mauvaise foi désarmante que l'arsenic décelé dans les cheveux de l'Empereur ne prouve rien : il peut venir de la terre et s'être accumulé dans le corps depuis son inhumation... Les articles écrits par Forshufvud spécifient pourtant clairement que les cheveux ont été prélevés avant la mise en terre, dans des circonstances que n'ignore aucun spécialiste de l'Histoire napoléonienne. Les arguments que l'on oppose à Forshufvud étant parfaitement inconsistants, Weider, qui est d'un naturel combatif, décide de soutenir le chercheur suédois.

C'est à Lodi, une petite ville italienne qui a vu une des premières victoires de Bonaparte, que Weider et Forshufvud se rencontreront pour la première fois. Les deux hommes s'en vont flâner sur le pont où le jeune général Bonaparte rassembla ses troupes presque défaites pour les conduire à une victoire éclatante. Au restaurant, le soir, ils commandent du poulet Marengo, ce plat que, lors de la bataille du même nom, le cuisinier de Napoléon aurait inventé à partir des quelques produits encore à sa disposition. Weider éprouve tout de suite de la sympathie pour cet homme presque septuagénaire, grand et très droit, au visage auréolé d'une abondante chevelure argentée. Son parler, à la fois cordial et direct, émaillé de fréquents traits d'humour, rend le contact aisé. Les deux hommes ne tardent pas à aborder le sujet qui leur tient à cœur. Pour Weider, il serait souhaitable de faire connaître les travaux de Forshufvud en dehors du cercle restreint des spécialistes napoléoniens. Forshufvud se fait rêveur ; cela réaliserait les dernières volontés de l'Empereur : révéler les véritables causes de sa mort. Mais avant de s'engager totalement aux côtés du Suédois, Weider désire approfondir un certain nombre de points qu'il juge encore obscurs. Les deux hommes vont donc passer une semaine ensemble pour examiner à tête reposée le projet sous tous ses angles.

Ayant l'un et l'autre réussi à se libérer pour quelques jours de leurs obligations professionnelles, Forshufvud et Weider se retrouvent à l'hôtel du Mont Gabriel, dans les Laurentides, à une centaine de kilomètres au nord de Montréal. En cette période intermédiaire entre la saison estivale et celle des sports d'hiver, l'hôtel est presque désert. Les Laurentides se parent des ors et des rouges de septembre, et un petit vent vivifiant vient rafraîchir les journées encore agréablement ensoleillées. Le premier matin, lors d'une promenade dans les bois aux multiples nuances cuivrées, les deux hommes discutent pendant des heures, abordant tous les aspects du sujet qui les intéresse ; ce tour d'horizon se prolongera jusqu'à la fin du dîner. Après le café, Weider, qui songe à l'âge avancé de son compagnon, lui propose de prendre un peu de repos. Mais Forshufvud hoche la tête d'un air grave et dit en français : « *travailler c'est la liberté.* » Weider sourit ; voilà une remarque digne du travailleur acharné qu'était Napoléon. Forshufvud ayant bourré sa pipe, ils se remettent donc au travail.

Ils examineront d'abord tous les points sur lesquels Weider continue de s'interroger. Ce dernier ne prendra la responsabilité de rendre publique la thèse de l'empoisonnement que s'il juge convaincante la démonstration de Forshufvud. Sortant son carnet de notes, il demande :

— Il semble évident que Napoléon a été empoisonné. Comment expliquez-vous alors que personne avant vous n'ait songé à l'arsenic ?

— J'ai posé la même question à Henry Griffon, le chef du laboratoire de toxicologie de la Préfecture de police de Paris. Il a une grande expérience de ce genre de problèmes. Les médecins, selon lui, ne pensent que trop tardivement à cette éventualité. Il est vrai que les symptômes dus à l'ingestion d'arsenic ressemblent à s'y méprendre à ceux de plusieurs affections communes. Les médecins sont surtout formés au diagnostic des maladies ; l'idée de l'empoisonnement ne leur vient qu'en tout dernier recours.

— Mais Antommarchi était un pathologiste expérimenté et très au fait de ce genre de phénomènes. Les empoisonnements à l'arsenic étaient extrêmement fréquents à l'époque. Comment se fait-il qu'il n'y ait pas songé ?

215

— Etonnant, en effet. Cependant les symptômes consécu- tifs à une intoxication aiguë ne sont en rien comparables à ceux dus à une intoxication chronique. Napoléon a été assassiné à petit feu, et les troubles causés par cet empoisonnement progressif déroutaient les médecins de l'époque. En fait, ce syndrome ne fut identifié qu'en 1930, avec la publication d'une étude allemande. On ne peut donc guère reprocher leur impuissance ni à Antommarchi ni à O'Meara.

— Et les scientifiques et historiens contemporains ?

— Rien ne permettait de penser à un empoisonnement.

Il a fallu attendre, pour en avoir un preuve tangible, que Hamilton Smith ait mis au point sa méthode. Les *Mémoires* de Bertrand, et surtout de Marchand, si riches en détails sur les derniers jours de l'Empereur, n'avaient pas été publiés. N'ayant pas tous les éléments en main, nul ne songeait à un empoisonne- ment à l'arsenic. Cent quarante ans se sont écoulés qui ont vu naître de multiples thèses sur le sujet ; chaque spécialiste, suivi par de nombreux adeptes, a son idée, bien arrêtée, sur ce qui a causé la mort de Napoléon, et il y tient comme à la prunelle de ses yeux.

— Les plus acharnés à réfuter la valeur de mes travaux, ajoute Forshufvud, sont ceux qui craignent que je n'empiète sur leur territoire. Les historiens défendent leurs publications toutes griffes dehors. Une chatte ne défendrait pas mieux ses petits.

Posant sa pipe, Forshufvud précise :

— Je parle des historiens français. Aucun toxicologue, pathologiste, criminologue ou expert en médecine légale ne m'a jusqu'à ce jour désavoué. Ils sont même nombreux à me soutenir. Mais l'Histoire appartient aux historiens, pas aux scientifiques, et les spécialistes français répugnent à croire que leur héros national ait été assassiné par un de ses proches, ce qui est tout à fait compréhensible.

Mont Gabriel, Canada, septembre 1974

— Il n'en serait probablement pas de même si vos travaux mettaient en évidence la culpabilité de Hudson Lowe, conclut Weider d'un air pensif.

— J'aurais alors été le premier Suédois élu président du *Souvenir napoléonien* français !

Dans les milieux autorisés, rapporte ensuite Weider, certains imputent la présence du toxique dans les cheveux de l'Empereur à diverses causes excluant une tentative d'assassinat. Certains l'attribuent à la crème capillaire utilisée par Napoléon, d'autres à une contamination par l'arsenic qu'auraient contenu les rideaux de Longwood, d'autres à un stimulant à base d'arsenic pris comme médication. Aucune de ces théories ne résiste à une réflexion approfondie, objecte Forshufvud. L'arsenic provenant d'une crème capillaire se serait déposé de manière uniforme dans les cheveux, alors que l'analyse révèle une localisation extrêmement irrégulière. Même argument en ce qui concerne les rideaux de Longwood, en ajoutant que, dans ce cas, tous les habitants de la demeure auraient souffert des mêmes troubles que Napoléon. Enfin, les stimulants à base d'arsenic n'ont pas été utilisés en France avant 1860 ; mais, de toute façon, Napoléon se refusait obstinément à absorber quelque médicament que ce fût.

Weider s'engage alors sur une autre voie.

— Vos détracteurs ont émis des doutes sur l'origine des cheveux analysés. Comment être sûr que ces mèches ne sont pas faussement attribuées à l'Empereur ?

Ce n'est pas la première fois que Forshufvud se trouve confronté à cette objection.

— Précisons d'abord que tous les cheveux analysés proviennent d'une seule et même personne. Nous en avons la preuve scientifique car l'arsenic se répand dans le corps du cheveu en formant une figure qui varie d'un individu à l'autre comme varient les empreintes digitales. Donc les mèches en notre possession appartiennent à une seule et même personne, empoisonnée par l'arsenic. Ajoutons en outre que ces cheveux sont bruns avec des reflets roux et exceptionnellement doux et soyeux, comme ceux de l'Empereur. Mais nous pouvons continuer à nous interroger. Sont-ce vraiment ceux de Napoléon ? Voyez donc qui nous a confié les différents échantillons : Lachouque de Paris, Frey de Suisse, Lady Mabel d'Australie, Macauley d'Angleterre et Troubetzkoy de New York. Ainsi des mèches faussement attribuées à l'Empereur mais appartenant à un même individu seraient parvenues aux mains de toutes ces personnes étrangères les unes aux autres et disséminées un peu partout dans le monde ? Impossible, bien sûr, à moins qu'ils n'aient été de connivence. On se demande bien pour quel motif ! Un de ces éventuels conspirateurs serait le commandant Lachouque de Paris, lequel a rejoint le « blocus français ». Pour quelle mystérieuse raison Lachouque, en accord avec tous mes autres fournisseurs, m'aurait-il remis une fausse mèche ? Cette démarche pour le moins absurde aurait signifié qu'il venait, au moyen d'une supercherie, appuyer une théorie que par ailleurs il réfute. C'est impensable.

« Maintenant, examinons la provenance, comme on dit pour les œuvres d'art. Les documents historiques font mention de l'existence de chacune de ces mèches bien avant que leurs possesseurs actuels se soient manifestés à moi. Dans deux cas, les cheveux nous ont été fournis par des descendants directs des proches qui les reçurent de l'Empereur, Betsy Balcombe et l'amiral Malcolm. Ces mèches ne sont jamais sorties de leurs familles. Trois autres n'ont changé de main qu'une seule fois avant de nous parvenir. La dernière, celle de Troubetzkoy, nous est arrivée accompagnée d'une page authentique écrite de la main de Napoléon ; nous savons en outre que Las Cases a recueilli une mèche à Sainte-Hélène. Ces cheveux sont indiscutablement ceux de l'Empereur. Toute autre hypothèse serait, si je puis dire, tirée par les cheveux. Mais ne nous arrêtons pas en si bon chemin. Imaginons, puisque les mèches sont authentiques, que les analyses soient fausses. Le travail a été fait par Hamilton Smith, un spécialiste réputé, et par les laboratoires de Harwell, mondialement connus pour leur sérieux. Quel intérêt auraient-ils trouvé à falsifier les résultats ? Aucun, bien sûr, sinon satisfaire au bon plaisir d'un Suédois inconnu et un peu cinglé, ce qui n'est évidemment pas concevable. »

Voyant Weider hésiter, Forshufvud, après un bref silence, reprend la parole :

— Sans doute pensez-vous, mon cher Ben, que, justement, ce Suédois un peu cinglé aurait pu, pour parvenir à ses fins, substituer lui-même d'autres cheveux à ceux de l'Empereur... Vous avez parfaitement raison d'envisager toutes les éventualités ! Je n'en avais néanmoins matériellement pas la possibilité. A part ceux de Marchand et de Noverraz, tous les échantillons ont été expédiés à Hamilton Smith, à Glasgow, sans passer par moi. Cela n'était pas prémédité, mais je m'aperçois aujourd'hui que le hasard a bien fait les choses !

Certains sceptiques se sont ouverts à Weider de leurs doutes concernant la méthode utilisée pour assassiner Napoléon.

— Pourquoi l'avoir empoisonné à petit feu ? Une dose massive les aurait débarrassés beaucoup plus vite. Chaque jour qui passait était pour Napoléon une chance supplémentaire de s'évader et de revenir en France renverser les Bourbons.

— On m'a déjà posé cette question-là aussi. Que redoutaient les Bourbons en réalité ? Napoléon en personne, bien sûr... mais surtout une résurgence du mouvement bonapartiste, qui bénéficiait toujours de nombreuses sympathies au sein du peuple. Vous n'ignorez pas que, même du vivant de l'Empereur, certains opposants aux Bourbons invoquaient plus volontiers le nom de l'Aiglon que celui de Napoléon. Durant les journées de Juillet 1830, on songea du reste sérieusement à donner la couronne à l'Aiglon, et nous savons que finalement, en 1852, avec l'accession au pouvoir de Louis-Napoléon, les Bonapartistes obtinrent gain de cause.

« Imaginez que le comte d'Artois ait ordonné la suppression brutale de Napoléon. On aurait suspecté un empoisonnement ; il y aurait eu une autopsie qui aurait révélé la présence d'arsenic. La nouvelle se serait répandue en France comme une traînée de poudre et les Bourbons savaient fort bien les remous qu'elle aurait provoqués. Des soulèvements populaires, conduits par des vétérans, se seraient multipliés, ce qui aurait sonné le glas du règne des Bourbons et leur aurait sans doute également coûté la vie. Souvenez-vous de ce qui s'est passé après Waterloo. Le Prussien Blücher, et d'autres, voulaient faire fusiller Napoléon, mais le Roi Louis XVIII n'osa pas donner suite. Il était plus prudent de faire croire à une mort naturelle. Voilà l'avantage de l'empoisonnement progressif, sans compter que par cette méthode les troubles dont souffrait l'Empereur lui interdisaient toute tentative d'évasion. Je suis persuadé qu'un Napoléon en pleine possession de ses moyens aurait finalement réussi à quitter Sainte-Hélène. Il faut en outre considérer les préoccupations de l'assassin lui-même. Imaginez la réaction des fidèles de l'Empereur en cas d'empoisonnement brutal : le meurtrier aurait été taillé en pièces ! »

Ainsi en revient-on à la question fondamentale demeurée sans réponse. Mais il se fait tard et les deux hommes décident d'aller se coucher. Ils reprendront le lendemain matin.

Après le petit déjeuner, ils sortent faire une promenade dans les bois. A son habitude, Forshufvud marche en tête, d'un pas décidé, comme s'il craignait de rater un train. Ils s'arrêtent enfin sur une hauteur surplombant la vallée que baigne un doux soleil automnal. Assis sur une grosse pierre, Forshufvud entreprend de bourrer sa pipe, tandis que Weider sort son carnet de notes.

— Etes-vous prêt, dit-il, à aborder la question à laquelle vous refusiez de répondre lors de notre première rencontre de Lodi ?

Forshufvud demeure un moment silencieux, avant de déclarer :

— Il est grave d'accuser une personne, même morte de longue date, d'avoir assassiné le plus grand homme de l'époque contemporaine. Je ne voulais pas désigner de coupable avant d'être absolument certain de son identité. Mais le moment est venu. Nous allons passer en revue la liste des suspects et je pense qu'une fois cette démarche accomplie, vous serez tout aussi convaincu que moi-même.

Ils parcourent donc la galerie des personnages présents lors du drame de Sainte-Hélène. Sont d'abord écartés ceux qui, ne vivant pas vraiment à Longwood, ne pouvaient empoisonner Napoléon sans également toucher toute la maisonnée, ce qui exclut d'emblée, n'en déplaise aux Français, absolument tous les Anglais. On peut ensuite éliminer ceux qui n'étaient pas présents dans l'île durant toute la période d'exil, puisque la preuve est faite que Napoléon a absorbé du poison du début jusqu'à la fin du séjour à Longwood, et cela sans interruption. Ainsi se trouvent disculpés ceux qui sont partis, c'est-à-dire Las Cases, Gourgaud, O'Meara et Albine de Montholon, ceux qui sont morts, comme Cipriani, et ceux qui, comme Antommarchi, ne sont arrivés qu'en 1819. Il ne reste plus alors que deux officiers, Montholon et Bertrand, et une dizaine de serviteurs.

— Mais nous pouvons tout de suite écarter Bertrand, dit Forshufvud. Certes, il ne se plaisait pas à Sainte-Hélène et il avait d'excellentes raisons d'être furieux du traitement que lui faisait subir Napoléon. Mais on n'empoisonne pas quelqu'un à petit feu dans un mouvement de colère, et de toute façon

Bertrand n'en avait matériellement pas la possibilité. Il ne vivait pas dans la maison de Longwood même et ne s'occupait pas des questions d'intendance.

— Pierron, le chef cuisinier, fait remarquer Weider, était à Longwood du début jusqu'à la fin du séjour.

— Sans doute, et il était fort bien placé pour empoisonner Napoléon ; il ne le pouvait cependant pas sans atteindre aussi les autres habitants. Pierron faisait certes la cuisine mais les plats étaient servis par les valets... Napoléon n'aurait d'ailleurs accepté de nourriture de personne d'autre. Pierron ne savait donc pas quelle portion de ce qu'il avait préparé consommerait Napoléon et, étant donné la fréquence d'absorption d'arsenic révélée par les analyses, on ne peut tenir compte des rares fois où des mets spéciaux furent servis à l'Empereur seulement.

Qu'en est-il des trois valets, Louis Marchand, Saint-Denis, appelé Ali, et le Suisse Noverraz ? Noverraz était alité durant toute une période pendant laquelle il est prouvé que Napoléon a ingéré du poison ; du reste, lui et Saint-Denis ne furent que rarement affectés au service des repas. Ils ne peuvent donc pas être coupables.

Il n'y a plus que deux suspects : Montholon, l'officier, et Marchand, le premier valet.

— Quelle ironie ! s'exclame Weider. Les deux hommes les plus dévoués à l'Empereur !

— Rien d'étonnant à cela pourtant, dit Forshufvud. Seuls les plus fidèles étaient suffisamment proches de Napoléon pour pouvoir mener à bien la sinistre besogne.

Le Suédois se met à marcher de long en large devant Weider toujours assis sur la grosse pierre.

— Examinons le passé de chacun des deux suspects, poursuit-il, en nous demandant ce qui a motivé leur départ pour Sainte-Hélène. Louis Marchand, d'abord. Marchand avait déjà passé dix ans au service de Napoléon, toute sa vie d'adulte en fait. Sa mère servait au palais. Ni lui ni sa famille n'étaient d'aucune manière liés aux royalistes. Marchand n'avait jamais rien fait d'autre que servir Napoléon. Il était à ses côtés avant l'île d'Elbe, et pendant les Cent Jours. Sa mère était à Vienne où elle prenait soin de l'Aiglon. Louis Marchand a donc suivi Napoléon à Sainte-Hélène. Rien de plus naturel.

Le tuyau de sa pipe braqué sur son interlocuteur, Forshufvud s'immobilise.

— Montholon, à présent... Sa situation est tout à fait différente ! Première question ouvrant sur une série de contradictions : que venait donc faire à Sainte-Hélène cet enfant de la vieille aristocratie française ? Il était officier certes, mais, bien qu'il n'ait cessé de proclamer le contraire, il ne s'est guère distingué sur les champs de bataille et Napoléon le connaissait à peine. Montholon, par ailleurs, n'avait aucune raison d'être reconnaissant à l'Empereur. Ce dernier ne pouvait lui montrer que dédain étant donné son passé militaire. Il lui avait refusé une promotion ainsi que la permission d'épouser Albine. Montholon ayant passé outre, Napoléon le destitua. Puis, après l'abdication de l'Empereur et son départ pour l'île d'Elbe, Montholon chercha à s'attirer les faveurs des Bourbons. Il avait d'ailleurs des amitiés solides dans les milieux royalistes. Son beau-père, le comte de Semonville, était un proche de la famille d'Artois. C'est ainsi que, lors de la première restauration, Montholon se trouva promu au grade de général. A cette époque, intervient un événement d'une grande importance. Il fut accusé d'avoir détourné six mille francs sur la solde destinée aux hommes placés sous son commandement. C'était une accusation très grave, qui risquait de le mener en prison pour de longues années. Montholon ne passa néanmoins jamais en cour martiale. On voit ensuite Napoléon revenir de l'île d'Elbe et Montholon nous raconter dans ses mémoires qu'il rejoignit immédiatement l'Empereur. Mais rien ne nous le prouve. Il ne participait pas à la campagne de Belgique ; il n'était pas à Waterloo, alors que Napoléon manquait cruellement d'hommes.

A ce point de sa démonstration, Forshufvud se remet à marcher de long en large.

— De fait... Montholon n'apparaît dans l'entourage de Napoléon qu'après Waterloo, au palais de l'Elysée, et en uniforme de grand chambellan. Après Waterloo, quand s'achève l'épopée napoléonienne ! Pourquoi ce jeune aristocrate mondain et jouisseur rallie-t-il soudain une cause perdue ? On le voit s'empresser autour de Napoléon, exprimer le désir de le suivre à Sainte-Hélène ! Ses semblables ont repris le pouvoir, son beau-père est un intime de Monsieur, le frère du roi, et cet homme frivole renonce à la vie de plaisirs qu'il mène en France ? Il va gâcher ses plus belles années dans une île lointaine, au service d'un homme qui ne lui est rien ? Montholon a alors trente-deux ans, c'est-à-dire douze de moins que Napoléon. L'exil pourrait donc fort bien se prolonger vingt ou trente ans et Montholon en revenir presque chenu. Comment ne pas s'interroger sur ce qui motive un pareil sacrifice ?

« Voyons comment il se comporte à Sainte-Hélène maintenant. Montholon supporte stoïquement la liaison d'Albine avec Napoléon et écoute sans broncher les railleries de Gourgaud à ce sujet. Il ne se plaint jamais, ne demande jamais à rentrer en France, alors que même Bertrand, le fidèle Bertrand, sollicite l'autorisation de quitter l'île. On voit Albine partir et Napoléon dire à Montholon qu'il peut la suivre... Mais Montholon préfère rester ! Là encore, on ne peut qu'être perplexe. »

Forshufvud s'interrompt quelques instants pour reprendre son souffle, puis continue :

— Je ne vois qu'une explication à une attitude aussi surprenante. On lui a ordonné de rejoindre Napoléon et de l'accompagner à Sainte-Hélène avec pour mission de l'empoi-

224

sonner. L'ordre n'a pu venir que du comte d'Artois, qui avait déjà si souvent cherché à attenter à la vie de l'Empereur. Il semble que Montholon ne puisse refuser la terrible mission. Il a volé la solde de ses soldats et, par l'intermédiaire de son beau-père, on a dû le menacer de le jeter en prison s'il se dérobait. C'est Montholon qui a tué l'Empereur !

Forshufvud vient se rasseoir sur la pierre et les deux hommes demeurent un long moment silencieux, chacun abîmé dans ses pensées. Weider s'était certes étonné de la présence d'un homme tel que Montholon à Sainte-Hélène ; il n'avait cependant jamais songé à relier ce fait et l'épisode, rarement mentionné dans les documents, du détournement de la paie des soldats. La démonstration de Forshufvud rassemble les éléments de manière tout à fait cohérente, mais Weider reste perplexe, et il s'en ouvre à son compagnon.

— Eh bien, voyons comment il s'y est pris, répond Forshufvud, et vous constaterez que tous les faits concordent. En même temps que Cipriani, Montholon était affecté à l'intendance de Longwood. Il s'occupait tout particulièrement du cellier dont il détenait les clefs. Rien de plus commode que le vin pour administrer un poison ! Napoléon buvait toujours le même, un vin de Constance ; il avait sa bouteille attitrée ; ceux qui partageaient sa table en buvaient généralement d'autres. Le vin arrivait à Longwood en fûts et était mis en bouteilles sur place. Quoi de plus facile pour le préposé aux vins que de mettre de l'arsenic dans le fût avant la mise en bouteilles ? Il n'avait pas à répéter l'opération quotidiennement, ce qui aurait été le cas s'il avait choisi le moyen de la nourriture. Les risques de se faire prendre en étaient d'autant diminués. En une seule fois, il assurait l'intoxication de sa victime durant des semaines ou des mois, et, plus important, l'administration de doses appropriées puisque Napoléon ne buvait jamais plus d'une demi-bouteille par repas.

« Ce fut indiscutablement le vin qui servit de véhicule, en voici une preuve supplémentaire : quelquefois, rarement, Napoléon offrait une bouteille de son vin ; le bénéficiaire de ce don tombait à peu près invariablement malade, montrant des symptômes identiques à ceux qui affligeaient l'Empereur. Il en donna une aux Balcombe, et Mme Balcombe fut malade. Il en donna une à Gourgaud qui manifesta des troubles similaires. Gourgaud s'ouvrit d'ailleurs à Napoléon de ses doutes au sujet de ce vin et suggéra qu'il serait plus prudent que tout le monde bût le même. Napoléon ne voulut malheureusement rien entendre et cela lui coûta la vie. »

Weider est pensif. Tous les éléments du puzzle coïncident et l'hypothèse du vin empoisonné semble convaincante. Mais de là à accuser Montholon, il y a un pas qu'il hésite encore à franchir.

— Le jury réserve toujours son verdict ? dit Forshufvud avec un sourire. Votre circonspection vous honore. D'ailleurs, je n'ai pas terminé. La clef de voûte de ma démonstration tient aux événements survenus dans les premiers mois de l'année 1821. C'est au cours de cette période que l'assassin cesse d'administrer de l'arsenic et fait prescrire par un médecin les remèdes — par ailleurs inoffensifs — qui achèveront la victime affaiblie, en évitant du même coup que l'arsenic soit décelable à l'autopsie... du moins par les méthodes d'analyse dont on dispose à l'époque. Là gît la preuve définitive que Napoléon a été assassiné et que le meurtrier était Montholon.

En se levant, Forshufvud poursuit :

— Mais j'ai besoin de ma documentation pour continuer. Nous avons bien mérité une bonne bière... et allons déjeuner puisque c'est l'heure. Peut-être le chef aura-t-il préparé un poulet Marengo en souvenir de notre première rencontre ?

Mont Gabriel, Canada, septembre 1974

Un peu plus tard dans l'après-midi, Weider rejoint Forshufvud dans sa chambre. Sur la table, la commode et le lit, sont éparpillés une multitude de papiers : un exemplaire, mille fois feuilleté, du Mémorial de Sainte-Hélène, des ouvrages scientifiques et des articles, des pages et des pages recouvertes d'une écriture serrée. Sur le sol, s'étale le tableau synchronique dont lui a parlé Forshufvud. Weider n'en croit pas ses yeux. Une bonne vingtaine de feuilles sont alignées, fixées les unes aux autres par du ruban adhésif. C'est une reconstruction quotidienne minutieuse qui rassemble, et expose bien en évidence, les éléments significatifs des derniers jours : là, le graphique fait à partir des analyses de Hamilton Smith et montrant la concentration plus ou moins forte d'arsenic dans les différents segments de cheveux prélévés à la mort de Napoléon ; là, les déclarations, classées par dates, des témoins oculaires et, en regard, des notes en suédois, en français ou en anglais. Quel ouvrage de dévotion extraordinaire !

— Eh bien, que pensez-vous de mon travail ? demande Forshufvud.

— On dirait un manuscrit égyptien ! s'exclame Weider.

— Exactement ! C'est une Pierre de Rosette relatant les derniers moments de l'Empereur, et qui va nous permettre de réaliser ses dernières volontés. Nous dirons au monde de quoi il est mort et qui l'a tué.

Pendant une semaine, Sten Forshufvud et Ben Weider ne quitteront cette pièce au sol jonché de feuillets que pour dormir... ils sont à Longwood, en fait, au chevet de l'Empereur agonisant. Ils n'abandonnent le tableau synchronique que pour se plonger dans les mémoires de ceux qui furent les témoins des derniers moments de Napoléon : Louis Marchand, dont le témoignage donna à Forshufvud l'idée d'entreprendre cette recherche ; le grand maréchal, l'infortuné Bertrand, dont le journal codé ne fut pas décrypté avant le milieu du vingtième

siècle ; Saint-Denis, dit Ali, le second valet ; Francesco Antommarchi, le jeune et beau médecin corse... et, enfin, l'énigmati-
que Montholon lui-même. Dans les pages suivantes, nous
mettrons en regard leurs différents témoignages et les commentaires de Forshufvud. Ainsi va se reconstituer sous nos yeux le
dénouement d'un crime presque parfait.

Longwood, Sainte-Hélène
janvier à mai 1821

1er janvier

Marchand : Le matin, lorsque j'entrai dans sa chambre, il était dans son lit : « Eh bien, me dit-il, lorsque ses persiennes furent ouvertes, que me donnes-tu pour étrennes ? — Sire, lui dis-je, l'espoir de voir Votre Majesté se rétablir bientôt et de quitter un climat si contraire à sa santé. — Ce ne sera pas long, mon fils, ma fin est proche, je ne puis aller loin. »

Forshufvud : D'après l'analyse des cheveux et les notes d'Antommarchi, on sait que Napoléon vient de subir une série d'attaques durant lesquelles il a manifesté les symptômes de l'intoxication aiguë par l'arsenic. Entre ces crises il continue de montrer les symptômes de l'empoisonnement chronique. Trois semaines auparavant — le 5 décembre — Montholon écrit à sa femme, disant que Napoléon souffre d'une « maladie de langueur ». Il entend par là une maladie évolutive, voire un cancer. Dans son communiqué le gouvernement français annoncera d'ailleurs que Napoléon a succombé à une « maladie de langueur ».

21 janvier

Bertrand : Il fait mauvais temps. L'Empereur ne sort pas ; Napoléon a fait établir dans sa salle de billard une bascule. Il demande au Grand Maréchal s'il sait ce que c'est. « C'est une machine de guerre. Est-ce pour servir à descendre sur un rempart ? » « Peu d'esprit pour un ingénieur, sacré f... » Il dit d'abord que c'est une balançoire pour les enfants, enfin (que) c'est pour lui. Il paraît que ce sera un bon exercice s'il peut monter là-dessus une demi-heure par jour ; cela le fera suer.

Mme Bertrand rit de voir l'Empereur sur une bascule et dit qu'on en fera une caricature : l'Empereur d'un côté et tous les souverains de l'autre ne pouvant l'enlever, avec l'épigramme : remède pour l'hépatite. Le fait est que l'Empereur est très lourd : il pèse plus que Noverraz qui a plus de six pieds.

Saint-Denis : Cet exercice amusa l'Empereur environ deux semaines, puis il l'abandonna.

27 janvier

Montholon à Hudson Lowe : ... Le sieur Antommarchi, son chirurgien, est insuffisant pour le secourir dans son état actuel de maladie. Il désire un médecin... de Paris... Tout ce qu'il est nécessaire de faire ne peut l'être que par l'intermédiaire du gouvernement français ou anglais.

Bertrand : Le général Montholon parle ensuite du docteur Arnott (un médecin militaire anglais dont Hudson Lowe a proposé les services) : « L'Empereur veut un médecin français. Il s'en rapporte au roi pour le choisir. »

230

Longwood, Sainte-Hélène, janvier à mai 1821

Forshufvud : *Montholon essaye d'éloigner Antommarchi. En effet, ce dernier le menace doublement. D'une part, il a une formation très sérieuse en pathologie ; il sera donc mieux qualifié que quiconque pour pratiquer l'autopsie avec succès. D'autre part, il est Italien et ne se sentira obligé envers aucun des deux gouvernements concernés. Il n'hésitera donc pas à faire les recherches nécessaires pour déceler une intoxication. Un médecin français choisi par les Bourbons s'abstiendrait prudemment de diagnostiquer un empoisonnement, tout comme d'ailleurs un médecin anglais sous les ordres de Hudson Lowe, car les Anglais redoutent plus que tout qu'on les soupçonne d'avoir assassiné Napoléon.*

Antommarchi : La nuit a été excessivement mauvaise. L'Empereur est dans un état de faiblesse extrême, son pouls est petit, légèrement nerveux — toux sèche — physionomie sombre.

28 janvier

Antommarchi : Prostration de forces extrême ; yeux livides, presque éteints — toux sèche et nerveuse — bouche aride — soif incommode — sentiment pénible dans l'estomac.

29 janvier

Antommarchi : Même état — Profonde tristesse.

231

30 janvier

Antommarchi : L'Empereur était dans une situation déplorable ; mais la maladie ne faisait qu'exalter l'aversion qu'il avait pour les médicaments.

Forshufvud : L'analyse du segment de cheveu correspondant à cette période révèle une concentration maximum d'arsenic.

31 janvier

Bertrand : Antommarchi fait prier le Grand Maréchal de passer chez lui. L'Empereur a fait appeler le docteur à une heure du matin et lui a dit qu'il fallait prendre son parti : qu'il pouvait rester s'il voulait comme chirurgien, que lui l'Empereur écrivait pour avoir un médecin et il lui a montré un passage qu'il écrivait ; qu'il demanderait en même temps un chirurgien, que tous les désagréments qu'il avait éprouvés ne venaient pas de sa médecine, mais de sa conduite ; qu'il fallait voir Montholon, que pour être bien avec lui il fallait être bien avec Montholon ; qu'il fallait lui faire sa cour ; qu'il ne fallait plus aller le soir chez le Grand Maréchal... que le Grand Maréchal et sa femme allaient partir ; qu'il (Antommarchi) était grossier ; qu'il ferait bien de parler plus poliment (...)

9 février

Bertrand (Napoléon commente les travaux des savants qu'il emmena avec lui en Egypte) : « La Commission des Sciences en Egypte n'a rien fait... Elle n'a éclairé aucun point d'histoire et de géographie. On trouva à l'île de Mercure et dans le désert de Nubie des monuments aussi bien conservés que ceux de Thèbes. Il n'en est fait aucune mention dans Hérodote ni dans aucun historien.

Comment se sont faites ces villes qui paraissent des villes religieuses, qui enfin supposent des arts établis, une grande nation ? Ces pays ont-ils été fertilisés autrefois par des pluies ? Y a-t-il eu quelque révolution dans la nature ?

Je crois qu'il y a eu une grande nation au centre de l'Afrique. Qui a détruit ces monuments ? Comment ne connaît-on pas l'Abyssinie et l'intérieur de l'Afrique ? Cela est inconcevable et paraît facile. C'est par l'Egypte qu'il faudrait partir... La première chose est d'explorer l'Abyssinie et de la bien connaître. Pour cela, il faut envoyer dix personnes différentes, les unes par l'Egypte, les autres par Souakin (pourquoi n'a-t-on pas un agent résidant à Souakin ?) où passent toutes les caravanes d'Afrique en Arabie... »

11 février

Montholon à Albine : Il y a quelques jours (le 31 janvier) j'ai adressé au gouverneur une note officielle concernant le remplacement du Dr Antommarchi et du grand maréchal Bertrand... L'Empereur pense avec raison que le seul moyen de surmonter tous les obstacles est de laisser le roi et ses ministres choisir...

Forshufvud : Napoléon n'a aucune confiance dans les médecins anglais ; il est impossible qu'il ne craigne pas encore plus un médecin envoyé par les Bourbons ; il sait fort bien que le comte d'Artois a par le passé souvent tenté de le faire assassiner. Montholon ment car il veut faire remplacer Antommarchi par un praticien soumis aux Bourbons.

233

26 février

Antommarchi : L'Empereur, qui était assez bien depuis le 21, retombe tout à coup. — Toux sèche. — Vomissement. — Chaleur d'entrailles. — Agitation générale. — Anxiété. — Sentiment d'ardeur presque insupportable, accompagné de soif ardente.

27 février

Antommarchi : L'Empereur est encore moins bien qu'hier ; la toux est devenue plus violente, et les nausées pénibles n'ont pas cessé jusqu'à sept heures du matin.

Forshufvud : L'analyse montre une nouvelle pointe de présence d'arsenic pour le segment correspondant à cette période.

10 mars

Bertrand : L'Empereur croit que les Anglais ne voudront pas se défaire de lui ; qu'ils le mettront en Angleterre dans un beau parc ; qu'ils lui demanderont sa parole de ne pas sortir d'un comté sans l'agrément du gouvernement...

« Si cela était de mon choix, j'irais en Amérique... Je rétablirais d'abord ma santé ; je passerais ensuite six mois à parcourir le pays : cinq cents lieues de pays à voir me prendraient du temps. Je verrais la Louisiane. C'est moi qui la leur ai donnée. On m'a reproché d'avoir vendu la Louisiane aux

Américains. Je la leur aurais donnée pour rien, car, la guerre arrivant, je ne pouvais la conserver, et les Anglais l'auraient prise...

En arrivant à New York, j'enverrais un courrier à mon frère. On ferait venir le consul anglais à bord, on le prierait de ne rien dire. Peu d'heures après, Joseph arriverait et nous pourrions alors débarquer.

On prendrait du personnel de Joseph. Il paraît que sa maison est située sur une rivière, à Trenton, à dix lieues de Philadelphie et vingt de New York. J'aurais bientôt autour de moi beaucoup de familles françaises... »

13 mars

Bertrand : A sept heures, le Gouverneur envoie les journaux : le *Morning Chronicle,* depuis le 27 novembre jusqu'au 21 décembre. Pas de changement de ministère ! Les élections en France ne sont pas libérales. Grand désappointement pour nous tous et surtout pour l'Empereur qui s'était flatté de meilleures nouvelles.

« Nous faisions des châteaux en Espagne », dit-il.

15 ou 16 mars

Bertrand : (Un livre que Napoléon a lu lui suggère quelques réflexions sur les règles qui ont guidé sa conduite.) Il faut distinguer les *intérêts* de la Révolution des *théories* de la Révolution. Les théories ont précédé les intérêts. Les intérêts n'ont commencé que dans la nuit du 4 août : après la suppression de la noblesse et des dîmes. J'avais conservé tous les intérêts de la Révolution. Je n'avais aucun motif de les détruire. C'est bien ce qui faisait ma force ; c'est ce qui fait que j'ai pu mettre de côté les théories de la Révolution. Tout le monde était tranquille, parce qu'on savait que l'Empereur ne voulait pas et ne pouvait pas vouloir la contre-révolution. Avec moi, la liberté de la presse n'était pas nécessaire...

Les théories de la Révolution ne sont bonnes qu'à détruire les théories de la contre-révolution. Au contraire, sous propension à gouverner monarchiquement j'avais conservé les intérêts de la Révolution et en avais banni les théories.

17 mars

Antommarchi à un collègue italien : En conséquence, et pour me décharger de toute responsabilité, je déclare à vous, à toute la famille impériale, à tout le monde que la maladie dont est attaqué l'Empereur tient à la nature du climat, et que les symptômes sous lesquels elle se présente sont de la dernière gravité.

Marchand : L'Empereur prit un peu de gelée que je lui offris, (...) et sortit en s'appuyant sur le bras du comte de Montholon. Arrivé à la voiture, il ne put y monter et rentra chez lui avec un frisson glacial qui lui parcourait le corps et se mit au lit. Je le couvris d'une seconde couverture pendant que Saint-Denis et Noverraz faisaient chauffer des serviettes dont je lui entourais les pieds en les renouvelant souvent : « Tu me rends à la vie, me dit-il, je crois qu'une crise se prépare, elle me sauvera ou me tuera. »

Forshufvud : La sensation de froid intense est un des symptômes de l'empoisonnement par l'arsenic.

236

18 mars

Hudson Lowe au ministère des Colonies à Londres : On m'a raconté que le général Bonaparte a trouvé un moyen ingénieux pour prendre de l'exercice sans sortir. Il monte une sorte de cheval à bascule.

20 mars

Antommarchi : Mme Bertrand est survenue. (Napoléon) a fait un effort et s'est montré moins abattu. Il lui a demandé des nouvelles de sa santé (Fanny Bertrand a été très malade des suites d'une fausse-couche), et après avoir conversé quelques instants avec une espèce de gaieté : « Il faut nous préparer à la sentence fatale ; vous, Hortense (la fille de Bertrand, également souffrante) et moi sommes destinés à la subir sur ce vilain rocher. J'irai le premier, vous viendrez ensuite, Hortense suivra, nous nous retrouverons tous trois dans les Champs-Elysées », et il se mit à réciter ces vers (de Voltaire dans *Zaïre*) :
Mais à revoir Paris je ne dois plus prétendre ;
Vous voyez qu'au tombeau je suis prêt à descendre.

21 mars

Antommarchi : Je sentais combien l'émétique serait utile, je suppliai Napoléon de ne pas se manquer à lui-même, de faire un léger effort, mais sa répugnance s'exaltait au seul nom de remède. Il me répondait en exagérant l'incertitude de la médecine. « Pouvez-vous seulement me dire en quoi consiste ma maladie, pouvez-vous même m'en assigner le lieu ? » J'avais beau lui représenter que l'art de guérir ne procède pas comme les sciences exactes, que le siège, la cause des affections qu'on éprouve ne peuvent s'établir que par induction, il ne voulait pas admettre de distinction semblable. « En ce cas, n'e disait-il, gardez vos remèdes, je ne veux pas avoir deux maladies, celle qui me travaille et celle que vous me donnez. » Si j'insistais, il nous accusait de travailler dans les ténèbres, d'administrer des médicaments au hasard, et de faire périr les trois quarts de ceux qui se confient à nous. (...)

... « mais une boisson légèrement émétisée..., — Comment ! une boisson émétisée ! n'est-ce pas un remède ? »

Forshufvud : Les empoisonneurs utilisent habituellement l'émétique pour préparer le coup final : son ingestion achève la victime affaiblie en éliminant toute trace d'arsenic dans le corps. La marquise de Brinvilliers acheva son père en lui servant un verre de vin émétisé... prescrit par un médecin.

Il y a deux avantages à faire prescrire l'émétique par un médecin. Premièrement, l'émétique ayant, contrairement à l'arsenic, un goût prononcé, le malade l'avalera en toute confiance, sans s'en étonner. Deuxièmement, cette prescription par le médecin traitant de la victime représente pour l'assassin la meilleure protection possible.

A l'époque de Napoléon, comme à celle de la marquise, l'émétique est une médication très courante. En provoquant les vomissements, les praticiens espèrent libérer l'organisme des toxines qui le rongent. L'assassin peut donc compter qu'un malade présentant les symptômes de Napoléon se verra tôt ou tard administrer de l'émétique par son médecin. Antommarchi ne fait donc qu'ordonner le traitement classique de son temps.

L'émétique est un sel d'antimoine qui, agissant sur un organisme affaibli, offre l'avantage (du point de vue de l'assassin) de corroder la muqueuse stomacale. Cette corrosion inhibe le réflexe du vomissement par lequel normalement l'estomac se défend. L'estomac devient ainsi incapable d'expulser les toxiques. Cette phase préparatoire est, nous le verrons, nécessaire à la réussite du coup de grâce.

22 mars

Marchand : L'Empereur se rend au désir de ces messieurs (Bertrand et Montholon ont joint leurs efforts à ceux d'Antommarchi pour convaincre l'Empereur), prend l'émétique qui lui est administré en deux doses prises à quelque distance l'une de l'autre ; les efforts qui en résultent sont des plus violents... quelques glaires sont le résultat d'efforts réitérés...

Antommarchi : Redoublement de la fièvre avec froid ; douleur de tête et météorisme de l'abdomen. Le malade éprouve une assez forte oppression à la région épigastrique, et un sentiment de suffocation...

23 mars

Antommarchi : Exacerbation de la fièvre, froid glacial aux extrémités inférieures, météorisme, bâillements, sentiment douloureux dans les viscères abdominaux, oppression de l'estomac, forte constipation.

Marchand : ... (il) m'a demandé une petite bouteille et du réglisse anisé ; il en verse une certaine quantité, me dit de la remplir d'eau et ajoute qu'à l'avenir il ne veut point d'autre boisson que celle-là, il me défend même de lui offrir une boisson qu'il n'aurait pas autorisée.

Forshufvud : Pendant les quelques jours suivant l'absorption d'émétique, Napoléon présente plus les symptômes caractéristiques de l'antimoine que ceux de l'arsenic. Les analyses de Hamilton Smith le confirment. Moins concluants que pour la teneur en arsenic de la période précédente, les résultats révèlent néanmoins une forte concentration d'antimoine dans les segments de cheveux correspondant aux derniers mois. On peut voir également que les proportions d'antimoine varient selon les périodes. Ce fait prouve que la quantité et la fréquence d'administration sont parfaitement conformes au principal objectif de l'assassin : affaiblir la résistance de l'estomac afin d'assener avec succès le coup final.

24 mars

Marchand : Il montre au comte de Montholon la boisson qu'il se propose de prendre : « Si elle ne me fait pas de bien, lui dit-il, elle ne me fera pas de mal. » Le docteur présent sourit aux paroles de l'Empereur, mais déclare que l'estomac a besoin d'émétique, qu'il doit le conseiller à Sa Majesté : « Vous pouvez aller vous promener, lui dit l'Empereur, et vous l'administrer à vous-même ! » Ce même jour, le docteur dit à l'Empereur que Noverraz s'est mis au lit avec une crise de foie des plus violentes et qu'il vient de le soigner. L'Empereur craint que sa maladie (celle de Noverraz) ne soit longue et que, n'étant pas encore bien rétabli de la mienne, j'éprouve une rechute à cause de la fatigue ; j'avais en effet passé les nuits du 18 au 24 secondé par Saint-Denis ou Noverraz, qui couchaient dans la pièce voisine. Le comte de Montholon, aux soins duquel l'Empereur était habitué pendant le jour, s'offrit aussitôt pour ceux de la nuit ; l'Empereur décida qu'il resterait auprès de lui de 9 heures à 2 heures et, qu'à cette heure, je viendrais reprendre mon service près de lui. Ainsi aux heures passées dans le jour auprès de l'Empereur, le comte de Montholon y joignit ce service de nuit... L'Empereur lui (Bertrand) parla du nouvel arrangement qu'il venait de faire, le comte Bertrand offrit aussitôt ses services, l'Empereur lui répondit : « Ceux de Montholon me suffisent, je suis habitué à ses soins, s'ils venaient à me manquer j'accepterais les vôtres. »

25 ou 26 mars

Marchand : Le docteur me témoigne son inquiétude et me dit que de jour en jour la maladie fait de grands progrès parce qu'il refuse les secours qu'il peut lui offrir. « Je ne vois plus qu'un moyen, me dit-il, celui d'émétiser la boisson qu'il a adoptée et celles qui pourront lui être présentées, sans les lui faire connaître. » Cette proposition m'était faite à voix basse dans la chambre de l'Empereur qui dormait en ce moment ; je lui répondis, de la même manière, que je me refusais à donner à l'Empereur des boissons émétisées, parce que j'avais reçu ses ordres à cet égard et que l'Empereur trouverait très mauvais qu'on en agît ainsi avec lui : « Au surplus, lui dis-je, consultez le général Montholon et le grand maréchal, mais pour moi je me refuse à toute participation. » La conversation cessa, il ne m'en parla plus.

26 mars

Antommarchi : (Antommarchi conseille à Napoléon de consulter un autre médecin.) « Une consultation ! A quoi servirait-elle ? Vous jouez tous à l'aveugle. Un autre médecin ne verrait pas plus que vous ce qui se passe dans mon corps ; s'il prétendait mieux y lire, ce serait un charlatan qui me ferait perdre le peu de confiance que je conserve encore pour les enfants d'Hippocrate. D'ailleurs, qui consulterais-je ? Des Anglais qui recevraient les inspirations d'Hudson ? (...) » L'Empereur était animé, je n'insistai pas ; j'attendis qu'il fût plus calme, je revins à la charge. — Vous persistez, me dit-il avec bonté, eh bien ! soit, j'y consens. Concertez-vous avec celui des médecins de l'île que vous jugez le plus capable. » Je m'adressai au docteur Arnott, chirurgien du 2ᵉ régiment ; je lui fis l'exposé des symptômes, des principales circonstances de la vie de l'Empereur ; il fut d'avis qu'il fallait :

1° Appliquer un large vésicatoire sur toute la région abdominale ;

2° Administrer un purgatif ;

3° Faire de fréquentes aspersions de vinaigre sur le front.

(...) (Napoléon) me demanda quel était le résultat de la consultation, je le lui dis. Il secoua la tête, parut peu satisfait et ajouta : « C'est là de la médecine anglaise. »

27 mars

Marchand : En apercevant le comte Bertrand, l'Empereur lui dit : « Eh bien, monsieur le grand maréchal, comment vous portez-vous ? — Parfaitement bien, Sire, je voudrais qu'il en fût de même de Votre Majesté, comment se trouve-t-Elle de ses boissons émétisées, en éprouve-t-Elle du bien ? » L'Empereur ne sachant rien de la proposition qui m'avait été faite et ayant ce qu'il appelait de la pâleur dans le ventre, m'appela aussitôt ; j'étais dans la pièce voisine. Une colère subite s'était peinte sur sa figure... : « Depuis quelle époque, Monsieur, vous permettez-vous de m'empoisonner en mettant sur ma table des boissons émétisées, ne vous ai-je pas dit de ne rien me présenter qui n'eût mon autorisation ? ne vous l'ai-je pas défendu. Est-ce ainsi que vous justifiez ma confiance en vous ? Vous le saviez ! sortez ! » Je fus interdit, jamais l'Empereur ne m'en avait dit autant, mais sa colère portait à faux. « Sire, lui dis-je, je puis affirmer à Votre Majesté qu'il n'est point à ma connaissance, que ces boissons soient émétisées. Il est vrai qu'hier soir dans la chambre de Votre Majesté, le docteur m'a entretenu de la nécessité d'émétiser les boissons qui Lui seraient présentées, sans L'en instruire, mais je croyais l'en avoir dissuadé en lui disant qu'il ne pouvait se permettre un acte de cette nature auprès de Votre Majesté. Quant à moi, je me refusais à en laisser entrer aucune ici ; si le docteur a donné suite à sa pensée, je n'en ai point été prévenu, et l'affaire se sera passée à l'office. — Faites appeler Antommarchi. (...) (Antommarchi) voulut s'excuser en disant à l'Empereur que se refuser plus longtemps aux secours qu'il offrait, c'était mettre ses jours en danger. « Eh bien, Monsieur, vous dois-je des comptes ? croyez-vous que la mort pour moi ne soit pas un bienfait du ciel ? »... Cet incident avait tenu l'Empereur dans une espèce de mauvaise humeur le restant de la journée ; il m'avait fait jeter par la fenêtre toutes les boissons qui étaient sur sa table, et m'avait dit avec humeur : « J'espère bien que l'on ne s'est permis de rien ajouter à mon réglisse. »

Antommarchi : L'Empereur avait fréquemment besoin de moi. Me faire chercher, aller, venir, entraîner du temps, il ne le voulut plus. « — Vous devez être accablé, docteur, me dit-il avec bonté ; vous êtes dérangé sans cesse, vous n'avez pas un instant pour clore la paupière... Je vais vous faire tendre un lit dans la pièce voisine. »

Bertrand : « Je suis bien heureux de n'avoir pas de religion. C'est une grande consolation ; je n'ai point de craintes chimériques, je ne crains rien de l'avenir. »

Montholon : L'Empereur persiste à refuser les soins du

Dr Antommarchi et croit qu'il se guérira lui-même avec l'orgeat, la soupe à la reine et un régime approprié.

Forshufvud : Notons la mention de l'orgeat. Selon Montholon, Napoléon espère de grands bienfaits des vertus curatives de cette boisson. L'orgeat — orzata en italien — était à l'origine préparé avec une décoction d'orge, puis, à partir du dix-huitième siècle, avec une émulsion d'amandes douces, souvent corsée par adjonction d'amandes amères et parfumée à la fleur d'oranger. L'orgeat est le deuxième des trois éléments préparatoires au coup final.

29 mars

Thomas Reade, l'adjoint du gouverneur, au capitaine Lutyens, officier d'ordonnance à Longwood : Etant donné ce que vous avez appris concernant la maladie du général Bonaparte, vous devez insister pour que l'on vous laisse le voir, surtout si on ne permet pas à un médecin anglais de se rendre à son chevet.

Lutyens au major Gorrequer, secrétaire du gouverneur : J'ai redit au comte (de Montholon) combien il était nécessaire que je voie le général Bonaparte.

30 mars

Bertrand : Le Gouverneur vient chez le général Montholon, lui dit qu'on n'a pas vu l'Empereur depuis douze jours ; que l'autre jour, il allait venir chez lui, lorsqu'il a su qu'on avait fait appeler le docteur Arnott ; que cependant Arnott n'a pas vu l'Empereur ; qu'il était nécessaire que l'officier d'ordonnance le

244

vît ; qu'on disait l'Empereur malade, mais qu'il n'en savait rien. Montholon a répondu que l'Empereur était malade... Le Gouverneur a répondu que sa parole pouvait être quelque chose pour lui, sir Hudson Lowe, mais qu'il était le représentant des Puissances, et qu'il lui fallait sous ce rapport le témoignage d'un officier anglais.

« L'Empereur est malade, ne peut sortir, on ne peut donc le voir. Est-ce que vous enfonceriez ses portes ?

— Oui, si cela était nécessaire, on enfoncera ses portes, on entrera par force.

— Mais cela serait le tuer.

— N'importe, je le ferai.

— Vous en êtes responsable.

— J'en suis responsable aux yeux des Cours. Je ne suis pas seulement l'agent du gouvernement anglais, mais le représentant des Puissances. »

Marchand : Depuis quelque temps, l'Empereur disait : « Ce Calabrais de Gouverneur nous laisse bien tranquille ! que cela veut-il dire ? il sait sans doute par les Chinois que je suis malade. »

Lutyens à Gorrequer : Je... me rendais au jardin et le comte de Montholon, occupé à fermer les persiennes de la chambre à coucher, vint me dire de regarder à une fenêtre dont il avait à dessein laissé les rideaux et les stores vénitiens entrouverts.

Antommarchi : Napoléon, habituellement constipé, était obligé de prendre des lavements ; nous disposâmes le siège en face de la fenêtre, et tandis que le général Montholon et moi nous tenions à côté du malade, Marchand entrouvrit légèrement les rideaux comme s'il eût voulu regarder dans le jardin : l'officier, qui était posté en dehors de la fenêtre, vit et put faire son rapport.

Lutyens à Gorrequer : Comme (Montholon) me l'avait

245

recommandé, je regardai et aperçus le général Bonaparte qui, soutenu par le docteur Antommarchi, entrait d'une autre pièce ; je l'entendis ensuite qui se couchait.

1er avril

Marchand : L'Empereur consentit à recevoir le Dr Arnott : « Votre médecin anglais, dit-il au comte Bertrand, ira rendre compte à ce bourreau de l'état où je me trouve ; c'est vraiment lui faire trop de plaisir que de lui faire connaître mon agonie ; enfin ! c'est plus pour la satisfaction des personnes qui m'entourent que pour ma mienne propre qui n'attend rien de ses lumières ! Eh bien, Bertrand, dites-lui de venir chez vous ; qu'il s'entende avec Antommarchi, expliquez-lui la marche de ma maladie et vous me l'amènerez. »

Hudson Lowe à Arnott : Le Dr Arnott doit s'assurer si c'est le général Bonaparte en personne qui le fait appeler, ou si l'initiative vient seulement du comte de Montholon ou du comte Bertrand, ou encore si c'est à la demande du Dr Antommarchi que l'on sollicite son avis. S'il apparaît qu'on l'appelle sur ordre du général Bonaparte, il demandera à l'examiner en présence de son médecin traitant, le Dr Antommarchi... Au cas où le comte de Montholon ou le comte Bertrand manœuvreraient pour que le docteur Arnott se rende au chevet du général Bonaparte avec eux seuls et en l'absence de son médecin habituel, le docteur Arnott s'y refusera catégoriquement et devra, sur-le-champ, en aviser le gouverneur...

Arnott à l'adjoint du gouverneur : Ce que veut le comte de Montholon est contraire aux instructions que m'a fait parvenir le gouverneur.

Arnott : J'entrai en compagnie d'Antommarchi. On me guida dans une pièce obscure où le général Bonaparte était alité.

Longwood, Sainte-Hélène, janvier à mai 1821

Il faisait si sombre que je ne pus le voir ; je percevais néanmoins une présence, la sienne ou une autre. J'examinai son pouls et le palpai. Je constatai une extrême faiblesse, mais rien n'indiquait que ses jours fussent en danger dans l'immédiat.

Forshufvud : *On peut s'interroger sur « ce que veut le comte de Montholon » et qui est « contraire aux instructions du gouverneur. » Hudson Lowe ordonne à Arnott de ne pas se rendre au chevet de Napoléon en l'absence d'Antommarchi. Montholon préférerait vraisemblablement que cette visite ait lieu sans Antommarchi. Ce pourrait être un moyen de soustraire l'Empereur à l'influence de son médecin traitant, que Montholon, en dépit de tous ses efforts, n'a pas réussi à éloigner définitivement. Pourquoi ? Arnott n'est apparemment pas scrupuleux au point de se formaliser qu'on lui demande d'examiner un patient sans même le voir. Ne parlant en outre ni le français ni l'italien, il ne pourra, contrairement à Antommarchi et O'Meara, s'adresser directement à Napoléon. Il lui faudra donc passer par l'intermédiaire de Bertrand, dont l'anglais est loin d'être parfait. Par son attitude d'indépendance Antommarchi irrite souvent l'Empereur, mais il lui parle dans sa langue maternelle et suit l'évolution de sa maladie depuis longtemps ; il sera donc mieux capable qu'Arnott de déceler des manifestations anormales et de les révéler.*

3 avril

Marchand : Le docteur Arnott arriva à 9 heures accompagné du comte Bertrand ; l'Empereur permit qu'il fût accompagné du Dr Antommarchi... Après avoir posé diverses questions sur les organes de l'estomac, sur l'entrée des aliments et leur sortie par le pylore, l'Empereur lui dit : « J'ai, ici, une douleur

247

vive et aiguë qui, lorsqu'elle se fait sentir, semble me couper comme avec un rasoir ; pensez-vous que ce soit le pylore qui soit attaqué, mon père est mort de cette maladie à l'âge de trente-cinq ans ; ne serait-elle pas héréditaire ? Le Dr Arnott... lui dit que c'était une inflammation de l'estomac et que le pylore ne lui paraissait point attaqué ; le foie n'y étant pour rien, les douleurs qu'il ressentait dans les intestins provenaient de l'air qui s'y était introduit ; et s'il ne se montrait pas rebelle aux médicaments, tout cela disparaîtrait ; il prescrivit des cataplasmes et des potions à prendre d'heure en heure.

Bertrand : Le docteur Arnott conseille des pilules qui ne sont pas dans l'opinion d'Antommarchi... L'Empereur refuse de les prendre.

1er avril

Antommarchi : Tristesse profonde, pouls petit et irrégulier. Les pulsations varient de soixante-quatorze à quatre-vingts par minute. La chaleur du corps est de 96 degrés au thermomètre de Fahrenheit... Le malade transpire beaucoup, éprouve de la soif, et dit qu'il ne peut manger : toutefois il exprime le désir de prendre un peu de vin, boit du clairet, mais refuse avec obstination toute espèce de médicament... Exacerbation de la fièvre, accompagnée de froid glacial aux extrémités inférieures... L'Empereur me paraît dans un danger imminent ; je communique mes craintes au docteur Arnott, qui, loin de les partager, augure admirablement de son état. Je voudrais avoir la même espérance, mais je ne puis me dissimuler que Napoléon touche à sa fin. J'en préviens les comtes Bertrand et Montholon. Celui-ci se charge d'instruire l'Empereur que son heure approche et le dispose à mettre ordre à ses affaires.

248

4 avril

Antommarchi : La fièvre a continué pendant toute la nuit avec une alternative de froid et de chaud qui a surtout affecté les extrémités inférieures. Le malade éprouvait une tension douloureuse au bas-ventre, une soif ardente, un sentiment pénible de suffocation, une inquiétude extrême et une anxiété générale. Son imagination est troublée par des cauchemars et des songes effrayants. — Nausées. — Vomissement de matières glaireuses. — Sueurs visqueuses abondantes.

6 avril

Thomas Reade à Hudson Lowe : Le docteur Arnott m'informe lui avoir rendu plusieurs visites et ne l'avoir jamais trouvé dans l'état d'extrême gravité décrit par Antommarchi. D'après d'autres sources d'informations, il ne semblait pas non plus que le général Bonaparte souffrît d'une maladie sérieuse ; le trouble a probablement surtout une origine psychique. Le comte Bertrand a interrogé le docteur Arnott qui lui a répondu que les jours du général Bonaparte ne lui semblaient pas en danger.

Début avril

Marchand : Je lui présentai de l'orgeat qui se trouvait sur sa table. « Je pense bien, dit-il en me regardant, que l'on ne se permet pas d'introduire quelque chose dans mes boissons ? — Sire, lui dis-je, la leçon a été trop sévère pour que l'on recommence.

249

Bertrand : Le Grand Maréchal propose une deuxième fois à l'Empereur de le garder ; il pense l'avoir avec un peu de chaleur.

« Majesté, le zèle et l'affection tiennent lieu de bien des choses...

J'ai passé tant de nuits près de vous comme aide de camp, je peux bien en passer quelques-unes comme valet de chambre. De quelque manière que je vous sois utile, peu m'importe, il me suffira d'avoir été bon à quelque chose... » — Ce n'est pas nécessaire.

9 avril

Bertrand : Antommarchi va à sept heures et demie chez l'Empereur qui se met en grande colère contre lui. « Il devrait être chez lui à six heures du matin : il passe tout son temps chez Mme Bertrand. »

L'Empereur fait appeler le Grand Maréchal qui arrive à sept heures trois quarts. Il répète ce qu'il a dit. Il ajoute que le docteur n'est occupé que de ses catins.

« Eh bien, qu'il passe tout son temps avec ses catins ; qu'il les foute par-devant, par-derrière, par la bouche et les oreilles. Mais débarrassez-moi de cet homme-là qui est bête, ignorant, fat, sans honneur. Je désire que vous fassiez appeler Arnott pour me soigner à l'avenir. Concertez-vous avec Montholon. Je ne veux plus d'Antommarchi. »

Cette scène a lieu devant Marchand et Antommarchi. Il répète cinq ou six fois que Mme Bertrand est une catin.

Il ajoute :

« J'ai fait mon testament : j'y lègue à Antommarchi vingt francs pour acheter une corde pour se pendre... »

Après le départ d'Antommarchi, l'Empereur ajoute au Grand Maréchal que le docteur est l'amant de sa femme. Il ajoute, devant Marchand et Ali, qu'il favorise une chose déshonorante pour lui, ainsi que pour Mme Bertrand ; que le docteur s'est perdu quand il s'est éloigné de Montholon et qu'il s'est rapproché de Mme Bertrand ; que cela était aisé à prévoir ; que Mme Bertrand a perdu Antommarchi comme elle avait perdu Gourgaud... Le Grand Maréchal continue à l'écouter sans rien dire.

Antommarchi dit au Gouverneur qu'il veut revenir en Europe ; que malheureusement pour l'Empereur il ne peut lui être utile ; qu'il a à achever son ouvrage et désire aller en Europe pour le publier.

Antommarchi : (Rien à cette date.)

Forshufvud : Napoléon n'a manifestement plus toute sa tête à ce stade. Qui sème ce genre d'idées dans son esprit troublé ? Certainement pas Bertrand puisque c'est sa propre femme que l'on calomnie, mais plutôt Montholon qui a déjà tenté, comme nous le savons, différentes manœuvres pour éloigner Antommarchi.

10 ou 11 avril

Marchand : L'Empereur... a entretenu dans la journée le comte de Montholon des dispositions testamentaires ; et lui demande devant moi si deux millions suffiraient pour racheter en Bourgogne les biens de sa famille ; l'Empereur se propose-t-il de faire un autre testament ? Je sais cependant qu'il en existe un que j'ai porté chez le comte Bertrand, dans la soirée.

11 avril

Antommarchi : Pendant la nuit dernière, il y a eu une évacuation alvine de matières bilieuses fétides, et un vomissement de glaires mêlées à des substances alimentaires. Ces vomissements devenaient alarmants ; j'essayai de les arrêter, et lui proposai une mixture antiémétique, anodine, opiacée. Il la refusa, s'impatienta ; je ne dus pas insister. J'étais rentré dans mon appartement ; il me fit chercher. « Docteur, me dit-il lorsque je parus, votre malade veut dorénavant obéir à la médecine ; il est résolu de prendre vos remèdes. » Puis fixant avec un léger sourire ceux de ses serviteurs qui étaient rangés autour de son lit : « Droguez-moi d'abord tous ces coquins-là, droguez-vous vous-même, vous en avez tous besoin. » Nous espérions le piquer d'amour-propre, nous goûtâmes à la potion. « Eh bien ! soit, je ne veux pas être le seul qui n'ose affronter une drogue. Allons, vite ! » Je la lui donnai ; il la porta brusquement à sa bouche et l'avala d'un trait. Malheureusement elle fit peu d'effet, et le vomissement continua.

Bertrand : Il congédie Antommarchi, puis Bertrand, en lui disant : « Puisque j'ai voulu accueillir Antommarchi, qu'il me témoigne par ses soins sa reconnaissance. »

13 avril

Marchand : Sa Majesté continue de dicter ; le comte de Montholon reste enfermé seul au verrou avec l'Empereur qui lui dicte jusqu'à trois heures ses dernières volontés.

Bertrand : A quatre heures et demie, les deux docteurs arrivent... L'Empereur a passé une heure à faire une diatribe

252

contre l'oligarchie anglaise : « ... Un jour, John Bull se révoltera contre les oligarches et les pendra tous. Je ne serai plus, mais vous verrez cela. Vous aurez une révolution plus terrible que la nôtre. Les oligarches sont partout les mêmes : importants et insolents tant qu'ils commandent, lâches dès que le danger est arrivé. »... L'Empereur veut donner à Arnott la campagne de leur plus grand capitaine, Marlborough, pour la bibliothèque du régiment : « On verra par là qu'il honore les braves de toutes les nations. » Le docteur Arnott prie le Grand Maréchal d'exprimer toute sa reconnaissance.

15 avril

Marchand : L'Empereur m'envoya prendre le livre à sa bibliothèque. C'était un très bel exemplaire avec planches et relié avec luxe.

16 avril

Bertrand : Le Grand Maréchal dit à l'Empereur qu'il regrette, au moment où il voit l'Empereur souffrant, de parler de ses chagrins, mais qu'il est navré de douleur que l'Empereur le traite avec rigueur.

« Mais non. Je ne sais ce que vous voulez dire. Expliquez-vous. Je suis malade, dans mon lit, je parle peu. Vous n'avez à vous plaindre de rien.

— Votre Majesté m'a ôté toute sa confiance. J'ai perdu presque sans regret le haut rang, la fortune et les honneurs où vous m'avez élevé. Mais ce nouveau malheur m'accable. J'ai quitté les honneurs comme un habit d'emprunt, mais je croyais avoir quelque droit à votre estime et à votre amitié. Je ne puis les perdre sans éprouver une vive peine. Il n'y a pas longtemps Votre Majesté disait que ma conduite avait été parfaite... Comment en si peu de temps ai-je pu perdre votre bonne grâce ?

— Mais je ne sais ce que vous voulez dire. Je vous traite très bien. Je n'ai rien contre vous. Marchand est celui dont les soins me sont le plus agréables parce que ce sont ceux auxquels je suis accoutumé. C'est vous rendre toute ma pensée.

— Ma pauvre femme, si le climat ne suffit pas pour la tuer, mourra de chagrin. Vous avez pardonné à tant d'ennemis. Ne pardonnerez-vous pas à d'anciens amis ? Elle a des torts sans doute, mais ne les a-t-elle pas cruellement expiés ? N'est-elle pas très malheureuse ? N'a-t-elle pas été exposée aux calomnies, même les plus atroces ?

— Mais je n'ai rien à reprocher à Mme Bertrand. C'est une excellente femme. Je n'ai pas l'habitude de la voir.

— Elle vous aurait soigné avec tant d'affection. Elle vous est sincèrement attachée, bien plus que vous ne pensez. Voyez-la demain, ne fût-ce qu'un instant.

(...) — Je verrai Mme Bertrand avant de mourir. »

(...) Le Grand Maréchal n'a pu retenir ses larmes. Il est resté encore une demi-heure avec l'Empereur, qui n'a plus rien dit.

Hudson Lowe à Arnott (lui ordonnant de ne pas remettre à la bibliothèque le livre offert par Napoléon) : Vos fonctions ne vous obligent pas à leur servir d'intermédiaire en ce genre d'affaires, ils le savent fort bien, ce n'est donc sûrement pas sans arrière-pensée qu'ils vous sollicitent ainsi.

16 avril

Marchand : L'Empereur me dit de lui donner du vin de Las Cases ; je prends la liberté de lui exprimer mes craintes sur

254

les suites qui peuvent en résulter... L'Empereur persiste à en prendre, trempe un biscuit dedans, se remet à écrire...

17 avril

Bertrand : Montholon dit à Antommarchi que l'Empereur, la veille... s'est occupé de toutes ses dispositions, de distributions, mais qu'il n'avait pas encore fait de testament, et que s'il mourait, personne n'aurait rien.

Antommarchi : L'Empereur a pris la dose accoutumée de décoction de quinquina.

17 et 18 avril

Marchand : L'Empereur passe plusieurs heures des journées du 17 et 18 enfermé avec le comte de Montholon ; fatigué de son eau de réglisse, il essaie un peu des rafraîchissements placés sur son guéridon tels que limonade, groseille et orgeat...

18 avril

Antommarchi : L'Empereur passe une nuit des plus mauvaises. Il éprouve dans l'abdomen un sentiment de douleur et d'ardeur insupportable. Il est glacé, couvert de sueurs visqueuses ; il a des nausées continuelles et des vomissements qui se prolongent jusqu'à quatre heures et demie du matin. Il est triste, abattu, ne parle qu'avec difficulté. Il attribue la situation où il se trouve à la potion tonique de la veille.

Bertrand : A cinq heures et demie, l'Empereur fait appeler

255

le Grand Maréchal. Il lui remet *trois* paquets attachés avec une faveur et scellés de ses armes, en lui disant :

« J'ai fait mon testament, tout est écrit de ma main ; mettez là votre signature et vos armes. Montholon les mettra ici, l'abbé Vignali là, et Marchand là. Vous les mettrez également sur les trois boîtes. Faites cela sans demander. »

(...) Napoléon se lève de son lit. Le Grand Maréchal veut le soutenir, comme on fait depuis dix ou quinze jours : « Non. » Il marche d'un pas ferme à son fauteuil... Les médecins entrent. Napoléon est assez gai, parle aisément, ne s'appuie pas trop sur son fauteuil, demande son dîner. Il mange du hachis... Il demande ensuite, s'il y a du gigot, qu'on lui en apporte une tranche facile à mâcher.

(...) A huit heures et demie, il prend son quinquina et vomit, peu de temps après, une grande partie de ce qu'il a mangé à six heures, mais non pas le quinquina.

19 avril

Arnott : « Dites-moi, docteur Arnott, la solution de quinquina est-elle préparée ici ou en ville ?

— En ville, Sire.

— L'homme chargé de la pharmacie est venu avec le gouverneur ?

— Non, Sire.

— Est-il arrivé envoyé par sir Thomas Reade (adjoint du gouverneur) ?

— Non, Sire, il était là avant la venue du gouverneur, qui appartient à la Compagnie des Indes orientales. C'est un homme très sûr. »

21 avril

Bertrand : Il se fait lire, principalement par Bertrand, l'arrivée de César en Grèce, avant la bataille de Pharsale. Il dicte alors une note à Marchand pour ajouter aux campagnes de César.

Marchand : Resté seul avec lui, placé debout près de son lit, il me dit qu'il me nommait conjointement aux comtes de Montholon et Bertrand, l'un de ses exécuteurs testamentaires ; ma surprise fut aussi grande que l'honneur qui m'était accordé ; je balbutiai que je resterai digne de la confiance et de la position à laquelle il voulait bien m'élever, mon émotion était des plus profondes : « J'ai, me dit-il, chez le grand maréchal un testament pour être ouvert par lui après ma mort, dis-lui de te le remettre et apporte-le-moi. »... Lorsque je fis cette demande au grand maréchal, de la part de Sa Majesté, il parut assez surpris, mais il alla le prendre dans son secrétaire et me le remit, sans que rien vînt trahir chez lui la pensée que l'Empereur s'occupât de dispositions nouvelles. L'Empereur prit l'enveloppe, la décacheta, parcourut les pages du document, le déchira en deux en me disant de le mettre au feu. C'étaient de belles pages à conserver, écrites de la main de l'Empereur ! Je les serrais dans mes mains, mais l'Empereur voulait leur annulation !... bientôt elles furent dévorées par les flammes, sans que j'en connusse les dispositions.

Antommarchi : A une heure et demie il mande Vignali. « Savez-vous, abbé, ce que c'est qu'une chambre ardente ? — Oui, Sire. — En avez-vous desservi ? — Aucune. — Eh bien, vous desservirez la mienne. » Il entre à cet égard dans les plus grands détails, et donne au prêtre de longues instructions. (...) « Vous ferez toutes les cérémonies d'usage, vous ne cesserez que lorsque je serai en terre. »

22 avril

Marchand : Cette journée fut certainement une des plus fatigantes qu'eût encore éprouvées l'Empereur dans le cours de sa maladie, une des plus affligeantes... La matinée avait été employée à écrire ses codicilles : quoique très fatigué, il me fit asseoir près de son lit et me dicta les instructions officielles pour ses exécuteurs testamentaires, instructions que je remis au net et qu'il signa le 26, après les lui avoir relues.

Pendant ce travail, il fut pris de plusieurs vomissements qui le forcèrent à suspendre quelques instants cette dictée, tout ce que je pus lui dire pour cesser tout à fait un travail qui amenait des accidents aussi graves ne put l'en détourner. « Je suis bien fatigué, me dit-il, mais peu de temps me reste et il faut en finir ; donne-moi un peu de vin de Constance de Las Cases. » Comme j'osai lui rappeler l'effet qu'il avait produit, il y avait quelques jours : « Bah, dit-il, une larme ne saurait me faire mal. »... Le vin de Constance ne tarda pas à provoquer des vomissements qui ne l'empêchèrent pas de prolonger son travail jusqu'à l'heure où le Grand Maréchal et les médecins se firent annoncer.

Bertrand : L'Empereur a dit au Grand Maréchal qu'il avait fait trois testaments : le premier qui ne devait être ouvert qu'à Paris ; qu'on devait dire qu'il avait été porté par Buonavita en Europe, afin de le soustraire aux recherches des Anglais ; le second était un codicille qui devait être ouvert ici et montré aux Anglais, par lequel l'Empereur disposait de tout ce qu'il avait ici afin qu'ils ne puissent s'en emparer ; le troisième était destiné à l'Impératrice.

(...) Dans ses testaments il déclare mourir dans la religion catholique où il est né... parce qu'il croit cela convenable à la moralité publique.

(...) Ce qu'il préfère, c'est d'être enterré au cimetière du Père-Lachaise.

(...) Il a constaté dans son testament quelques faits et quelques principes de son gouvernement. Par exemple le jugement du duc d'Enghien : qu'il a fait périr... parce qu'il y avait à Paris une conspiration de soixante assassins envoyés par les Bourbons. Il l'avait fait saisir par un sentiment de justice et de dignité nationale ; il en avait le droit et aujourd'hui, sur le bord de la tombe, ne s'en repent pas, et le ferait encore.

(...) Montholon ne lui doit rien et a perdu trois cent mille francs de sa fortune par son séjour ici ; il espère que le Grand Maréchal se serrera à Montholon.

Il voulait élever Marchand... il ne doit pas dissiper ce qu'il lui donne, mais établir une fortune solide... il espère que nous protégerons Marchand, que nous l'aiderons de nos conseils.

(...) Il lègue un million au Grand Maréchal, et traite Montholon de même...

(...) Il n'y aura que ce pauvre docteur (Antommarchi) à qui il ne laisse rien ; il avait voulu lui laisser deux cent mille francs, mais il ne l'a pas fait, moins parce qu'il ne croyait pas à son talent que parce qu'il ne lui a pas montré d'attachement et qu'il ne lui a pas donné tous les soins qu'il avait le droit d'en attendre ; mais il serait encore à temps d'avoir part à ses bienfaits ; on pouvait faire un codicille.

(...) (Bertrand) doit passer d'abord quelque temps à Paris pour terminer les affaires du testament ; il devra ensuite rester un an tranquille dans son département, se faire nommer député... Il ne doit point abandonner le Berry, il faut acheter des fermes et des propriétés à dix lieues de Châteauroux et une belle terre à 5 ou 6 lieues, si cela se peut.

(...) L'Empereur a ensuite beaucoup cherché dans sa

mémoire et a fréquemment demandé s'il n'oubliait pas quelqu'un de ses anciens domestiques. Il s'en est occupé avec une sorte d'anxiété, désirant n'oublier personne de ceux qui l'avaient bien servi.

« Je fais mon examen de conscience, je désire payer toutes mes dettes, toutes celles de mon enfance. »

23 avril

Bertrand : Il est probable que Montholon n'ayant aucun droit acquis a tâché de s'en donner... Je vois bien que Montholon me courtise pour ma succession, mais pour avoir de l'argent des gens, il ne faut pas leur donner des coups de bâton.

24 avril

Bertrand : Il répète que sa famille doit s'emparer de Rome en s'alliant à toutes les familles princières de Rome, c'est-à-dire à toutes les familles qui ont eu des papes... Elle peut baiser le cul du Pape, ce n'est baiser le cul de personne ni d'aucune famille ; mais elle ne peut baiser le cul du roi d'Angleterre, de Suède ou de Naples.

25 avril

Bertrand : Il s'informe si on peut avoir des amandes amères à Longwood. Elles sont ici rares ; personne n'en a pu avoir qu'une fois, il y a trois ans.

Antommarchi : Il était mieux ; j'avais quelques préparations à faire, je profitai du moment et passai dans la pharmacie.

Dès qu'il se voit seul, je ne sais quelle cruelle fantaisie de manger lui prend ; il se fait apporter des fruits, du vin, essaie un biscuit, passe au champagne, demande une prune, saisit un raisin et se met à rire aux éclats dès qu'il m'aperçoit.

Lutyens à Gorrequer : Le comte de Montholon demande si l'on pourrait faire venir des amandes amères de Plantation House, au cas où ils n'en trouveraient pas à Jamestown.

Bertrand : Le Gouverneur a envoyé des amandes amères dans une caisse.

Forshufvud : C'est avec des amandes amères que l'on fait le véritable orgeat. Elles peuvent également, dans un mélange approprié, devenir un poison mortel. L'orgeat que boit Napoléon est pour l'instant inoffensif. Ajoutez-y des amandes amères et il sera meurtrier.

26 avril

Bertrand : Aujourd'hui, il a souvent semblé perdre la mémoire. Depuis dix jours, quelquefois à deux ou trois reprises, il pose la même question et oublie qu'on y a répondu, quelquefois bat la campagne, mais peu.

Mme Bertrand... est venue chez l'Empereur... Montholon l'a dit à l'Empereur, qui lui a répondu (suivant ce que Montholon a dit à Mme Bertrand) : « Je ne l'ai pas vue ; j'ai craint une émotion. Je lui en veux de n'avoir pas été ma maîtresse. Je veux aussi lui donner une leçon. »

Conversation du 26 avril à sept heures du soir. — L'Empereur a passé dans son salon, appuyé d'un côté sur le bras du Grand Maréchal, soutenu de l'autre par Marchand, et s'étant couché a dit au Grand Maréchal : « L'Impératrice...

Qu'elle veille à l'éducation de son fils et à sa sûreté ; elle devra se défier des Bourbons qui voudront sûrement se défaire de lui. »

27 avril

Marchand : Il fit demander le Dr Antommarchi et fut affectueux pour lui... Il lui demanda si... il serait satisfait d'entrer au service de l'Impératrice, à laquelle il écrirait pour le recommander : « Vous serez content de ce que je ferai pour vous, lui dit-il. » J'entendis avec plaisir ce retour de la bonté de l'Empereur envers le Dr Antommarchi.

Antommarchi : Napoléon accepte finalement de laisser sa petite chambre, inconfortable et mal aérée, pour s'installer dans le salon.

28 avril

Antommarchi : Il me donne les instructions suivantes : « Après ma mort, qui ne peut être éloignée, je veux que vous fassiez l'ouverture de mon cadavre : je veux aussi, j'exige que vous me promettiez qu'aucun médecin anglais ne portera la main sur moi. Si pourtant vous aviez indispensablement besoin de quelqu'un, le docteur Arnott est le seul qu'il vous soit permis d'employer. Je souhaite encore que vous preniez mon cœur, que vous le mettiez dans l'esprit-de-vin et que vous le portiez à Parme, à ma chère Marie-Louise... Je vous recommande surtout de bien examiner mon estomac, d'en faire un rapport précis, détaillé, que vous remettrez à mon fils... Je vous charge de ne rien négliger dans un tel examen... Quand je ne serai plus, vous vous rendrez à Rome ; vous irez trouver ma mère, ma famille.. vous leur direz qu'en expirant il lègue à toutes les

262

familles régnantes l'horreur et l'opprobre de ses derniers moments. »

Forshufvud : Napoléon supporte mal l'attitude d'indépendance d'Antommarchi ; dans ses moments d'égarements, il a même prêté une oreille complaisante aux calomnies lancées contre le médecin. Mais, manifestement, l'Empereur n'a confiance qu'en lui pour l'exécution de son autopsie. Antommarchi n'est-il pas, en fin de compte, son compatriote ?

29 avril

Bertrand : L'Empereur fait venir Pierron, pour lui demander s'il avait été en ville, si le schooner arrivé de la veille avait porté des oranges. Pierron a dit que oui...
— ... Ce bateau a-t-il porté des limons ?
— Non.
— Des amandes ?
— Non.
— Des grenades ?
— Non.
— Du raisin ?
— Non.
— Du vin ?
— Non, pas en bouteilles, mais en pièce.
— Il n'a donc rien rapporté ?
— Des bestiaux.
— Combien de bœufs ?
— Quarante.
— Combien de moutons ?
— Deux cents.

— Combien de chèvres ?

— Point.

— Combien de poules ?

— Point.

— Il n'a donc rien apporté ? A-t-il porté des noix ?

— Non.

— Les noix viennent, je crois, dans les pays froids, les amandes dans les pays chauds. Les limons sont-ils bons ici ?

— Oui.

— Et les grenades ?

— Je n'en ai pas vu de bonnes.

— A-t-on porté des limons, des grenades, des amandes ?

Trois fois, il a appelé Pierron pour répéter toujours la même chose, comme un homme qui aurait entièrement perdu la mémoire. On ne retrouvait l'Empereur que dans la multitude non interrompue de ses questions.

... Sa surdité avait augmenté depuis hier d'une manière extraordinaire. Il fallait parler très haut, et lui criait comme un sourd, ce que je n'ai jamais vu chez lui, quoique lui ayant toujours connu, au moins depuis un grand nombre d'années, l'oreille plus ou moins dure.

... A midi, on a fait manger à l'Empereur une soupe, un œuf, une cuillerée de vin. Antommarchi lui a donné aussi trois cuillerées de café. Il paraît que Montholon lui avait dit : « Bourrez l'Empereur et tâchez de lui donner de la force. J'ai quelque chose à lui faire signer » : la lettre à l'Impératrice, dans laquelle le docteur devait être recommandé.

Le matin, il avait demandé vingt fois si on lui permettait de prendre du café. « Non, Sire. » ... Les larmes m'en sont venues aux yeux, en regardant cet homme si terrible, qui commandait si fièrement, d'une manière si absolue, supplier pour une cuillerée de café, solliciter la permission, obéissant comme un enfant, redemandant la permission et sans humeur... Voilà le grand Napoléon : misérable, humble.

... De une heure à trois heures, il n'a cessé de répéter les mêmes choses, faisant une question toutes les minutes : « Quel est le meilleur sirop ? la limonade ou l'orgeat ? »

Marchand : Le général (Montholon), avant de sortir, me prit à part pour me remettre deux brouillons de lettres que l'Empereur lui avait dit de faire l'une pour M. Laffitte et l'autre pour M. de la Bouillerie, de les remettre au net, afin qu'à son retour il pût les présenter à la signature de l'Empereur, car, s'il ne les signait pas aujourd'hui, il ne le pourrait peut-être plus demain... Je remis au comte de Montholon, lorsqu'il rentra, les deux lettres qu'il m'avait données à copier sans autre observation sinon que je les avais datées du 25 avril comme elles étaient, bien que nous fussions le 29.

Si je me suis appesanti sur ces deux lettres, c'est que le comte de Montholon, dans deux volumes qu'il a publiés sur Sainte-Hélène, où sa mémoire est souvent en défaut, dit que ces deux lettres m'ont été dictées par l'Empereur, ce qui n'est pas. Ces lettres sont de la facture du comte de Montholon...

Bertrand : Montholon dit que l'Empereur n'avait pas sa tête ; qu'on aurait pu dire que ce n'était pas l'Empereur qui avait fait ce testament, mais lui, Montholon, qui le lui a dicté...

30 avril

Antommarchi : 9 heures A.M. Le malade n'a presque plus de fièvre, il est assez tranquille ; le pouls faible et déprimé varie de quatre-vingt-quatre à quatre-vingt-onze pulsations par minute... Les vésicatoires placés sur les cuisses n'ont produit aucun effet ; celui qui a été appliqué à la région épigastrique ne cause pas de douleur au malade qui croit ne pas l'avoir... Midi.

Il éprouve une chaleur brûlante au gosier. 3 heures P.M. : la fièvre augmente...

Bertrand : « Où est Gourgaud ?

— A Paris.

— Pourquoi est-il parti ?

— Parce qu'il était malade.

— Avec ma permission ?

— Oui, Sire, vous lui aviez même écrit une lettre.

1ᵉʳ mai

Marchand : Le 1ᵉʳ mai, à 11 heures, la comtesse Bertrand a été introduite auprès du lit de l'Empereur... L'Empereur l'entretint quelques minutes encore et lui dit de revenir le voir. La comtesse Bertrand se retira pour ne pas davantage fatiguer l'Empereur... Je l'accompagnai jusqu'au jardin, et là, en sanglotant, elle me dit : « Quel changement s'est opéré chez l'Empereur depuis que je ne l'ai vu !... L'Empereur a été bien cruel pour moi en refusant à me recevoir. Je suis bien heureuse de ce retour d'amitié, mais je le serais davantage s'il avait voulu de mes soins. » Les Drs Arnott et Antommarchi couchent dans la bibliothèque.

Antommarchi : Le pouls est petit, fréquent, et donne jusqu'à cent pulsations par minute... Peu à peu cependant les symptômes s'affaiblissent, l'oppression se calme, et la matinée est assez tranquille. Midi : Hoquet plus fort que jamais.

Bertrand : « Et O'Meara est-il ici ?

— Il est parti.

— Ah ! je ne l'ai pas vu. L'avez-vous vu ?

— Il a pris congé de vous ?

— Oui.

— Qui l'a fait partir ?

— Le Gouverneur.

— Pourquoi ? Parce qu'il nous était trop attaché ?

— Oui.

— Ainsi, il ne reviendra plus ?

— Non.

— A-t-on de ses nouvelles ? Sait-on ce qu'il fait à Londres ?

— Non.

— Et M. Balcombe, où est-il ?

— Il est parti.

— Comment, il est parti ? quand cela ?

— Il y a quelques mois.

— Et sa femme aussi ? Oh ! que cela est drôle. Comment, elle est partie. (L'Empereur a répété cela dix fois.)

2 mai

Antommarchi : 2 heures A.M. La fièvre redouble. — Délire... tout à coup Napoléon recueille ses forces, saute à terre et veut absolument descendre, se promener au jardin ; j'accours le recevoir dans mes bras, mais ses jambes plient sous le faix, il tombe en arrière, j'ai la douleur de ne pouvoir prévenir la chute... Midi : Le malade reprend l'exercice de ses facultés... — Hoquet fréquent et d'une nature alarmante... — Potion anodine composée d'un peu d'eau de fleur d'oranger et de quelques gouttes de teinture d'opium et d'éther... Napoléon ne pouvait supporter la lumière ; nous étions obligés de le lever, de le changer, de lui donner tous les soins qu'exigeait son état au milieu d'une profonde obscurité... Le grand maréchal était à bout, le général Montholon n'en pouvait plus, je ne valais pas mieux : nous cédâmes aux pressantes sollicitations des Français qui habitaient Longwood, nous les associâmes aux tristes devoirs que nous remplissions... Le zèle, la sollicitude qu'ils montraient, touchèrent l'Empereur ; il les recommandait à ses officiers, voulait qu'ils fussent aidés, soutenus, qu'on ne les oubliât pas. « Et mes pauvres Chinois ! qu'on ne les oublie pas non plus, qu'on leur donne quelques vingtaines de napoléons : il faut bien aussi que je leur fasse mes adieux. »

Bertrand : On lui propose, vers sept heures, de la fleur d'oranger avec du sucre : « Ma phalange !... Qu'est-ce que cela ? — De l'eau de fleur d'oranger... — C'est une cause perdue. »

Forshufvud : La boisson aromatisée à « la fleur d'oranger » qu'absorbe journellement Napoléon, est sans aucun doute de l'orgeat avec des amandes amères. Deux des trois éléments nécessaires à la réussite du coup fatal (émétique et amandes amères) sont donc en place.

3 mai

Antommarchi : L'Empereur prend avec assez de plaisir deux biscuits à la cuillère, du vin et un jaune d'œuf ; cependant la prostration des forces va toujours croissante. Somnolence. — Hoquet. — Nausées fréquentes. Vomissements de même nature que les précédents. — Administration de quelques cuillerées de la potion anodine accoutumée. Hudson, pris tout à coup d'humanité, imagine que le lait de vache pourrait soulager cette cruelle agonie et en fait offrir. Le docteur Arnott admire l'inspiration de son chef et veut en essayer. Je m'y oppose de toutes mes forces... nous eûmes une discussion des plus vives... Je réussis néanmoins à empêcher qu'on administrât du lait à l'Empereur mourant.

Marchand : L'Empereur ne veut plus prendre que de l'eau sucrée avec un peu de vin ; toutes les fois que je lui en offre, il me dit en me regardant d'un air satisfait : « C'est bon, c'est bien bon ! »

Bertrand : Cela deux ou trois fois et presque toute la journée quand on lui a donné du vin ou de la fleur d'oranger avec du sucre, il a dit la même chose.

Antommarchi : Midi : Le pouls, à peine sensible et parfois intermittent, donne jusqu'à cent dix pulsations par minute ; la chaleur est beaucoup au-dessous de l'état naturel. Napoléon boit en grande quantité de l'eau de fleur d'oranger mêlée avec de l'eau commune et du sucre.

Marchand : Ce même jour, sur les 2 heures, j'étais seul avec l'Empereur lorsque doucement Saint-Denis vint me prévenir que l'abbé Vignali demandait à me parler, je fus à lui : « L'Empereur, me dit-il, m'a fait dire par le comte de Montholon que je vinsse le voir, mais j'ai besoin d'être seul avec lui. » L'abbé était en habit bourgeois et tenait dans ce même habit quelque chose qu'il cherchait à dissimuler et que je ne cherchai pas à deviner, pensant bien qu'il venait accomplir un acte religieux.

Antommarchi : 3 heures A.M... Hoquet violent et presque continuel... Napoléon jouit encore de l'usage de ses sens. Il recommande à ses exécuteurs testamentaires : « ... Je vais mourir vous allez repasser en Europe, je vous dois quelques conseils sur la conduite que vous avez à tenir. Vous avez partagé mon exil, vous serez fidèles à ma mémoire, vous ne ferez rien qui puisse la blesser... soyez fidèles aux opinions que nous avons défendues, à la gloire que nous avons acquise, il n'y a hors de là que honte et confusion. »

Bertrand : Arnott dit que les hommes de l'art, sachant qu'on avait laissé l'Empereur trois jours sans selle, ne comprendraient pas cela ; qu'il fallait nécessairement en procurer une,

269

soit avec des médecines, soit avec un lavement... Antommarchi s'y est refusé, a dit que le mouvement pour le lavement et ceux qui suivraient pourraient exposer le malade ; qu'il était trop faible et que lui Antommarchi prenait cette responsabilité sur lui... Arnott a persisté dans son sentiment.

Marchand : Je rentrai chez l'Empereur que je trouvai les yeux fermés, le bras étendu sur le bord de son lit ; je mis un genou en terre et j'approchai mes lèvres de sa main sans que ses yeux s'ouvrissent... Je continuai à rester seul debout devant le lit de l'Empereur comprimant mes sanglots mais laissant couler mes larmes...

Bertrand : Vers deux heures et demie, le Gouverneur vient chez le général Montholon. Il dit qu'il a ordre de son gouvernement en cas de danger immédiat de l'Empereur, d'envoyer le premier médecin de l'île, et celui de l'amiral pour assister l'Empereur... (Les Drs Shortt et Mitchell) ont demandé à parler au général Montholon, qui les a reçus chez lui.

Antommarchi : Je leur fais l'exposition des symptômes de la maladie, ils ne s'en contentent pas, et veulent s'assurer par eux-mêmes de l'état où est Napoléon ; toute tentative à cet égard est inutile, je les en préviens ; ils se rangent à l'avis du docteur Arnott, qui propose l'usage d'un purgatif composé de dix grains de calomel. Je me récrie sur cette prescription ; le malade est trop faible, c'est le fatiguer à pure perte ; mais je suis seul, ils sont trois, le nombre l'emporte.

Marquis de Montchenu : Le différend fut alors soumis à Montholon, qui se rangea à l'opinion des médecins anglais, et la potion fut, en conséquence, administrée.

Forshufvud : Montchenu mentionne donc la manœuvre de Montholon contre Antommarchi, le médecin qu'il a en vain tenté

270

d'éloigner du chevet de sa victime. Les dés sont jetés et, par trois voix contre une, l'arrêt de mort signé.

Le calomel est la médecine miracle de l'époque, comparable en cela à notre pénicilline. Les médecins le prescrivent invariablement, de même que l'émétique, dans les cas où tous les autres remèdes ont échoué. Arnott espère en ses vertus purgatives pour soulager Napoléon de sa constipation chronique.

Le calomel est en lui-même un produit inoffensif mais sera fatal associé aux amandes amères de l'orgeat que Napoléon boit journellement. Les amandes contiennent de l'acide cyanhydrique (acide prussique) qui a pour propriété de libérer les chlorures mercureux du mercure normalement inerte dans le calomel. La victime ne tarde pas à perdre conscience; elle devient aveugle et sourde; les muscles striés (ceux qui commandent les mouvements volontaires) se paralysent. Le système nerveux autonome sympathique continuera de fonctionner un bref moment.

L'estomac de la victime peut toutefois réagir en expulsant rapidement le combiné toxique de calomel et d'orgeat. C'est justement pour inhiber ces réactions de défense naturelles de l'estomac que l'émétique a été quelque temps auparavant administré. Si le corps ne rejette pas promptement le toxique, la mort est inévitable dans un délai d'un jour ou deux.

La combinaison mortelle de calomel et d'orgeat sur un terrain préalablement affaibli par l'administration d'émétique est connue des empoisonneurs professionnels de l'époque. Un médecin parisien l'a expérimentée avec succès sur des chiens dès 1814, c'est-à-dire sept ans avant le meurtre de Sainte-Hélène.

La dose infligée à Napoléon, dix grains, est de la folie pure. Les Anglais de l'époque n'en prescrivent habituellement que deux grains à répartir en plusieurs prises, les Allemands et les Suédois, un seul. Montholon aurait-il incité les médecins à administrer cette dose de cheval? Nous n'en avons pas de preuves directes, mais l'on connaît un passage de ses mémoires où il fait allusion à une

dysenterie qu'aurait antérieurement (sans précision de date) contrac-
tée Napoléon : « Nous avons connu trois jours de grande inquié-
tude. La maladie ne progressait pas, mais ses jours étaient en danger
tant que le calomel n'avait pas produit ce que les médecins
appelaient son effet. » On a du mal à y croire. Aucun autre mémoire
ne mentionne que Napoléon ait pris du calomel en d'autres
occasions. Antommarchi n'en a jamais prescrit, et Napoléon
l'aurait de toute façon refusé, comme il refusait tout médicament.

Marchand : Par suite de cette consultation, je fus appelé à donner à l'Empereur du calomel ; je dis au grand maréchal et au comte de Montholon qui m'en parlèrent, que l'Empereur m'avait positivement dit ne vouloir aucun breuvage ou potion qui n'eût son approbation et qu'ils devaient se rappeler la colère de l'Empereur envers le Dr Antommarchi en pareille circonstance. « Oui, sans doute, me dit le grand maréchal avec sa bonté accoutumée, c'est ici une dernière ressource tentée ; l'Empereur est perdu, il ne faut pas que nous ayons à nous reprocher de ne pas avoir fait tout ce qu'humainement on peut faire pour le sauver. » Encouragé par les derniers mots du grand maréchal, je délayai cette poudre dans de l'eau avec un peu de sucre et lorsque l'Empereur me demanda à boire, je la lui présentai comme de l'eau sucrée. Il ouvrit la bouche, avala difficilement et voulut même, sans y parvenir, rejeter tout ; se tournant alors vers moi il me dit avec un ton de reproche si affectueux et si difficile à rendre : « Tu me trompes aussi ? »

Bertrand : Bertrand a parlé à M. Vignali pour l'engager à venir voir l'Empereur quand il voudrait, mais à ne pas se tenir constamment chez lui, à affecter même de se faire voir aux Anglais pour que les malveillants, les libellistes et les ennemis de l'Empereur ne puissent pas dire — ce qu'il savait avoir déjà été dit dans l'île — que l'Empereur, cet homme si fort, mourait

comme un capucin et voulait toujours avoir un prêtre avec lui
— ce qu'il a fort bien compris.

Antommarchi : 10 heures P.M. : Les dix grains de
calomel n'ont encore produit aucun effet, on délibère si on doit
en administrer une nouvelle dose. Je ne garde plus de mesure,
je m'oppose formellement à cette détermination.

Bertrand : Arnott et Antommarchi étaient tous les deux
échauffés dans leur opinion, lorsque à onze heures et demie,
l'Empereur a fait une selle noire, copieuse, énorme, plus
considérable à elle seule que toutes celles qu'il avait faites
depuis un mois.

Saint-Denis : La potion eut de l'effet ; elle détermina une
évacuation d'une matière noirâtre et épaisse et en partie dure,
qui ressemblait à la poix ou au goudron.

Comme l'Empereur était extrêmement faible, on fut dans
l'impossibilité de le changer de lit, comme on avait fait deux
jours auparavant. Alors il avait encore pu se mettre sur sa garde-
robe ; mais, cette fois-ci, on dut se contenter, ne pouvant mieux
faire, de changer seulement le drap de dessous. Cette opération
ne se fit pas sans peine. Afin de pouvoir l'enlever plus
facilement, je montai sur les deux triangles du lit qui forment
les deux côtés et, passant mes bras autour des reins de
l'Empereur en joignant les mains, je le soulevai assez haut pour
que Marchand et un autre pussent ôter le drap rempli de tout ce
qui était sorti du corps du malade. L'attitude où je me trouvais
était d'autant plus gênante que l'Empereur était encore très
pesant et que je n'avais aucun point d'appui.

Bertrand : Peut-être cette selle va-t-elle sauver l'Empereur.

Forshufvud : Un estomac corrodé et qui saigne produit des
selles brun très foncé. Le mercure métallique issu de la réaction
calomel-orgeat est noir comme de l'encre.

4 mai

Antommarchi : Collapsus complet. Sueurs froides. Pouls intermittent et à peine sensible. Envie continuelle d'uriner... L'Empereur n'a pris de l'eau de fleur d'oranger qu'en petite L'Empereur n'a pris de l'eau de fleur d'orange qu'en petite quantité et à des intervalles éloignés. Le temps était affreux, la pluie tombait sans interruption, et le vent menaçait de tout détruire. Le saule sous lequel Napoléon prenait habituellement le frais avait cédé ; nos plantations étaient déracinées, éparses ; un seul arbre à gomme résistait encore, lorsqu'un tourbillon le saisit, l'enlève et le couche dans la boue. Rien de ce qu'aimait l'Empereur ne devait lui survivre... L'adynamie est générale et va toujours augmentant.

Arnott à Thomas Reade : Le calomel a produit l'effet attendu. L'état du malade n'a pas empiré mais se serait plutôt amélioré. Je considère qu'il y a meilleur espoir aujourd'hui qu'hier et avant-hier. C'est ce que vous rapporterez au gouverneur.

Marchand : L'Empereur se refuse à tous les secours qui lui sont offerts ; il continue à boire de l'eau et du vin bien sucrés ou de l'eau sucrée avec de la fleur d'oranger, c'est la boisson qui seule paraît lui être agréable ; chaque fois que je la lui offre, il me répond par ces paroles : « C'est bien bon, mon garçon. »

Antommarchi : 7 heures 30 A.M. : Hoquet très fort et continuel. Le malade refuse de prendre aucun remède à l'intérieur... Il boit un peu plus tard une grande quantité d'eau de fleur d'oranger, mêlée avec de l'eau commune et du sucre... Rire sardonique. — Yeux fixes.

Bertrand : A six heures et demie, selle... Très faible... A dix heures trois quarts : « Eh bien, Bertrand, mon ami... » A

274

midi, nouvelle selle... A une heure trois quarts, il regarde tout le monde. Sept à huit évanouissements successifs dans une montée de selle... A deux heures trois quarts, deux évanouissements à cinq minutes de distance. Selle... Montholon et Bertrand reçoivent les deux médecins qui lui disent que le Gouverneur exige qu'ils voient, le soir, l'Empereur, quand l'obscurité leur permettra d'approcher, qu'ils lui tâtent le pouls, lui tâtent le ventre, etc. A huit heures, garde-robe assez copieuse...

Arnott à Hudson Lowe : Je viens de quitter notre malade endormi. Il paraît mieux que deux heures avant. Il n'a pas de hoquet, respire aisément et a pris au cours de la journée une quantité de nourriture considérable pour une personne dans son état.

Bertrand : A neuf heures et demie, Antommarchi croit qu'il ne passera pas minuit... Jusqu'au dernier moment, c'est-à-dire jusqu'au jour où il a été immobile, il a été très sensible aux mouches : elles lui ont fait faire deux gémissements le dernier jour.

Marchand : Vers les 10 heures, il paraît assoupi sous sa cousinière qui est baissée. Resté près de son lit, je surveille ses moindres mouvements, tandis que les deux médecins, le comte de Montholon et le grand maréchal causent doucement auprès de la cheminée. L'Empereur fait un effort pour vomir, je levai aussitôt la cousinière pour lui présenter un petit bassin d'argent dans lequel il rendit une matière noirâtre, après quoi sa tête retomba sur l'oreiller.

Forshufvud : De nouveau, cette teinte noirâtre caractéristique du mercure métallique. L'estomac de Napoléon tente un ultime effort pour sauver l'organisme intoxiqué, mais il est trop tard : le poison a réalisé son œuvre.

275

5 mai

Antommarchi : La nuit est extrêmement agitée. — L'anxiété est générale, la respiration difficile... 5 h 1/2 A.M. : Napoléon est toujours dans le délire, il parle avec peine, profère des mots inarticulés, interrompus, laisse échapper ceux de « tête... armée ».

Bertrand : ... quelques mots qu'on n'a pu entendre, et « qui recule » ; ou certainement : « A la tête de l'armée. »

Montholon : « France, l'armée, tête d'armée, Joséphine. »

Marchand : « France, mon fils, armée. » Ce furent les dernières paroles que nous devions entendre.

Bertrand : Toute la nuit, moins des hoquets que des gémissements plus ou moins profonds, quelquefois assez forts pour réveiller ceux qui sommeillent dans la chambre.

Marchand : A 6 heures, les persiennes sont ouvertes, et le grand maréchal fait prévenir la comtesse Bertrand de l'état de l'Empereur ; elle arrive à 7 heures, un fauteuil lui est avancé au pied du lit où elle s'assied pour toute la journée.

Arnott à Hudson Lowe : 7 heures du matin : Il va bientôt mourir. Montholon me prie de ne pas quitter le chevet du malade. Il souhaite que je recueille le dernier soupir.

Antommarchi : Je croyais le principe de vie échappé, mais peu à peu le pouls se relève... de profonds soupirs échappent : Napoléon vit encore... Ce fut alors que se passa la plus déchirante peut-être de toutes les scènes dont fut accompagnée sa longue agonie. Mme Bertrand, qui, malgré ses souffrances, n'avait pas voulu quitter un instant le lit de l'auguste malade, fit appeler d'abord sa fille Hortense, et ensuite ses trois fils, pour leur faire voir une dernière fois celui qui avait été leur bienfaiteur. Rien ne saurait exprimer l'émotion qui saisit ces pauvres enfants à ce spectacle de mort. Il y avait environ cinquante jours qu'ils n'avaient été admis auprès de Napoléon, et leurs yeux pleins de larmes cherchaient avec effroi sur son visage pâle et défiguré l'expression de grandeur et de bonté qu'ils étaient accoutumés à y trouver. Cependant d'un mouvement commun ils s'élancent vers le lit, saisissent les deux mains de l'Empereur, les baisent en sanglotant et les couvrent de pleurs. Le jeune Napoléon Bertrand ne peut supporter plus longtemps ce cruel spectacle ; il cède à l'émotion qu'il éprouve ; il tombe, il s'évanouit. On est obligé d'arracher les jeunes affligés et de les conduire dans le jardin.

Marchand : Les Français attachés au service de l'Empereur dont les fonctions ne donnent point accès dans l'intérieur entrent à 8 heures... ils se rangent autour du lit que nous entourions déjà.

Bertrand : Seize personnes présentes, dont douze Français.

Antommarchi : 10 h 12 A.M. : Pouls anéanti, j'en suivais avec anxiété les pulsations, je cherchais si le principe de vie était éteint, lorsque je vis arriver Noverraz, pâle, échevelé, tout hors de lui. Ce malheureux, affaibli par quarante-huit jours d'une hépatite aiguë accompagnée d'une fièvre synocale, entrait à peine en convalescence, mais il avait appris le fâcheux état de l'Empereur, il voulait voir encore, contempler une dernière fois celui qu'il avait si longtemps servi ; il s'était fait descendre, et arrivait fondant en larmes. J'essaye de le renvoyer mais son émotion croit à mesure que je lui parle ; il s'imagine que l'Empereur est menacé, qu'il l'appelle au secours ; il ne peut l'abandonner, il veut combattre, mourir pour lui. Sa tête est perdue ; je flattai son zèle, je le calmai et revins à mon poste.

Marchand : Nos yeux fixés sur cette tête auguste ne s'en détachent plus que pour chercher à lire dans les regards du

Dr Antommarchi, si quelque espoir reste encore. C'est en vain, l'impitoyable mort est là.

Bertrand : De onze heures à midi, Arnott a placé deux sinapismes aux pieds, et Antommarchi deux vésicatoires, un sur la poitrine, le second au mollet. L'Empereur a poussé quelques soupirs... A deux heures et demie, le docteur Arnott a fait placer une bouteille remplie d'eau bouillante sur l'estomac.

Arnott à Hudson Lowe : Trois heures : le pouls est imperceptible, la chaleur a quitté la surface de son corps.

Antommarchi : Je lui rafraîchis continuellement les lèvres et la bouche avec de l'eau commune mêlée d'eau de fleur d'oranger et de sucre, mais le passage est spasmodiquement fermé, rien n'est avalé : tout est vain.

Arnott à Hudson Lowe : 5 h 15 du soir : son état a empiré. La respiration est précipitée et malaisée.

Marchand : A 5 h 50 du soir, le canon de retraite se fait entendre, le soleil disparaît dans des flots de lumière... Le Dr Arnott, les yeux sur sa montre compte les intervalles d'un soupir à l'autre : quinze secondes puis trente, puis une minute s'écoulent, nous attendons encore, mais en vain.

L'Empereur n'est plus !

Les yeux s'ouvrent subitement, le Dr Antommarchi placé près de la tête de l'Empereur, suivant au col les derniers battement du pouls, les lui ferme aussitôt.

Antommarchi : Les paupières restent fixes, les yeux se meuvent, se renversent sous les paupières supérieures, le pouls tombe, se ranime. Il est six heures moins onze minutes, Napoléon touche à sa fin.

Arnott à Hudson Lowe : 5 h 49 du soir : il vient d'expirer.

Geranium Valley, Sainte-Hélène juin 1975

Aux pieds de Sten Forshufvud, la tombe vide. Tout est tranquille près de la source dont Napoléon buvait l'eau, dans cette vallée où, sous les trois saules pleureurs, reposa durant dix-neuf années la dépouille de l'Empereur empoisonné. Le temps a passé ; les saules n'y sont plus ; à leur place s'élèvent des cyprès et des pins plantés par les Français et les Anglais. La tombe est une simple dalle de ciment, sans inscription et entourée d'une barrière en métal. Forshufvud est seul à s'y recueillir ce jour-là, dans le silence que parfois traverse le cri d'un oiseau. Le soleil ne parvient pas à réchauffer la solitude qui règne sous cette ombre épaisse.

Arrivé à Sainte-Hélène une semaine auparavant, Forshufvud doit repartir le lendemain. L'organisation de ce voyage relevait de la prouesse car, d'une certaine manière, l'île est plus difficile d'accès de nos jours qu'à l'époque de Napoléon. Depuis l'ouverture du canal de Suez, en 1860, les navires en route pour l'Asie n'y font plus escale. On y compte cinq mille habitants — presque tous sujets britanniques — c'est-à-dire à peine plus qu'au moment où l'Empereur y séjourna, et moins qu'en 1860. Il n'y a pas d'aéroport. Un paquebot s'y arrête de temps à autre ; à part cela, il n'existe pour s'y rendre que les deux cargos anglais qui font la navette entre Southampton et Le Cap et dont les quelque douze cabines sont en général louées des mois, voire des années, à l'avance.

Le petit port de Jamestown n'a guère dû changer d'aspect en un siècle et demi. La ville se réduit à une rue unique, avec quelques échoppes, qui s'étire le long du quai ; la plupart des bâtiments datent du xixᵉ siècle, certains de l'époque napoléonienne. Aujourd'hui encore, les gros navires sont obligés de mouiller au large. Une chaloupe a donc déposé Forshufvud au pied d'un escalier de pierre, à quelques mètres à peine de celui que gravirent un soir d'octobre Napoléon et son assassin, tandis que, dans la petite foule amassée là, la jeune Betsy Balcombe tentait de les apercevoir.

Tout est bien tel que se l'imaginait Forshufvud, y compris la demeure de Longwood aujourd'hui restaurée par Gilbert Martineau, écrivain et consul français. Une seule surprise : le climat de Sainte-Hélène. Les exilés ne cessaient, tout au long de leurs mémoires, de se plaindre du « climat malsain » qui régnait dans l'île ; Forshufvud qui s'attendait donc au pire est fort déconcerté par la clémence des températures en plein hiver pour une région située dans l'hémisphère sud. A Jamestown, il rencontre Martineau et lui demande des éclaircissements à ce sujet. Ce dernier a longtemps vécu dans l'île et admet volontiers que les conditions sont assez douces sur la côte, mais, dit-il, ce n'est pas tout à fait le cas dans la plaine de Longwood même. La mère de Martineau cependant, une vieille dame de quatre-vingt-cinq ans qui vit toujours à Longwood, apprécie les choses un peu différemment : un climat « délicieux », assure-t-elle, ajoutant : « Ici, monsieur, c'est le paradis. » Les exilés haïssaient surtout leur exil, en déduit Forshufvud, et incriminer le climat « insalubre » de Sainte-Hélène était pour eux un moyen commode de rendre les Anglais responsables du mal qui rongeait l'Empereur. Les auteurs français se contentèrent ensuite de reprendre la même antienne : ainsi s'écrit l'Histoire.

Geranium Valley, Sainte-Hélène, juin 1975

Les yeux fixés sur la pierre tombale muette, Forshufvud songe à la scène qui se joua, en ce même endroit, un jour d'octobre 1840, et au cours de laquelle la dépouille de Napoléon vint s'offrir comme dernière pièce à conviction et preuve définitive de l'empoisonnement par l'arsenic. Cette année-là, cédant à la pression des bonapartistes de plus en plus turbulents, le roi Louis-Philippe envoya une délégation à Sainte-Hélène. On allait réaliser les dernières volontés de l'Empereur mourant et ramener ses cendres sur les bords de la Seine. Les compagnons de captivité encore en vie devaient refaire avec leur maître ce voyage de retour. Ils se retrouvèrent donc autour de sa tombe. Bertrand avait soixante-sept ans, les cheveux gris, le visage las, et il était venu avec un de ses fils, un adulte à présent ; Fanny Bertrand était morte quatre ans auparavant. Son fils Emmanuel était venu à la place de Las Cases âgé de quatre-vingts ans et aveugle. Toujours aussi querelleur, Gourgaud, à défaut de Las Cases, s'en prenait à Emmanuel. Louis Marchand était maintenant un homme d'âge mûr et un bourgeois cossu, digne légataire des biens que lui avait laissés Napoléon. Il était là, ainsi que les deux seconds valets, Saint-Denis et Noverraz, l'ours suisse, de même que Pierron, le chef et Archambault, le piqueur. Les deux médecins, O'Meara et Antommarchi étaient morts, O'Meara en Angleterre, Antommarchi à Santiago de Cuba.

Montholon n'était pas là. Libre et disponible le jour où La *Belle Poule* avait levé l'ancre, il était en prison au moment de la cérémonie de l'exhumation. Il avait repris au retour de l'exil la vie fantasque et désordonnée qui avait été la sienne avant l'épisode hélénien. Son héritage — la coquette somme d'un million et demi de francs — dilapidé, il était dès 1829 totalement ruiné. Montholon menait une carrière militaire instable, naviguant d'un milieu à l'autre, toujours en marge, semblant n'appartenir à rien ni à personne. On disait qu'en

1827 il avait eu un entretien secret avec le roi Charles X, l'ancien comte d'Artois, celui qui, d'après Forshufvud, l'avait envoyé à Sainte-Hélène pour empoisonner l'Empereur déchu. Charles X ne récompensa jamais Montholon, du moins pas publiquement, mais les gouvernements récompensent rarement ceux qui accomplissent leurs basses besognes. Charles X gérait si mal les affaires du pays qu'il fut renversé en 1830, illustrant ainsi ce mot sur les Bourbons que Napoléon aimait répéter : « Ils n'ont rien appris et rien oublié. »

Après les Trois Glorieuses, Charles X s'embarquait pour son troisième exil lorsqu'un de ses compagnons s'inquiéta de leur destination. Goguenard, un marin lança : « à Sainte-Hélène ». Charles X mourut près de Trieste quatre ans avant le retour en grande pompe des cendres de son ennemi.

En 1840, quelques mois avant l'exhumation à Sainte-Hélène, Montholon s'était attaché au service de Louis-Napoléon, fils de Louis Bonaparte et de Hortense de Beauharnais, le futur Napoléon III. Huit ans auparavant, à la mort de l'Aiglon, Louis-Napoléon était devenu l'héritier des Bonaparte. En août, Montholon prit la tête, depuis l'Angleterre, d'une folle expédition en vue de conquérir la France pour le compte de Louis-Napoléon. Les troupes françaises, que l'on avait évidemment prévenues, attendaient à Boulogne, et les envahisseurs furent promptement capturés. Condamné à vingt ans de réclusion, Montholon fut néanmoins libéré après six ans.

Il mourut treize ans plus tard, sans avoir jamais rien dit du crime monstrueux dont il avait été l'instrument. Avoua-t-il à son épouse Albine le meurtre de l'homme dont elle avait été — selon toute vraisemblance — la maîtresse ? Lui expliqua-t-il jamais que c'était pour n'avoir pas à s'éloigner de sa victime, qu'il avait supporté sans broncher sa liaison avec Napoléon ? Sans doute pas : le risque eût été trop grand. Les vétérans, les anciens compagnons de l'Empereur, en auraient aussitôt tiré vengeance. Montholon n'était-il qu'une victime du chantage du comte d'Artois ? Ou se considérait-il comme un officier investi d'une mission particulièrement désagréable et risquée, pour le compte des maîtres légitimes de la France ? Son sommeil fut-il jamais troublé par le souvenir des souffrances atroces de l'homme dont il avait gagné la confiance et qu'il avait empoisonné ? Toutes ces questions et bien d'autres encore ne trouveront sans doute jamais de réponse : le passé a définitivement englouti une grande partie de l'histoire de Montholon.

Il valait mieux pour lui qu'il ne fût pas là, en ce jour pluvieux et brumeux de 1840, cependant que les compagnons d'exil regardaient les ouvriers ouvrir la tombe de l'Empereur. Les témoins auraient pu soudain comprendre la signification du phénomène étonnant qui venait d'apparaître à leurs yeux et Montholon s'en trouver démasqué. Le corps de Napoléon n'avait pas été embaumé mais simplement inhumé tel qu'il était après l'autopsie. On l'avait mis dans quatre cercueils, dont deux en métal, mais aucun étanche à l'air. Cela faisait dix-neuf ans qu'on l'avait enterré ; les témoins s'attendaient donc, à l'ouverture du dernier cercueil, à voir apparaître un squelette.

Mais le corps de Napoléon était intact. L'Empereur semblait dormir. En dix-neuf ans, son visage avait moins changé que celui des hommes réunis autour de sa tombe. Le temps avait dégradé ses vêtements mais épargné son corps. Il existe une explication à ce miracle... l'arsenic. L'arsenic est un poison meurtrier, qui a la propriété de préserver les tissus vivants de la putréfaction : les musées l'utilisent fréquemment pour la conservation des spécimens. Le corps d'un être humain ayant subi une intoxication chronique à l'arsenic se décompose très lentement. Ainsi le corps muet de Napoléon racontait-il comment on l'avait assassiné. Aujourd'hui encore il pourrait en témoigner : il suffirait que les Français acceptent de faire ouvrir le tombeau des Invalides où, enfermée dans six cercueils, repose la dépouille de l'Empereur.

Mais cela, quelqu'un d'autre devra s'en charger. Forshufvud a maintenant achevé l'œuvre que lui a inspirée, vingt ans auparavant, la lecture des *Mémoires* de Louis Marchand. Il a largement gagné l'abeille napoléonienne suspendue dans ce bureau du troisième étage où il s'est acharné à résoudre l'énigme de Sainte-Hélène. Ce pèlerinage devant la lointaine tombe vide clôt une des périodes les plus passionnantes de son existence. Il est temps de songer au retour. Après un dernier regard à la dalle de ciment derrière sa méchante barrière métallique, Forshufvud s'éloigne d'un pas rapide. Demain il s'en retourne chez lui, à Göteborg.

NOTE

Au cours des années qui ont suivi leur rencontre au Mont Gabriel, Sten Forshufvud et Ben Weider ont rédigé ensemble un travail universitaire intitulé *Assassination at St. Helena*, qui a été publié au Canada en 1978 par les éditions Mitchell Press Ltd of Vancouver. Sten Forshufvud, qui vit toujours à Göteborg, a aidé les auteurs pour la rédaction du présent ouvrage.

TABLE DES MATIÈRES

Achevé d'imprimer le 22 mars 1982.
sur presse CAMERON
dans les ateliers de la S.E.P.C.
à Saint-Amand-Montrond (Cher)
pour
les éditions Robert Laffont

Dépôt légal : avril 1982.
N° d'Édition : M 629. N° d'Impression : 419/256.